a menina que roubava livros

MARKUS ZUSAK

a menina que roubava livros

Tradução de Vera Ribeiro

intrínseca

Copyright © 2005 Markus Zusak
Copyright Ilustrações © 2005 Trudy White

TÍTULO ORIGINAL
The Book Thief

PROJETO GRÁFICO
Mariana Newlands

DIAGRAMAÇÃO
Laura Klemz Guerrero

REVISÃO
Isabel Newlands
José Figueiredo
Umberto Figueiredo Pinto

IMAGEM DA FOLHA DE ROSTO
Shutterstock | Jacob Haskew

FOTO DO AUTOR
Bronwyn Rennex

IMPRESSÃO
Imprensa da Fé

CIP-BRASIL. CATALOGAÇÃO-NA-FONTE.
SINDICATO NACIONAL DOS EDITORES DE LIVROS, RJ.

Z93m   Zusak, Markus, 1975-
        A menina que roubava livros / Markus Zusak ; tradução de Vera Ribeiro ; [ilustrações Trudy White]. — Rio de Janeiro : Intrínseca, 2010.
        480 p. : il. ; 23cm.

        Tradução de: The book thief
        ISBN 978-85-98078-17-5
        ISBN 978-85-8057-451-7 (Capa inspirada no pôster do filme)

        1. Livros e leitura - Ficção. 2. Judeus - Alemanha - História - 1933-1945 - Ficção. 3. Guerra Mundial, 1939-1945 - Judeus - Ficção. 4. Ficção australiana. I. Ribeiro, Vera. II. Título.

06-4504   CDD 823
                                          CDU 821.111-3

[2010]

Todos os direitos desta edição reservados à

EDITORA INTRÍNSECA LTDA.
Av. das Américas, 500, bloco 12, sala 303
22640-904 – Barra da Tijuca
Rio de Janeiro – RJ
Tel./Fax: (21) 3206-7400
www.intrinseca.com.br

2ª EDIÇÃO
Março de 2010

REIMPRESSÃO
Janeiro de 2025

IMPRESSÃO
Imprensa da Fé

PAPEL DE MIOLO
Hylte 60 g/m²

PAPEL DE CAPA
Cartão Supremo Alta Alvura 250 g/m²

TIPOGRAFIA
Electra

*Para Elisabeth e Helmut Zusak,
com amor e admiração*

PRÓLOGO

Uma cordilheira de escombros

ONDE NOSSA NARRADORA APRESENTA:

ela mesma
as cores
e a roubadora de livros

Morte e chocolate

Primeiro, as cores.
 Depois, os humanos.
 Em geral, é assim que vejo as coisas.
 Ou, pelo menos, é o que tento.

· EIS UM PEQUENO FATO ·
Você vai morrer.

Com absoluta sinceridade, tento ser otimista a respeito de todo esse assunto, embora a maioria das pessoas sinta-se impedida de acreditar em mim, sejam quais forem meus protestos. Por favor, confie em mim. Decididamente, eu *sei* ser animada, sei ser amável. Agradável. Afável. E esses são apenas os As. Só não me peça para ser simpática. Simpatia não tem nada a ver comigo.

· REAÇÃO AO FATO SUPRACITADO ·
Isso preocupa você?
Insisto — não tenha medo.
Sou tudo, menos injusta.

— É claro, uma apresentação.
 Um começo.
 Onde estão meus bons modos?
 Eu poderia me apresentar apropriadamente, mas na verdade isso não é necessário. Você me conhecerá o suficiente e bem depressa, dependendo de uma gama diversificada de variáveis. Basta dizer que em

algum ponto do tempo eu me erguerei sobre você, com toda a cordialidade possível. Sua alma estará em meus braços. Haverá uma cor pousada em meu ombro. E levarei você embora gentilmente.

Nesse momento, você estará deitado. (Raras vezes encontro pessoas de pé.) Estará solidificado em seu corpo. Talvez haja uma descoberta; um grito pingará pelo ar. O único som que ouvirei depois disso será minha própria respiração, além do som do cheiro de meus passos.

A pergunta é: qual será a cor de tudo nesse momento em que eu chegar para buscar você? Que dirá o céu?

Pessoalmente, gosto do céu cor de chocolate. Chocolate-escuro, bem escuro. As pessoas dizem que ele condiz comigo. Mas procuro gostar de todas as cores que vejo — o espectro inteiro. Um bilhão de sabores, mais ou menos, nenhum deles exatamente igual, e um céu para chupar devagarzinho. Tira a contundência da tensão. Ajuda-me a relaxar.

· UMA PEQUENA TEORIA ·
As pessoas só observam as cores do dia no começo e no fim,
mas para mim está muito claro que o dia se funde através de
uma multidão de matizes e gradações, a cada momento que passa.
Uma só hora pode consistir em milhares de cores diferentes.
Amarelos céreos, azuis borrifados de nuvens. Escuridões enevoadas.
No meu ramo de atividade, faço questão de notá-los.

Como eu digo, o único dom que me salva é a distração. Ela preserva minha sanidade. Ajuda-me a aguentar, considerando-se há quanto tempo venho executando este trabalho. O problema é: quem poderia me substituir? Quem tomaria meu lugar, enquanto eu tiro uma folga em seus destinos-padrão de férias, no estilo *resort*, seja ele tropical, seja da variedade estação de inverno? A resposta, é claro, é ninguém, o que me instigou a tomar uma decisão consciente e deliberada — fazer da distração minhas férias. Nem preciso dizer que tiro férias à prestação. Em cores.

Mesmo assim, é possível que você pergunte: por que é mesmo que ela precisa de férias? *De que* precisa se distrair?

O que me traz à minha consideração seguinte.

São os humanos que sobram.

Os sobreviventes.

É para eles que não suporto olhar, embora ainda falhe em muitas ocasiões. Procuro deliberadamente as cores para tirá-los da cabeça, mas, vez por outra, sou testemunha dos que ficam para trás, desintegrando-se no quebra-cabeça do reconhecimento, do desespero e da surpresa. Eles têm corações vazados. Têm pulmões esgotados.

O que, por sua vez, me traz ao assunto de que lhe estou falando esta noite, ou esta manhã, ou seja lá quais forem a hora e a cor. É a história de um desses sobreviventes perpétuos — uma especialista em ser deixada para trás.

É só uma pequena história, na verdade, sobre, entre outras coisas:
* Uma menina
* Algumas palavras
* Um acordeonista
* Uns alemães fanáticos
* Um lutador judeu
* E uma porção de roubos

Vi três vezes a menina que roubava livros.

AO LADO DA LINHA FÉRREA

Primeiro aparece uma coisa branca. Do tipo ofuscante.
 É muito provável que alguns de vocês achem que o branco não é realmente uma cor, e todo esse tipo batido de absurdo. Bem, estou aqui para lhes dizer que é. O branco é, sem dúvida, uma cor e, pessoalmente, acho que você não vai querer discutir comigo.

· UM ANÚNCIO TRANQUILIZADOR ·
Por favor, mantenha a calma, apesar da ameaça anterior.
Sou só garganta...
Não sou violenta.
Não sou maldosa.
Sou um resultado.

Sim, era branco.
 Era como se o globo inteiro estivesse vestido de neve. Como se houvesse enfiado aquilo, do jeito que se enfia um suéter. Junto à linha de trem, as pegadas afundavam até as canelas. As árvores usavam cobertores de gelo.
 Como você poderia supor, alguém tinha morrido.
 Não podiam simplesmente deixá-lo ali no chão. De momento, não era um problema tão grande, mas, logo, logo, a linha seria desobstruída mais adiante e o trem precisaria seguir viagem.
 Havia dois guardas.
 Havia uma mãe com sua filha.
 Um cadáver.
 A mãe, a menina e o cadáver continuaram obstinados e calados.

• • •

— Bem, o que mais você quer que eu faça?

Os guardas eram um alto e um baixo. O alto sempre falava primeiro, embora não fosse o responsável. Olhava para o menor, mais rechonchudo. O do rosto vermelho e suculento.

— Bem — foi a resposta —, não podemos só deixá-los assim, não é?

O alto estava perdendo a paciência.

— Por que não?

E o baixote por pouco não explodiu. Ergueu os olhos para o queixo do altão e gritou:

— *Spinnst du*?! Você está variando? – A aversão em suas bochechas adensava-se a cada momento. Sua pele foi-se alargando. — Vamos — disse, tropeçando na neve. — Levaremos todos os três de volta, se for preciso. Faremos a notificação na próxima parada.

Quanto a mim, eu já havia cometido o mais elementar dos erros. Não consigo lhe explicar a intensidade de minha decepção comigo mesma. Originalmente, eu tinha feito tudo certo:

Estudei o céu ofuscante, branco feito neve, que estava na janela do trem em movimento. Praticamente o *inalei*, mas, mesmo assim, titubeei. Cedi — fiquei interessada. Na menina. Fui vencida pela curiosidade e me resignei a ficar o tempo que meu horário permitisse, e observei.

Vinte e três minutos depois, quando o trem estava parado, desci com eles.

Havia uma alminha em meus braços.

Postei-me um pouco à direita.

A dupla dinâmica de guardas do trem voltou à mãe, à menina e ao corpinho masculino. Lembro-me claramente de que eu estava respirando alto nesse dia. Fiquei surpresa com o fato de os guardas não me notarem ao passarem por mim. Agora o mundo estava afundando, sob o peso de toda aquela neve.

Uns dez metros à minha esquerda, talvez, postava-se a menina pálida, de estômago vazio, enregelada.

Sua boca tremia.

Seus braços frios estavam cruzados.

Havia lágrimas cristalizadas no rosto da roubadora de livros.

O ECLIPSE

Depois vem uma assinatura preta, para mostrar os polos da minha versatilidade, se assim lhe agrada. Foi no momento mais escuro antes do alvorecer.

Dessa vez, eu tinha ido buscar um homem de uns vinte e quatro anos, talvez. De certo modo, foi uma coisa bonita. O avião ainda tossia. A fumaça vazava de seus dois pulmões.

Quando ele caiu, fez três sulcos profundos na terra. Agora suas asas eram braços serrados. Nada de bater, nunca mais. Não para aquela avezinha metálica.

· OUTROS PEQUENOS FATOS ·
Às vezes eu chego cedo demais.
Apresso-me,
e algumas pessoas se agarram
por mais tempo à vida do que seria esperado.

Após uma pequena coleção de minutos, a fumaça se esgotou. Não restava mais nada para acontecer.

Primeiro chegou um menino, com a respiração desordenada e o que parecia ser uma caixa de ferramentas. Com grande inquietação, aproximou-se do *cockpit* e observou o piloto, avaliando se estava vivo, o que, aliás, ainda estava, àquela altura. A roubadora de livros chegou, talvez, trinta segundos depois.

Anos se haviam passado, mas eu a reconheci.

Estava arfante.

• • •

Da caixa de ferramentas, o menino tirou, quem havia de imaginar, um ursinho de pelúcia.

Estendeu a mão pelo para-brisa despedaçado e o colocou no peito do piloto. O ursinho sorridente sentou-se, aninhado entre os destroços amontoados do homem e o sangue. Minutos depois, arrisquei a sorte. Era o momento certo.

Entrei, soltei a alma dele e a levei embora gentilmente.

Só restaram o corpo, o cheiro minguante de fumaça e o ursinho de pelúcia sorridente.

Quando chegou toda a multidão, é claro que as coisas haviam mudado. O horizonte começava a se acinzentar. O que restava de negrume no alto já não passava de um rabisco, e desaparecia depressa.

O homem, em comparação, estava cor de osso. Pele cor de esqueleto. Uniforme amarrotado. Tinha os olhos frios e castanhos — feito manchas de café —, e a última garatuja lá do alto formou o que me pareceu ser uma forma curiosa, mas conhecida. Uma assinatura.

A multidão fez o que fazem as multidões.

Enquanto eu passava, cada pessoa ficou brincando com a quietude daquilo. Uma pequena mistura de movimentos desconexos das mãos, frases abafadas e guinadas mudas, constrangidas.

Quando me virei e olhei para o avião, a boca aberta do piloto parecia sorrir.

Uma última piada obscena.

Mais um final de piada humano.

Ele continuou amortalhado em seu uniforme, enquanto a luz mais cinzenta fazia uma queda de braço no céu. Como acontecia com muitos outros, quando comecei a me afastar, pareceu haver de novo uma sombra ligeira, um instante final de eclipse — o reconhecimento da partida de outra alma.

Sabe, assim por um momento, apesar de todas as cores que afetam e se atracam com o que vejo neste mundo, comigo é frequente captar um eclipse quando morre um ser humano.

Já vi milhões deles.

Vi mais eclipses do que gosto de lembrar.

A BANDEIRA

Na última vez que a vi, estava vermelho. O céu parecia uma sopa, borbulhando e se mexendo. Queimado em alguns lugares. Havia migalhas pretas e pimenta riscando a vermelhidão.

Antes, houvera crianças pulando amarelinha ali, na rua que lembrava páginas manchadas de gordura. Quando cheguei, ainda era possível ouvir seu eco. Os pés batendo no chão. As vozes infantis rindo, e os sorrisos feito sal, mas se estragando depressa.

Depois, bombas.

Dessa vez, foi tudo tarde demais.
As sirenes. Os gritos malucos no rádio. Tudo muito tarde.

Em minutos, montes de concreto e terra se sobrepuseram e empilharam. As ruas eram veias rompidas. O sangue escorreu até secar no chão e os cadáveres ficaram presos ali, feito madeira boiando depois da enxurrada.

Estavam colados no chão, até o último deles. Um pacote de almas.
Seria o destino?
O azar?
Foi isso que os grudou assim?
É claro que não.
Não sejamos burros.
Provavelmente, deveu-se mais às bombas atiradas, lançadas por seres humanos escondidos nas nuvens.

Sim, agora o céu era de um vermelho devastador, desses feitos em casa. A cidadezinha alemã fora rasgada com violência, mais uma vez.

Flocos de neve feitos de cinzas caíam tão *encantadoramente* que a gente ficava tentada a espichar a língua para pegá-los, prová-los. Só que eles queimariam os lábios. Cozinhariam a boca.

Claramente, eu vi.
Estava prestes a ir embora quando a encontrei ajoelhada.
Uma cordilheira de escombros fora escrita, desenhada, erigida à sua volta. Ela estava agarrada a um livro.

Afora todo o resto, a menina que roubava livros queria desesperadamente voltar para o porão, escrever ou ler sua história até o fim, uma última vez. Olhando para trás, vejo tudo muito óbvio em seu rosto. Ela morria de saudade daquilo — da segurança, da familiaridade —, mas não conseguiu se mexer. Além disso, o porão já nem existia. Era parte da paisagem mutilada.

Por favor, mais uma vez, peço-lhe que acredite em mim.
Tive vontade de parar. Agachar-me.
Tive vontade de dizer:
— Sinto muito, menina.
Mas isso não é permitido.
Não me agachei. Não falei.
Em vez disso, observei-a por algum tempo. Quando ela conseguiu se mexer, acompanhei-a.

Ela deixou cair o livro.
Ajoelhou-se.
A roubadora de livros uivou.

Seu livro foi pisoteado várias vezes quando começaram a limpeza, e embora tivesse havido ordens de que se limpasse apenas a confusão de concreto, o objeto mais precioso da menina foi jogado num caminhão de lixo, e foi nesse ponto que me senti obrigada. Subi na caçamba e o peguei com minha mão, sem me dar conta de que o guardaria e o olharia milhares de vezes, ao longo dos anos. Observaria os lugares em que nos cruzássemos e me deslumbraria com o que a menina viu e a maneira como sobreviveu. Isso é o melhor que posso fazer — ver aquilo se encaixar em tudo mais de que fui espectadora naqueles tempos.

Quando me lembro dela, vejo uma longa lista de cores, mas são as três em que a vi em carne e osso que têm mais ressonância. Vez ou outra, consigo flutuar muito acima daqueles três momentos. Fico suspensa, até que uma verdade séptica sangra para a claridade.
É aí que as vejo numa fórmula.

· AS CORES ·

vermelho: ▬ *branco:* O *preto:* 卐

Elas caem umas sobre as outras. A assinatura rabiscada em preto sobre o branco global ofuscante, em cima do vermelho espesso de sopa.

Sim, lembro-me dela com frequência, e num de meu vasto sortimento de bolsos guardei sua história para contar. É uma dentre a pequena legião que carrego, cada qual extraordinária por si só. Cada qual uma tentativa — uma tentativa que é um salto gigantesco — de me provar que você e sua existência humana valem a pena.

Aqui está ela. Uma dentre um punhado.

A menina que roubava livros.

Se quiser, venha comigo. Vou lhe contar uma história.

Vou lhe mostrar uma coisa.

PARTE UM

O Manual do Coveiro

APRESENTANDO:

a rua himmel
a arte de dizer saumensch
uma mulher de punhos de ferro
tentativa de um beijo
jesse owens
lixa de parede
o cheiro da amizade
uma campeã peso-pesado
e a maior de todas as watschen

CHEGADA À RUA HIMMEL

Aquela última vez.
 Aquele céu vermelho...
 Como é que uma menina que rouba livros acaba ajoelhada, soltando uivos e ladeada por um monte de entulho ridículo, gordurento, inventado, feito pelo homem?
 Anos antes, o começo foi a neve.
 Tinha chegado a hora. Para um.

· UM MOMENTO ESPETACULARMENTE TRÁGICO ·
Um trem se deslocava depressa.
Abarrotado de seres humanos.
Um menino de seis anos morreu
no terceiro vagão.

A roubadora de livros e seu irmão estavam viajando para Munique, onde logo seriam entregues a pais de criação. Agora sabemos, é claro, que o menino não chegou lá.

· COMO ACONTECEU ·
Houve um intenso acesso de tosse.
Um acesso quase inspirado.
E logo depois — nada.

Quando a tosse parou, não restou outra coisa senão o nada da vida, seguindo em frente com um arrastar de pés, ou um espasmo quase silencioso. Nessa hora, um ímpeto achou o caminho de seus lábios, que eram de um marrom corroído e descascado, feito tinta velha. Precisando desesperadamente de reforma.

A mãe deles dormia.

Entrei no trem.

Meus pés passaram pelo corredor atravancado e a palma da minha mão lhe cobriu a boca num instante.

Ninguém notou.

O trem continuou em seu galope.

Menos a menina.

Com um olho aberto, outro ainda no sonho, a roubadora de livros — também conhecida como Liesel Meminger — pôde ver, sem sombra de dúvida, que seu irmão caçula, Werner, estava caído de lado e morto.

Seus olhos azuis fitavam o chão.

Sem nada ver.

Antes de acordar, a menina que roubava livros estivera sonhando com o *Führer*, Adolf Hitler. No sonho, ela participava de um comício em que ele fazia um discurso, e olhava para o repartido cor de crânio em seu cabelo e para o quadrado perfeito de seu bigode. Ouvia contente a enxurrada de palavras que jorrava da boca do homem. As frases dele rebrilhavam à luz. Num momento mais calmo, ele até se abaixara e sorrira para ela. Liesel retribuíra o sorriso, dizendo: *"Guten Tag, Herr Führer. Wie geht's dir heut?"* Ela não havia aprendido a falar muito bem, nem tampouco a ler, porque raras vezes frequentara a escola. A razão disso ela descobriria no devido tempo.

Quando o *Führer* estava prestes a responder, a menina acordou.

Era janeiro de 1939. Liesel tinha nove anos, logo faria dez.

Seu irmão estava morto.

Um olho aberto.

Um ainda num sonho.

Seria melhor um sonho completo, eu acho, mas realmente não tenho controle sobre isso.

O segundo olho acordou de um salto e ela me flagrou, disso não tenho dúvida. Foi exatamente na hora em que me ajoelhei e extraí a alma do menino, segurando-a, amolecida, em meus braços inchados. Logo depois ele se aqueceu, mas, quando o peguei originalmente, o espírito do menino estava mole e frio, feito sorvete. Começou a derreter em meus braços. Depois, foi-se aquecendo completamente. Curando-se.

Para Liesel Meminger houve a rigidez aprisionada dos movimentos e a invasão atordoante das ideias. *Es stimmt nicht.* Isso não está acontecendo. Não está acontecendo.

E os sacolejos.

Por que eles sempre os sacodem?

É, eu sei, eu sei, imagino que tenha relação com o instinto. Para estancar o fluxo da verdade. O coração dela, naquele momento, estava escorregadio e quente, e alto, muito, muito alto.

Estupidamente, fiquei. Observei.

Depois disso, a mãe.
A menina a acordou com o mesmo sacolejo aflito.
Se você não consegue imaginar como é, pense num silêncio canhestro. Pense em cacos e pedaços de desespero flutuante. E em se afogar num trem.

A neve andara caindo ininterruptamente, e o serviço para Munique foi obrigado a parar, por causa do trabalho malfeito nos trilhos. Havia uma mulher chorando. E uma menina entorpecida, parada ao lado dela.

Em pânico, a mãe abriu a porta.
Desceu para a neve, segurando o corpinho.
Que podia fazer a menina senão segui-la?

Como já lhe informei, dois guardas também desceram do trem. Conversaram e discutiram sobre o que fazer. Era uma situação desagradável, para dizer o mínimo. Acabou sendo decidido que todos os três seriam levados para a estação seguinte e deixados lá, para resolver as coisas.

Dessa vez o trem capengou pelo interior coberto de neve.
Chacoalhou e parou.
Eles desceram na plataforma, o corpo nos braços da mãe.
Pararam.
O menino estava ficando pesado.

Liesel não tinha ideia de onde estava. Era tudo branco, e enquanto ficaram na estação ela só conseguiu olhar para as letras desbotadas da placa à sua frente. Para Liesel, a cidade não tinha nome, e foi lá que seu irmão, Werner, foi enterrado, dois dias depois. As testemunhas incluíram um padre e dois coveiros, trêmulos de frio.

· UMA OBSERVAÇÃO ·
Um par de guardas do trem.
Um par de coveiros.
No final das contas, um deles dava as ordens.
O outro fazia o que lhe mandavam.
A pergunta é: e se o outro é muito mais que um?

Erros, erros, às vezes parece que isso é tudo de que sou capaz.
Durante dois dias cuidei do que é meu. Viajei pelo globo, como sempre, entregando almas à esteira rolante da eternidade. Vi-as ser passivamente levadas. Em

vários momentos, avisei a mim mesma que deveria manter uma boa distância do enterro do irmão de Liesel Meminger. Não ouvi meus conselhos.

A quilômetros de distância, ao me aproximar, já pude ver o grupinho de humanos frigidamente parados em meio ao deserto de neve. O cemitério me acolheu como a uma amiga, e logo depois eu estava com eles. Abaixei a cabeça.

Parados à esquerda de Liesel, os coveiros esfregavam as mãos e resmungavam sobre a neve e as condições de escavação do momento. "É muito difícil atravessar esse gelo todo", coisas assim. Um deles não podia ter mais de catorze anos. Um aprendiz. Quando foi embora, depois de umas dezenas de passos, um livro preto caiu inocuamente do bolso de seu casaco, sem seu conhecimento.

Minutos depois, a mãe de Liesel começou a se afastar, com o padre. Agradecia-lhe por ter oficiado a cerimônia.
Mas a menina ficou.
Seus joelhos afundaram no chão. Tinha chegado o momento dela.
Ainda incrédula, ela começou a cavar. Ele não podia estar morto. Ele não podia estar morto. Ele não podia...
Em segundos, havia neve trinchando sua pele.
O sangue congelado rachava em suas mãos.
Em algum lugar, em toda aquela neve, ela via seu coração partido em dois pedaços. Cada metade luzia e pulsava sob a imensa branquidão. A menina só percebeu que a mãe voltara para buscá-la quando sentiu a mão ossuda em seu ombro. Estava sendo arrastada para longe. Um grito quente encheu-lhe a garganta.

· UMA IMAGENZINHA, TALVEZ ·
A VINTE METROS DE DISTÂNCIA
Terminado o arrastar,
a mãe e a menina pararam e respiraram.
Havia uma coisa preta e retangular abrigada na neve.
Só a menina a viu.
Ela se curvou, apanhou-a e a
segurou com firmeza entre os dedos.
O livro tinha letras prateadas.

As duas se deram as mãos.
Soltou-se um último adeus encharcado e elas fizeram meia-volta e saíram do cemitério, olhando várias vezes para trás.
Quanto a mim, fiquei mais uns momentos.
Acenei.
Ninguém retribuiu o aceno.

• • •

Mãe e filha deixaram o cemitério e se dirigiram ao próximo trem para Munique.
As duas estavam magras e pálidas.
As duas tinham machucados nos lábios.
Liesel percebeu isso na janela suja e embaçada do trem quando elas embarcaram, pouco antes do meio-dia. Nas palavras escritas pela própria menina que roubava livros, a viagem prosseguiu, como se *tudo* tivesse acontecido.

Quando o trem parou na *Bahnhof*, em Munique, os passageiros saíram como se de um embrulho rasgado. Havia gente de todas as classes, mas, em meio a elas, os pobres eram os mais fáceis de reconhecer. Os empobrecidos sempre tentam continuar andando, como se a relocação ajudasse. Desconhecem a realidade de que uma nova versão do mesmo velho problema estará à espera deles no fim da viagem — aquele parente que a gente evita beijar.
Acho que a mãe sabia muito bem disso. Não entregaria os filhos aos escalões superiores de Munique, mas, aparentemente, um lar de criação fora encontrado e, que mais não fosse, ao menos a nova família poderia alimentar a menina e o menino um pouco melhor, e educá-los como convinha.
O menino.
Liesel tinha certeza de que a mãe carregava a lembrança dele, jogada sobre o ombro. Deixou-o cair. Viu seus pés, suas pernas e seu corpo baterem na plataforma.
Como é que aquela mulher podia andar?
Como podia mover-se?
Está aí uma coisa que nunca saberei nem compreenderei — do que os humanos são capazes.
Ela o apanhou e continuou a andar, com a menina agora agarrada à sua saia.

Encontraram-se autoridades e as perguntas sobre o atraso e o menino fizeram-nas levantar as cabeças vulneráveis. Liesel ficou num canto do escritório pequeno e empoeirado, enquanto a mãe se sentava numa cadeira muito dura, com os pensamentos apertados.
Houve o caos da despedida.
Foi uma despedida molhada, com a cabeça da menina enterrada nas depressões lanosas e gastas do casaco da mãe. Houve mais alguns arrastamentos.

Bem além dos arredores de Munique havia uma cidade chamada Molching, que se pronuncia melhor por gente como você e eu como "Molking". Era para lá que a levariam, para uma rua chamada Himmel.

· · ·

· UMA TRADUÇÃO ·
Himmel = Céu

Quem quer que tenha dado nome à rua Himmel tinha, sem dúvida, um saudável senso de ironia. Não que ela fosse um inferno na Terra. Não era. Mas, com certeza, também não era o céu.

Como quer que fosse, os pais de criação de Liesel estavam esperando.

Os Hubermann.

Haviam esperado um menino e uma menina, e receberiam uma pequena pensão por acolhê-los. Ninguém queria ser a pessoa a dizer a Rosa Hubermann que o garoto não sobrevivera à viagem. Na verdade, ninguém jamais queria mesmo dizer-lhe coisa alguma. Em matéria de temperamentos, o dela não era propriamente invejável, embora a mulher tivesse um bom histórico com filhos de criação no passado. Ao que parece, havia endireitado alguns.

Para Liesel, foi um passeio de carro.

Ela nunca andara em nenhum.

Houve a subida e a descida constantes do estômago, bem como a vã esperança de que eles se perdessem no caminho, ou mudassem de ideia. Em meio a tudo, seu pensamento não conseguia deixar de voltar para a mãe, lá na *Bahnhof*, outra vez à espera de partir. Tremendo de frio. Embrulhada naquele casaco inútil. Ela havia roído as unhas enquanto esperava o trem. A plataforma era comprida e desconfortável — uma tira de cimento frio. Será que ela ficaria de olho no local aproximado do sepultamento do filho, na viagem de volta? Ou o sono seria pesado demais?

O carro seguiu em frente, com Liesel temendo a última curva letal.

Era um dia cinza, a cor da Europa.

Cortinas de chuva fechadas ao redor do carro.

— Estamos quase chegando — disse a mulher do serviço de adoções, *Frau* Heinrich, virando-se com um sorriso. — *Dein neues Heim*. Sua nova casa.

Liesel limpou um círculo no vidro embaçado e respingado, e olhou para fora.

· UMA FOTOGRAFIA DA RUA HIMMEL ·
As construções pareciam grudadas umas nas outras,
quase todas de casas pequenas e edifícios de ar nervoso.
Havia uma neve suja, estendida feito um tapete.
Havia concreto, árvores nuas que pareciam porta-chapéus,
e um ar cinzento.

Também havia um homem no carro. Ficou com a menina enquanto *Frau* Heinrich desapareceu lá dentro. Liesel presumiu que ele estivesse ali para se certificar de que ela não fugisse, ou para obrigá-la a entrar, se ela criasse problemas. Depois, no entanto, quando o problema começou de verdade, o homem simplesmente ficou sentado, olhando. Talvez fosse apenas o último recurso, a solução final.

Passados alguns minutos, um homem muito alto saiu da casa. Hans Hubermann, o pai de criação de Liesel. De um lado dele estava *Frau* Heinrich, de estatura mediana. Do outro, a forma atarracada de Rosa Hubermann, que parecia um pequeno guarda-roupa com um casaco jogado por cima. Havia em seu andar um gingado muito distinto. Ela era quase engraçadinha, não fosse pelo rosto aborrecido, que lembrava papelão amarrotado, como se ela meramente tolerasse aquilo tudo. O marido andava ereto, com um cigarro queimando entre os dedos. Ele mesmo os enrolava.

O caso foi o seguinte:
Liesel se recusou a sair do carro.

— *Was ist los mit dem Kind?* — perguntou Rosa Hubermann. Repetiu a pergunta.
— Qual é o problema da menina?
Enfiou a cabeça dentro do carro e disse:
— *Na, komm. Komm.*
O banco da frente foi abaixado. Um corredor de luz fria a convidava a sair. Ela não se mexeu.

Do lado de fora, pelo círculo que tinha feito, Liesel via os dedos do homem alto, ainda segurando o cigarro. A cinza tombou de sua ponta, projetou-se e subiu no ar várias vezes, antes de cair no chão. Convencê-la a sair do carro levou quase quinze minutos. Foi o homem alto quem conseguiu.

Em silêncio.

Depois veio o portão, ao qual ela se agarrou.
Um bando de lágrimas lhe escorria dos olhos, enquanto ela ficava agarrada e se recusava a entrar. Começou a juntar gente na rua, até que Rosa Hubermann pôs-se a xingar as pessoas, ao que elas voltaram para o lugar de onde tinham vindo.

· TRADUÇÃO DO ANÚNCIO ·
DE ROSA HUBERMANN
"Pro que é que estão olhando, seus babacas?"

Liesel Meminger acabou entrando, cautelosamente. Hans Hubermann a conduzia por uma das mãos. Pela outra, era sua malinha que a levava. Enterrado sob a camada de roupas dobradas nessa mala estava um livrinho preto, o qual, ao que saibamos, um coveiro sisudo de quatorze anos, numa cidade sem nome, devia ter passado as últimas horas procurando. "Eu juro", imagino-o dizendo a seu patrão, "que não faço ideia do que aconteceu com ele. Procurei por toda parte. Em tudo!" Estou certa de que ele nunca suspeitaria da menina, e, no entanto, ali estava o objeto — um livro preto, de letras prateadas, que tinha por teto as roupas de Liesel.

· O MANUAL DO COVEIRO ·
Guia em doze passos
para o sucesso como coveiro.
Publicado pela Associação Bávara de Cemitérios

A menina que roubava livros tinha atacado pela primeira vez — o começo de uma carreira ilustre.

CRESCENDO COMO SAUMENSCH

Sim, uma carreira ilustre.
Devo apressar-me a admitir, no entanto, que houve um hiato considerável entre o primeiro livro roubado e o segundo. Outro aspecto digno de nota é que o primeiro foi roubado da neve e o segundo, do fogo. Sem omitir que outros também lhe foram dados. No cômputo final, ela possuía quatorze livros, mas via sua história como predominantemente composta por dez deles. Desses dez, seis foram roubados, um apareceu na mesa da cozinha, dois foram feitos para ela por um judeu escondido e um foi entregue por uma tarde suave, vestida de amarelo.
Quando viesse a escrever sua história, ela se perguntaria exatamente quando os livros e as palavras haviam começado a significar não apenas alguma coisa, mas tudo. Teria sido ao pôr os olhos pela primeira vez na sala com estantes e mais estantes deles? Ou quando Max Vandenburg chegara à rua Himmel, carregando as mãos cheias de sofrimento e o *Mein Kampf* de Hitler? Teria sido durante a leitura nos abrigos? Na última parada para Dachau? Teria sido *A Sacudidora de Palavras*? Talvez nunca houvesse uma resposta exata sobre onde e quando isso havia ocorrido. Seja como for, estou me adiantando. Antes de entrarmos em qualquer desses assuntos, primeiro precisamos dar uma volta pelos primórdios de Liesel Meminger na rua Himmel e pela arte de *saumenschiar*.

Quando de sua chegada, ainda se podiam ver as marcas das mordidas da neve em suas mãos e o sangue enregelado em seus dedos. Tudo nela era subnutrido. Canelas que pareciam arame. Braços de cabide. A menina não o produzia com frequência, mas, quando ele surgia, seu sorriso era faminto.

Seu cabelo era um tipo bem próximo do louro alemão, mas seus olhos eram perigosos. Castanho-escuros. Ninguém gostaria realmente de ter olhos castanho-escuros na Alemanha daquela época. Talvez ela os tivesse herdado do pai, mas não havia como saber, já que não se lembrava dele. Na verdade, só havia uma coisa que ela sabia do pai. Era um rótulo que Liesel não compreendia.

· UMA ESTRANHA PALAVRA ·
Kommunist

Ela a ouvira várias vezes nos anos mais recentes.
"Comunista".
Havia pensões apinhadas de gente, salas repletas de perguntas. E aquela palavra. Aquela palavra estranha estava sempre presente em algum lugar, parada na esquina, espreitando no escuro. Usava ternos, uniformes. Onde quer que eles fossem, lá estava o termo, toda vez que seu pai era mencionado. Liesel era capaz de cheirá-lo e prová-lo. Só não conseguia soletrá-lo nem entendê-lo. Quando perguntara à mãe o que a palavra significava, ela lhe dissera que isso não tinha importância, que ela não devia se preocupar com essas coisas. Numa pensão, uma mulher mais sadia havia tentado ensinar as crianças a escrever, usando carvão na parede. Liesel ficara tentada a lhe perguntar o significado, mas isso nunca aconteceu. Um dia, a mulher foi levada para interrogatório. Não voltou.

Quando chegou a Molching, Liesel tinha ao menos uma vaga percepção de estar sendo salva, mas isso não servia de consolo. Se sua mãe a amava, por que deixá-la na porta de outra pessoa? Por quê? Por quê?
Por quê?
O fato de ela saber a resposta — nem que fosse no nível mais elementar — parecia não vir ao caso. Sua mãe estava sempre doente e nunca havia dinheiro para consertá-la. Liesel sabia. Mas isso não queria dizer que tivesse de aceitar. Por mais que lhe dissessem que a amavam, não havia nenhum reconhecimento de que a prova disso fosse o abandono. Nada alterava o fato de ela ser uma menina magrela e perdida em mais um lugar estranho, com mais gente estranha. Sozinha.

Os Hubermann moravam numa das casinhas com jeito de caixa na rua Himmel. Alguns cômodos, uma cozinha e um banheiro dividido com os vizinhos. O telhado era plano e havia um porão baixo para guardar coisas. Era tido como não sendo um porão de *profundidade suficiente*. Em 1939, isso não era problema. Depois, em 42 e 43, passou a ser. Quando começaram os bombardeios aéreos, eles sempre tinham que correr pela rua para um abrigo melhor.
No começo, foi a linguagem desbocada que causou impacto imediato. Era muito *veemente* e prolixa. A cada duas palavras vinham *Saumensch*, ou *Saukerl*, ou *Arschloch*. Para quem não está familiarizado com esses termos, convém que

eu os explique. *Sau*, é claro, refere-se a porcos. No caso de Sau*mensch*, serve para descompor, espinafrar ou simplesmente humilhar uma pessoa do sexo feminino. Sau*kerl* (que se pronuncia "zaukerl") é para os homens. *Arschloch* pode ser diretamente traduzido por "babaca". Mas essa palavra não diferencia os sexos. É só assim.

— *Saumensch, du dreckiges!* — gritou a mãe de criação de Liesel naquela primeira noite, quando ela se recusou a tomar banho. — Sua porca imunda! Por que não quer tirar a roupa?

Ela era boa em matéria de se enfurecer. Na verdade, podia-se dizer que Rosa Hubermann tinha a face decorada por uma fúria constante. Era assim que os vincos tinham-se transformado na textura de papelão de seu rosto.

Liesel, é natural, estava imersa em angústia. Não havia jeito de tomar banho nenhum, nem de ir dormir, aliás. Ficou contorcida num canto do banheiro, que mais parecia um armário, agarrada aos braços inexistentes da parede, em busca de algum nível de apoio. Não havia nada senão tinta seca, a respiração difícil e o dilúvio de impropérios de Rosa.

— Deixe-a em paz — disse Hans Hubermann, entrando na briga. Sua voz meiga entrou de mansinho, como quem se infiltrasse na multidão. — Deixe-a comigo.

Chegou mais perto e se sentou no chão, encostado na parede. Os ladrilhos eram frios e impiedosos.

— Sabe enrolar cigarros? — perguntou à menina, e durante mais ou menos uma hora os dois ficaram sentados no poço crescente de escuridão, brincando com o tabaco e os papéis dos cigarros, que Hans Hubermann ia fumando.

Terminada a hora, Liesel sabia enrolar moderadamente bem um cigarro. E ainda não havia tomado banho.

· ALGUNS DADOS SOBRE ·
HANS HUBERMANN
Ele adorava fumar.
O que mais gostava no fumo era de enrolar os cigarros.
Tinha o ofício de pintor de paredes e tocava acordeão.
Isso era uma mão na roda, especialmente no inverno,
quando ele podia ganhar um dinheirinho tocando nos
bares de Molching, como o Knoller.
Ele já me havia tapeado numa guerra mundial,
mas depois seria posto em outra
(como uma espécie perversa de recompensa),
na qual daria um jeito de conseguir me evitar outra vez.

Para a maioria das pessoas, Hans Hubermann mal chegava a ser visível. Uma pessoa não especial. Com certeza, tinha excelentes habilidades como pintor. Sua habilidade musical era superior à média. Mas, de algum modo, e tenho certeza de que você deve ter conhecido gente assim, ele conseguia parecer uma simples parte do cenário, mesmo quando estava na frente de uma fila. Vivia apenas *por ali*, sempre. Indigno de nota. Não era importante nem particularmente valioso.

O frustrante nessa aparência, como você pode imaginar, era ela ser completamente enganosa, digamos. Decididamente, *havia* valor nele, e isso não passou despercebido para Liesel Meminger. (A criança humana — tão mais arguta, às vezes, do que o adulto espantosamente grave!) Ela percebeu de imediato.

O jeito dele.

O ar tranquilo perto dele.

Naquela noite, quando Hans acendeu a luz no banheirinho indiferente, Liesel observou a estranheza dos olhos de seu pai de criação. Eram feitos de bondade e prata. Como prata mole, derretida. Ao ver aqueles olhos, Liesel compreendeu que Hans Hubermann tinha muito valor.

· ALGUNS DADOS SOBRE ·
ROSA HUBERMANN
*Rosa tinha um metro e cinquenta e cinco de altura e prendia
os fios castanho-acinzentados do cabelo elástico num coque.
Para complementar a renda dos Hubermann,
lavava e passava roupa para
cinco das famílias mais ricas de Molching.
Sua comida era atroz.
Ela possuía a habilidade singular de irritar
quase todas as pessoas que encontrava.
Mas realmente amava Liesel Meminger.
Seu jeito de demonstrá-lo é que era estranho.
Implicava agredi-la com a colher de pau e com as palavras,
a intervalos variáveis.*

Quando Liesel finalmente tomou banho, depois de morar duas semanas na rua Himmel, Rosa deu-lhe um enorme abraço, daqueles de machucar. Quase sufocando-a, disse:

— *Saumensch, du dreckiges*, já não é sem tempo!

Passados alguns meses, eles deixaram de ser o Sr. e a Sra. Hubermann. Num típico esmurrar de palavras, disse Rosa:

— Escute aqui, Liesel: de agora em diante, você me chama de mamãe.

Pensou por um momento e indagou:

— Como você chamava sua mãe de verdade?

— *Auch Mama*, também de mamãe — respondeu Liesel, baixinho.

— Bom, então eu sou a mamãe número dois — fez Rosa.

Olhou para o marido.

— E ele ali. — E pareceu segurar as palavras na mão, amassá-las e jogá-las por cima da mesa: — Aquele *Saukerl*, aquele porco imundo, você o chama de papai, *verstehst?* Entendeu?

— Sim — concordou Liesel, prontamente. Naquela casa se apreciavam respostas rápidas.

— Sim, mamãe — corrigiu-a Rosa. — *Saumensch*, me chame de mamãe quando falar comigo.

Nesse momento, Hans Hubermann havia acabado de enrolar um cigarro, lambendo o papel e colando tudo. Olhou para Liesel e deu uma piscadela. A menina não teria nenhuma dificuldade para chamá-lo de papai.

A MULHER DE PUNHOS DE FERRO

Os primeiros meses foram decididamente os mais difíceis.
Toda noite Liesel tinha pesadelos.
O rosto do irmão.
De olhos fixos no chão.
Ela acordava nadando na cama, aos gritos, afogando-se no mar de lençóis. Do outro lado do quarto, a cama que fora destinada a seu irmão flutuava nas trevas feito um barco. Aos poucos, com a chegada da consciência, parecia afundar até o chão. Essa visão não ajudava em nada e, em geral, passava-se um bom tempo antes de os gritos pararem.
Possivelmente, a única coisa boa advinda desses pesadelos era que eles traziam ao quarto Hans Hubermann, seu novo papai, para acalmá-la, acarinhá-la.
Ele ia todas as noites e se sentava com a menina. Nas primeiras duas vezes, só fez ficar com ela — um estranho para matar a solidão. Noites depois, sussurrou:
— Pssiu, eu estou aqui, está tudo bem.
Passadas três semanas, abraçou-a. A confiança se acumulava depressa, graças sobretudo à força bruta da delicadeza do homem, a seu estar ali. Desde o começo, a menina soube que Hans Hubermann sempre apareceria no meio do grito e não iria embora.

· UMA DEFINIÇÃO NÃO ENCONTRADA ·
NO DICIONÁRIO
Não ir embora: *ato de confiança e amor,*
comumente decifrado pelas crianças

Hans Hubermann sentava-se na cama, com o olhar ensonado, e Liesel chorava em suas mangas e o aspirava. Toda madrugada, logo depois das duas horas, ela tornava a dormir com o cheiro do pai. Era uma mescla de cigarros apagados, décadas de tintas e pele humana. No começo, ela sugava tudo, depois respirava o perfume, até tornar a mergulhar lentamente no sono. Toda manhã, lá estava Hans, a um metro e pouco da menina, amarfanhado na poltrona, quase dobrado ao meio. Ele nunca usava a outra cama. Liesel levantava, aplicava-lhe um beijo cauteloso no rosto, e ele acordava e sorria.

Havia dias em que o pai a mandava voltar para a cama e esperar um minuto, e retornava com o acordeão e tocava para ela. Liesel sentava-se na cama e cantarolava, os dedos dos pés, gelados, pressionados de animação. Ninguém jamais lhe oferecera música, até aquele momento. Ela sorria tanto que parecia idiota, observando as rugas que se desenhavam no rosto do pai e o metal macio de seus olhos — até vir o xingamento da cozinha.

— PARE COM ESSE BARULHO, *SAUKERL!*
Papai tocava um pouquinho mais.
Piscava o olho para a menina e, sem jeito, ela retribuía a piscadela.

Às vezes, só para irritar mamãe um pouco mais, ele também levava o instrumento para a cozinha e tocava até o fim do café da manhã.

O pão com geleia de papai ficava meio comido em seu prato, enrolado no formato das dentadas, e a música olhava de frente para Liesel. Sei que soa estranho, mas era assim que ela a sentia. A mão direita de papai passeava pelas teclas cor de dente. A esquerda apertava os botões. (A menina gostava especialmente de vê-lo apertar o botão prateado cintilante — o dó maior.) O exterior preto do acordeão, arranhado, mas reluzente, ia para um lado e para o outro, enquanto os braços de Hans apertavam os foles empoeirados, fazendo-os sugar o ar e tornar a expeli-lo. Na cozinha, nessas manhãs, papai dava vida ao acordeão. Acho que isso faz sentido, quando a gente realmente para para pensar.

Como é que a gente sabe se uma coisa está viva?
Verifica a respiração.

O som do acordeão, na verdade, era também o anúncio da segurança. Do dia. Durante o dia, era impossível ela sonhar com o irmão. Liesel sentia sua falta, e muitas vezes chorava no banheiro minúsculo, o mais baixo possível, mas também ficava contente por estar acordada. Na primeira noite com os Hubermann, ela havia escondido seu último vínculo com o irmão — *O Manual do Coveiro* — embaixo do colchão, e vez por outra o tirava de lá e o segurava. Fitando as letras da capa e tocando o texto impresso na parte interna, ela não fazia a menor ideia do que o livro dizia. A questão é que o assunto do livro não tinha mesmo importância. O mais importante era o que ele significava.

· O SIGNIFICADO DO LIVRO ·
1. A última vez que ela vira o irmão.
2. A última vez que ela vira a mãe.

De quando em quando, Liesel murmurava a palavra mamãe e via o rosto materno umas cem vezes, numa única tarde. Mas esses eram sofrimentos pequenos, comparados ao terror de seus sonhos. Nessas ocasiões, na imensa extensão do sono, ela nunca se sentia tão completamente só.

Como você certamente já notou, não havia outras crianças na casa.

Os Hubermann tinham dois filhos, mas eles eram mais velhos e tinham saído de casa. Hans Júnior trabalhava no centro de Munique e Trudy tinha um emprego de doméstica e babá. Os dois logo entrariam na guerra. Uma faria projéteis. O outro, os dispararia.

A escola, como você pode imaginar, foi um fracasso terrível.

Embora fosse estatal, sofria uma influência católica maciça, e Liesel era luterana. O que não era um começo dos mais auspiciosos. Depois, eles descobriram que a menina não sabia ler nem escrever.

De modo humilhante, ela foi jogada com as crianças menores, que mal começavam a aprender o alfabeto. Apesar de ser pele e osso, e pálida, a menina sentia-se gigantesca entre a garotada nanica, e, muitas vezes, desejava empalidecer até sumir por completo.

Mesmo em casa, não havia grande margem para orientação.

— Não vá pedir ajuda *a ele* — assinalou mamãe. — Aquele *Saukerl* — apontou-o. O pai olhava pela janela, como era seu hábito. — Ele saiu da escola no quinto ano.

Sem se virar, papai respondeu calmamente, mas com veneno:

— Bem, não a peça a ela também — disse, batendo a cinza do lado de fora. — Ela saiu da escola no quarto.

Não havia livros em casa (exceto o que a menina escondera embaixo do colchão), e o melhor que Liesel podia fazer era repetir baixinho o alfabeto, até receber ordens, em termos inequívocos, de calar a boca. Todo aquele resmungo. Só depois, quando houve um incidente de xixi na cama em meio a um pesadelo, foi que começou uma instrução extra na leitura. Era oficiosamente chamada de aula da meia-noite, embora costumasse começar por volta das duas da madrugada. Falarei mais disso daqui a pouco.

Em meados de fevereiro, quando fez dez anos, Liesel ganhou uma boneca de segunda mão, com uma perna faltando e o cabelo amarelo.

— Foi o melhor que pudemos fazer — desculpou-se o pai.

— Do que você está falando? Ela tem sorte de ganhar tudo *isso* — corrigiu-a a mãe.

Hans continuou a examinar a perna restante, enquanto Liesel experimentava o novo uniforme. Dez anos significavam a Juventude Hitlerista. Juventude Hitlerista significava um uniformezinho marrom. Sendo menina, Liesel foi matriculada no que era chamado de BDM.

· EXPLICAÇÃO DA ABREVIATURA ·
Ela significava Bund Deutscher Mädchen —
Liga de Meninas Alemãs.

A primeira coisa que eles faziam por lá era certificar-se de que o seu *"heil* Hitler" funcionava corretamente. Depois, ensinavam a marchar direito, enrolar ataduras e costurar roupas. As meninas também eram levadas para caminhadas e outras atividades similares. Quartas e sábados eram os dias marcados para os encontros, das três às cinco da tarde.

Toda quarta e sábado papai levava Liesel até lá e ia buscá-la, duas horas depois. Os dois nunca falavam muito do assunto. Apenas andavam de mãos dadas e escutavam o som de seus passos, e o pai fumava um cigarro ou dois.

A única aflição que papai lhe causava era o fato de sair constantemente. Muitas noites, ele entrava na sala de estar (que também servia de quarto para os Hubermann), tirava o acordeão do armário velho e se espremia pela cozinha até a porta da frente.

Enquanto ele descia a rua Himmel, mamãe abria a janela e gritava:
— Não volte muito tarde!
— Mais baixo! — respondia ele, virando-se para trás.
— *Saukerl!* Vá tomar no cu! Eu falo alto o quanto quiser!

O eco de seus xingamentos o acompanhava pela rua. Hans nunca olhava para trás, ou, pelo menos, não até ter certeza de que sua mulher se afastara. Nessas noites, no fim da rua, com a caixa do acordeão na mão, ele virava para trás, pouco antes da loja de *Frau* Diller, na esquina, e via a figura que substituíra sua mulher à janela. Por um breve instante, sua mão comprida e fantasmagórica se erguia, antes de ele tornar a virar para a frente e seguir caminhando devagar. Liesel só tornava a vê-lo às duas da madrugada, quando ele a arrancava delicadamente do pesadelo.

As noites na pequena cozinha eram uma barulheira infalível. Rosa Hubermann estava sempre falando, e quando falava isso assumia a forma do *schimpfen*. Ela brigava e reclamava constantemente. A rigor, não havia ninguém com quem brigar, mas a mãe era perita em fazê-lo, em toda oportunidade que tinha. Era capaz de brigar com o mundo inteiro naquela cozinha, e era isso que fazia quase todas as noites. Depois de comerem e de papai sair, Liesel e Rosa costumavam ficar lá, e Rosa passava roupa.

Algumas vezes por semana, Liesel voltava da escola e percorria as ruas de Molching com a mãe, apanhando e entregando a roupa nas partes mais ricas da cidade. Knaupt Strasse, Heide Strasse. E umas outras. Mamãe entregava a roupa passada ou pegava a roupa por lavar com um sorriso respeitoso, mas assim que fechavam a porta e ela se afastava, punha-se a xingar aquela gente rica, com todo o seu dinheiro e sua preguiça.

— São *g'schtinkerdt* demais para lavar a própria roupa — dizia, apesar de depender deles.

— Aquele — bufava, acusando *Herr* Vogel, da rua Heide. — Ganhou do pai todo o dinheiro que tem. Desperdiça-o com mulheres e bebida. E mandando lavar e passar a roupa, é claro.

Era uma espécie de lista de chamada feita de desprezo.

Herr Vogel, *Herr* e *Frau* Pfaffelhürver, Helena Schmidt, os Weingartner. Todos tinham culpa de *alguma coisa*.

À parte a embriaguez e a libertinagem, Ernst Vogel, de acordo com Rosa, estava sempre coçando a cabeça piolhenta, lambendo os dedos e entregando o dinheiro.

— Eu devia lavar o dinheiro antes de voltar para casa — resumia.

Os Pfaffelhürver examinavam minuciosamente o resultado.

— *Nem um único vinco nessas camisas, por favor* — imitava-os Rosa. — *Nada de amassados neste terno*. E, depois, ficam lá inspecionando tudo, bem na minha cara. Bem embaixo do meu nariz! Que *G'sindel*, que lixo!

Os Weingartner, ao que parece, eram uns idiotas, com um *Saumensch* de um gato que estava sempre soltando pelos.

— Você sabe o tempo que demora para eu me livrar daquele pelo todo? Ele se entranha em toda parte!

Helena Schmidt era uma viúva rica.

— Aquela velha aleijada, sentada lá, só definhando. Nunca teve que enfrentar um dia de trabalho em sua vida inteira.

O maior desdém de Rosa, porém, ficava reservado para o número 8 da Grande Strasse. Uma casa ampla, no alto de uma ladeira, na parte rica da cidade.

— Essa aí — apontou Rosa, mostrando-a a Liesel, na primeira vez que foram até lá — é a casa do prefeito. Aquele safado. A mulher fica sentada em casa o dia inteiro, tão mesquinha que nem acende a lareira; está sempre gelado lá dentro. É maluca — concluiu, pontuando as palavras. — Completamente. Maluca.

No portão, fez um gesto para a menina:

— Vá você.

Liesel ficou apavorada. Uma gigantesca porta marrom, com uma aldraba de bronze, erguia-se acima de uma pequena escadaria.

— O quê?

A mãe deu-lhe um empurrão.

— Não me venha com "o quê", *Saumensch*. Ande logo.

Liesel andou. Percorreu a entrada, subiu os degraus, hesitou e bateu.

Um roupão de banho atendeu à porta.

Dentro dele, uma mulher de olhar assustado, cabelos que pareciam lanugem e uma postura de derrota postou-se diante da menina. Viu a mamãe no portão e entregou a Liesel uma trouxa de roupa suja.

— Obrigada — disse Liesel, mas não houve resposta. Só a porta. Fechada.

— Viu? — disse a mãe, quando ela voltou ao portão. — É isso que eu tenho de aguentar. Esses ricaços cretinos, esses porcos preguiçosos...

Segurando a trouxa enquanto as duas se afastavam, Liesel olhou para trás. Da porta, a aldraba de bronze a fitava.

Quando terminava de descompor as pessoas para quem trabalhava, Rosa Hubermann costumava passar a seu outro tema favorito de impropérios. O marido. Olhando para os sacos de roupa suja e as casas acanhadas, ela falava, falava, falava.

— Se o seu papai prestasse para alguma coisa — informava a Liesel, *toda vez* que andavam por Molching —, eu não teria que fazer isto.

E fungava de escárnio.

— Pintor! Para que casar com aquele *Arschloch*? Era isso que me diziam... a minha família, digo.

Os passos das duas trituravam os caminhos.

— E aqui estou eu, andando pelas ruas e me esfalfando feito escrava na cozinha, porque aquele *Saukerl* nunca tem emprego. Não um emprego de verdade, pelo menos. Só aquele acordeão ridículo naquelas espeluncas sujas, toda noite.

— Sim, mamãe.

— É só isso que você tem para dizer?

Os olhos da mãe pareciam recortes de azul pálido colados no rosto.

As duas continuavam andando.

Com Liesel carregando o saco.

Em casa, a roupa era lavada num tanque de água quente ao lado do fogão, pendurada para secar na lareira da sala e passada na cozinha. A cozinha era o local em que se dava a ação.

— Ouviu isso? — perguntava mamãe, quase todas as noites, segurando o ferro aquecido no fogão. A luz era fraca na casa toda, e Liesel, sentada à mesa da cozinha, olhava para as fagulhas à sua frente.

— O quê? — respondia. — Que foi?

— Foi aquela tal da Holtzapfel — dizia a mãe, já levantando da cadeira. — Aquela *Saumensch* acabou de cuspir na porta de novo.

Era uma tradição de *Frau* Holtzapfel, uma das vizinhas, cuspir na porta dos Hubermann toda vez que passava por ela. A porta de entrada ficava a poucos metros do portão, e digamos que *Frau* Holtzapfel simplesmente era boa em distância — e tinha precisão.

As cusparadas deviam-se ao fato de que ela e Rosa Hubermann travavam uma espécie de guerra verbal de uma década. Ninguém sabia a origem dessa hostilidade. Era provável que elas mesmas a tivessem esquecido.

Frau Holtzapfel era uma mulher magra e rija, além de obviamente rancorosa. Nunca se casara, mas tinha dois filhos homens, poucos anos mais velhos que os dois

Hubermann. Ambos estavam no Exército e ambos farão rápidas aparições aqui antes de terminarmos, eu lhe garanto.

Em matéria de rancor, convém ainda dizer que *Frau* Holtzapfel também era minuciosa com suas cusparadas. Nunca deixava de *spuck* na porta do número trinta e três e dizer *"Schweine!"*, toda vez que passava. Essa é uma coisa que notei nos alemães: Eles parecem gostar muito de porcos.

· UMA PERGUNTINHA E ·
SUA RESPOSTA
E quem você acha que era obrigada
a limpar a cusparada da porta, toda noite?
É — acertou.

Quando uma mulher de punhos de ferro manda você ir lá fora limpar o cuspe da porta, você vai. Principalmente quando o ferro está quente.

Era só parte da rotina, na verdade.

Toda noite, Liesel ia lá fora, limpava a porta e observava o céu. Em geral, ele parecia um transbordamento — frio e pesado, escorregadio e cinzento —, mas, vez por outra, algumas estrelas se atreviam a aparecer e flutuar, nem que fosse por uns minutos. Nessas noites, Liesel ficava um pouquinho mais e esperava.

— Oi, estrelas.

E esperava.

Pela voz proveniente da cozinha.

Ou até as estrelas serem novamente arrastadas para as águas do céu alemão.

O BEIJO
(Um tomador de decisões na infância)

Como a maioria das cidadezinhas, Molching era cheia de personagens singulares. Um punhado deles morava na rua Himmel. *Frau* Holtzapfel era apenas um dos integrantes do elenco.
    Os outros incluíam tipos como:
    * Rudy Steiner — o garoto da casa ao lado, que era obcecado com o atleta negro norte-americano Jesse Owens.
    * *Frau* Diller — a ariana inflexível que era dona da loja da esquina.
    * Tommy Müller — um garoto cujas infecções crônicas nos ouvidos tinham resultado em diversas cirurgias, num rio de pele cor-de-rosa pintado no rosto e numa tendência a contrações espasmódicas.
    * Um homem inicialmente conhecido como "Pfiffikus", cuja vulgaridade fazia Rosa Hubermann parecer uma artífice das palavras e uma santa.

De modo geral, era uma rua cheia de gente relativamente pobre, a despeito da visível ascensão da economia alemã no governo de Hitler. Ainda existiam áreas pobres na cidade.
    Como já foi mencionado, a casa vizinha à dos Hubermann era alugada por uma família de sobrenome Steiner. Os Steiner tinham seis filhos. Um deles, o famigerado Rudy, logo se tornaria o melhor amigo de Liesel e, tempos depois, seu parceiro e catalisador ocasional no crime. Ela o conheceu na rua.

Dias depois do primeiro banho de Liesel, a mãe a deixou sair para brincar com as outras crianças. Na rua Himmel, as amizades eram feitas do lado de fora, qualquer que fosse o tempo. As crianças raramente visitavam as casas umas das outras, porque estas eram pequenas e, em geral, tinham pouquíssima coisa. Além disso, a meninada praticava seu passatempo favorito, como profissionais, na rua. O futebol. Os times eram bem-montados. Usavam-se latas de lixo como balizas.

Como a nova criança da cidade, Liesel foi imediatamente enfiada entre duas dessas latas. (Tommy Müller finalmente se libertou, embora fosse o mais inútil jogador de futebol que a rua Himmel já vira.)

Correu tudo bem por algum tempo, até o momento fatídico em que Rudy Steiner virou de cabeça para baixo na neve, num trompaço cheio de frustração desferido por Tommy Müller.

— Que foi?! — gritou Tommy. O rosto exibia espasmos de desespero. — Que foi que eu fiz?!

O pênalti foi marcado por todo o mundo no time de Rudy, e aí era Rudy Steiner contra a nova garota, Liesel Meminger.

Ele pôs a bola num imundo monte de neve, confiante no desfecho habitual. Afinal, fazia dezoito cobranças que Rudy não perdia um pênalti, mesmo quando a oposição fazia questão de tirar Tommy Müller do gol a pontapés. Não importava quem o substituísse, Rudy sempre marcava.

Nessa ocasião, tentaram obrigar Liesel a sair. Como você pode imaginar, ela protestou, e Rudy concordou.

— Não, não — sorriu. — Deixem ela ficar.

E esfregou as mãos.

A neve tinha parado de cair na rua imunda e as pegadas enlameadas juntavam-se entre os dois. Rudy ajeitou os pés, disparou o tiro e Liesel mergulhou, e de algum modo desviou a bola com o cotovelo. Levantou-se sorrindo, mas a primeira coisa que viu foi uma bola de neve arrebentando-lhe na cara. Metade dela era lama. Doeu como o diabo.

— Que tal, gostou? — riu o menino, e saiu correndo em busca da bola.

— *Saukerl* — murmurou Liesel. O vocabulário de sua nova casa estava pegando depressa.

· ALGUNS DADOS SOBRE RUDY STEINER ·
Ele era oito meses mais velho do que Liesel e tinha pernas ossudas,
dentes afiados, olhos azuis esbugalhados e cabelos cor de limão.
Como um dos seis filhos dos Steiner,
estava permanentemente com fome.
Na rua Himmel, era considerado meio maluco.
Isso se devia a um acontecimento raras vezes mencionado,
mas visto por todos como "O Incidente de Jesse Owens", no qual
ele se pintara de preto com carvão e correra os cem metros
do campo de futebol local, numa noite.

• • •

Doido ou não, Rudy sempre esteve destinado a ser o melhor amigo de Liesel. Uma bolada de neve na cara é, com certeza, o começo perfeito de uma amizade duradoura.

Dias depois do início das aulas, Liesel começou a ir à escola com os Steiner. A mãe de Rudy, Barbara, o fez prometer andar junto com a menina nova, principalmente por ter ouvido falar da bolada de neve. A favor de Rudy, verdade seja dita, ele ficou feliz em obedecer. Não tinha nada daquele tipo de garotinho misógino. Gostava muito das meninas e gostava de Liesel (daí a bolada de neve). Na verdade, Rudy Steiner era um daqueles cretininhos audaciosos que gostam de se *engraçar* com as mocinhas. Toda infância parece ter exatamente um desses jovens em seu meio e suas brumas. É o garoto que se recusa a temer o sexo oposto, puramente porque todos os outros abraçam esse medo, e é o tipo que não teme tomar decisões. Nesse caso, Rudy já se decidira a respeito de Liesel Meminger.

A caminho da escola, ele procurava apontar alguns marcos territoriais da cidade ou, pelo menos, conseguia introduzir isso tudo, em algum ponto entre mandar os irmãos mais novos fecharem a matraca e os mais velhos o mandarem fechar a dele. Seu primeiro ponto de interesse foi uma janelinha no segundo andar de um prédio.

— É ali que mora o Tommy Müller — disse, e percebeu que Liesel não se lembrava do menino. — O careteiro, sabe? Quando tinha cinco anos, ele se perdeu na feira no dia mais frio do ano. Três horas depois, quando o acharam, estava duro de gelado e teve uma dor de ouvido horrível, por causa do frio. Depois de algum tempo, ficou com os ouvidos todos infeccionados por dentro e fez três ou quatro operações, e os médicos acabaram com os nervos dele. É por isso que ele faz caretas.

Liesel fez coro:

— E é ruim no futebol.

— Péssimo.

Depois veio a loja da esquina no fim da rua Himmel. *A de Frau Diller.*

· NOTA IMPORTANTE ·
SOBRE *FRAU* DILLER
A mulher tinha uma regra fundamental.

Frau Diller era uma mulher irritadiça, de óculos grossos e olhar implacável. Tinha criado esse olhar nefando para desestimular a própria ideia de alguém roubar sua loja, que ela ocupava com postura militar, voz gélida e até uma respiração que cheirava a "*heil* Hitler". A loja em si era branca e fria, completamente exangue. A casinha espremida ao seu lado tremia com um pouco mais de severidade do que as outras construções da rua Himmel. *Frau* Diller administrava esse sentimento, servindo-o como o único produto grátis de suas instalações. Ela vivia para sua loja, e sua loja vivia para o Terceiro Reich. Mesmo quando começou o racionamento, mais para o fim do ano, sabia-se que ela vendia por baixo do pano algumas mercadorias difíceis de obter e doava o dinheiro para o Partido Nazista. Na parede, atrás do lugar em que costumava ficar sentada, havia uma fotografia emoldurada do *Führer*. Se você entrasse na loja dela e não dissesse "*heil* Hitler", não seria atendido. Quando os dois passaram, Rudy chamou a atenção de Liesel para os olhos à prova de bala que fitavam de soslaio pela vitrine da loja.

— Diga "*heil*" quando entrar lá — advertiu-a Rudy, com ar tenso. — A não ser que queira andar um pouco mais.

Mesmo depois de terem passado muito da loja, Liesel virou para trás, e os olhos ampliados continuavam lá, grudados na vitrine.

Dobrada a esquina, a rua Munique (a principal avenida para se entrar e sair de Molching) estava toda enlameada.

Como frequentemente acontecia, algumas fileiras de soldados em treinamento passaram marchando. Seus uniformes andavam eretos e suas botas negras poluíam ainda mais a neve. Os rostos fixavam-se adiante, concentrados.

Depois de verem os soldados desaparecer, o grupo dos Steiner e Liesel passaram por algumas vitrines de lojas e pela imponente Prefeitura, que anos depois seria retalhada pelos joelhos e enterrada. Algumas lojas estavam abandonadas e ainda marcadas por estrelas amarelas e estigmas antissemitas. Mais adiante, a igreja apontava para o céu, com seu telhado que era um verdadeiro ensaio sobre a colaboração das telhas. No conjunto, a rua era um longo tubo cinzento — um corredor de umidade, gente agachada no frio e o som chapinhante de passos molhados.

A certa altura, Rudy saiu correndo, arrastando Liesel consigo.

Bateu na vitrine da loja de um alfaiate.

Se tivesse conseguido ler a tabuleta, Liesel teria notado que ela pertencia ao pai de Rudy. A loja ainda não tinha aberto, mas lá dentro um homem arrumava peças de vestuário atrás do balcão. Olhou para cima e acenou.

— Meu pai — informou Rudy, e logo em seguida eles estavam no meio de uma massa de Steiners de tamanhos variados, todos dando adeusinho ou jogando beijos para o pai, ou simplesmente parados e cumprimentando com um aceno de cabeça (no caso dos mais velhos), e então seguiram adiante, em direção ao último marco antes da escola.

· A ÚLTIMA PARADA ·
A rua das estrelas amarelas

Era um lugar em que ninguém queria ficar e para o qual ninguém queria olhar, mas quase todos o faziam. No formato de um longo braço quebrado, a rua continha várias casas com janelas destroçadas e paredes machucadas. Nas portas estava pintada a estrela de davi. Essas casas eram quase como leprosos. No mínimo, eram pústulas infeccionadas no tecido alemão ferido.

— Schiller Strasse — disse Rudy. — A rua das estrelas amarelas.

Ao fundo, algumas pessoas se deslocavam. A garoa as fazia parecerem fantasmas. Não seres humanos, mas formas, movendo-se sob as nuvens cor de chumbo.

— Andem, vocês dois — chamou Kurt (o mais velho das crianças Steiner), e Rudy e Liesel apertaram o passo em direção a ele.

Na escola, Rudy fazia questão de procurar Liesel nos horários de recreio. Não se incomodava com o fato de os outros murmurarem sobre a burrice da nova menina. Esteve ao lado dela no começo e estaria a seu lado depois, quando a frustração de Liesel explodisse. Mas não ia fazê-lo de graça.

· A ÚNICA COISA PIOR QUE ·
UM MENINO QUE DETESTA A GENTE
Um menino que ama a gente.

No fim de abril, quando voltavam da escola, Rudy e Liesel ficaram esperando na rua Himmel pelo jogo habitual de futebol. Era um pouco cedo e nenhuma outra criança havia aparecido até então. A única pessoa que viram foi Pfiffikus, o desbocado.

— Olha lá — apontou Rudy.

· RETRATO DE PFIFFIKUS ·
Ele era uma estrutura delicada.
Era uma cabeleira branca.
Era uma capa de chuva preta, calças marrons,
sapatos decrépitos e uma boca — e que boca!

— Ei, Pfiffikus!

Quando a figura distante se virou, Rudy começou a assobiar.

O velho empertigou-se ao mesmo tempo e começou a xingar com uma ferocidade que só se pode descrever como um talento. Ninguém parecia saber qual era seu verdadeiro nome, ou pelo menos, se sabia, nunca o usava. Ele só era chamado de Pfiffikus porque esse é o nome que se dá a quem gosta de assobiar, e Pfiffikus decididamente gostava. Vivia assobiando uma música chamada *Marcha Radetzky*, e a garotada toda da cidade o chamava e reproduzia a melodia. Nesse exato momento, Pfiffikus abandonava seu jeito habitual de andar (curvado para a frente, com passadas largas e desajeitadas e as mãos atrás das costas protegidas pela capa de chuva) e se empertigava para soltar impropérios. Era o momento em que a impressão de serenidade sofria uma interrupção violenta, porque a voz dele transbordava de ódio.

Nessa ocasião, Liesel acompanhou o motejo de Rudy, quase como um ato reflexo.

— Pfiffikus! — ecoou, adotando prontamente aquela crueldade apropriada que a infância parece exigir. Seu assobio era horroroso, mas não havia tempo para aperfeiçoá-lo.

O velho correu atrás deles, aos gritos. A coisa começou por *"Geh' scheissen!"* e, desse ponto em diante, deteriorou depressa. No começo, ele dirigiu os insultos apenas ao menino, mas não tardou a chegar a vez de Liesel.

— Sua vadiazinha! — rugiu o homem. As palavras a atingiram como tijoladas nas costas. — Nunca vi você mais gorda! — continuou. Imagine chamar uma menina de dez anos de vadia. Pfiffikus era assim. Havia uma concordância geral em que ele e *Frau* Holtzapfel formariam um casal encantador. — Voltem aqui! — foram as últimas palavras ouvidas por Liesel e Rudy, enquanto continuavam correndo. Correram até chegar à rua Munique.

— Venha — disse Rudy, depois de recobrarem o fôlego. — Só mais um pouquinho, até ali.

Levou-a até o Oval Hubert, palco do incidente de Jesse Owens, onde os dois ficaram parados, com as mãos nos bolsos. A pista se estendia à sua frente. Só podia acontecer uma coisa. Rudy começou.

— Cem metros — incitou-a. — Aposto que você não consegue me ganhar.

Liesel não estava disposta a engolir nada daquilo.

— Aposto que eu consigo.

— Você aposta o quê, *Saumenschzinha*? Tem algum dinheiro?

— É claro que não. Você tem?

— Não.

Mas Rudy teve uma ideia. Era o menino apaixonado vindo à tona.

— Se eu ganhar, eu beijo você.

Abaixou-se e começou a dobrar a bainha das calças.

Liesel ficou assustada, para dizer o mínimo.

— Para que você quer me beijar? Eu estou imunda.

— Eu também.

Era claro que Rudy não via razão para um pouquinho de sujeira atrapalhar as coisas. Já fazia algum tempo desde o último banho dos dois.

Ela pensou no assunto, enquanto examinava as pernas magricelas da oposição. Eram mais ou menos iguais às suas. Não tem jeito de ele me vencer, pensou com seus botões. Balançou afirmativamente a cabeça, com ar grave. Aquilo era para valer.

— Você pode me dar um beijo, se ganhar. Mas se eu ganhar deixo de ser goleira no futebol.

Rudy refletiu.

— Está valendo. —E os dois apertaram as mãos.

Tudo eram céus escuros e neblina, e começavam a cair umas gotinhas de chuva.

A pista era mais lamacenta do que parecia.

Os competidores se aprontaram.

Rudy jogaria uma pedra para cima, como se fosse o tiro da partida. Quando ela batesse no chão, os dois poderiam começar a correr.

— Nem consigo ver a linha de chegada — reclamou Liesel.

— E eu consigo?

A pedra afundou feito cunha na terra.

Os dois correram lado a lado, trocando cotoveladas e procurando ficar na frente. O chão escorregadio sugava seus pés e acabou por derrubá-los, talvez a uns vinte metros do final.

— Jesus, Maria e José! — gritou Rudy. — Estou coberto de cocô!

— Não é cocô, é lama — corrigiu Liesel, embora tivesse suas dúvidas. Os dois se arrastaram mais cinco metros em direção à chegada.

— Então, vamos considerar empate? — perguntou.

Rudy olhou-a, com seus dentes afiados e os olhos azuis desengonçados. Seu rosto estava metade pintado de lama.

— Se der empate, ainda ganho meu beijo?

— Nem num milhão de anos — disse Liesel, que se levantou e sacudiu um pouco de lama do capote.

— Você deixa de ser goleira.

— Dane-se a sua goleira.

Enquanto voltavam para a rua Himmel, Rudy a advertiu:

— Um dia, Liesel, você vai morrer de vontade de me beijar.

Mas Liesel sabia.

Jurou.

Enquanto ela e Rudy Steiner vivessem, jamais beijaria aquele *Saukerl* desgraçado e imundo, especialmente não nesse dia. Havia assuntos mais importantes de que cuidar. Liesel olhou para sua roupa enlameada e declarou o óbvio.

— Ela vai me matar.

Ela, é claro, era Rosa Hubermann, também conhecida como mamãe, e por pouco não a matou mesmo. A palavra *Saumensch* foi uma grande protagonista na administração do castigo. Rosa fez picadinho de Liesel.

O INCIDENTE DE JESSE OWENS

Como nós dois sabemos, Liesel não estava à mão na rua Himmel quando Rudy praticou seu ato de maldade infantil. Mas quando rememorou o passado foi como se tivesse estado presente. Em sua lembrança, de algum modo, tornara-se membro da plateia imaginária de Rudy. Ninguém mais o mencionou, mas Rudy, com certeza, compensou isso, tanto que, quando Liesel veio a recordar sua história, o incidente de Jesse Owens fez parte dela, tanto quanto tudo que a menina havia testemunhado em primeira mão.

Era 1936. A Olimpíada. Os jogos de Hitler.
Jesse Owens acabara de completar o revezamento 4 x 100 e conquistara sua quarta medalha de ouro. A história de que ele era sub-humano, por ser negro, e da recusa de Hitler a lhe apertar a mão foi alardeada pelo mundo afora. Até os alemães mais racistas ficaram admirados com os esforços de Owens, e a notícia de sua proeza vazou pelas brechas. Ninguém ficou mais impressionado do que Rudy Steiner.

Todos os seus familiares estavam amontoados na sala da família quando ele se esgueirou para a cozinha. Tirou um pouco de carvão do fogão e segurou as pedras nas mãozinhas miúdas. "É agora." Veio o sorriso. Ele estava pronto.

Esfregou bem o carvão no corpo, numa camada espessa, até ficar coberto de preto. Até no cabelo deu uma esfregada.

Na janela, o menino deu um sorriso quase maníaco para seu reflexo, e de short e camiseta surrupiou silenciosamente a bicicleta do irmão mais velho e saiu pedalando pela rua, em direção ao Oval Hubert. Escondera num dos bolsos uns pedaços extras de carvão, para o caso de parte dele sair, mais tarde.

Na cabeça de Liesel, a Lua estava costurada no céu naquela noite. Com nuvens pespontadas em volta dela.

A bicicleta enferrujada parou com um tranco na cerca do Oval Hubert, que Rudy escalou. Desceu do outro lado e foi saltitando, desajeitado, até o começo dos cem metros. Com entusiasmo, fez uma série de alongamentos pavorosos. Cavou buracos para a partida na terra.

À espera de seu momento, andou de um lado para outro, reunindo a concentração sob o céu de trevas, com a Lua e as nuvens vigiando, tensas.

— Owens está com pinta de vencedor — começou a comentar. — Esta talvez seja sua maior vitória em todos os tempos...

Apertou as mãos imaginárias dos outros atletas e lhes desejou boa sorte, muito embora soubesse. Eles não tinham a menor chance.

O juiz da largada fez sinal para que os atletas avançassem. Uma multidão materializou-se em cada centímetro quadrado da circunferência do Oval Hubert. Todos gritavam uma coisa só. Entoavam o nome de Rudy Steiner — e seu nome era Jesse Owens.

Calaram-se todos.

Os pés descalços do menino agarraram o chão. Ele podia sentir a terra grudada entre os dedos.

Ao comando do juiz de largada, assumiu a posição — e a pistola abriu um buraco na noite.

No primeiro terço da corrida, foi tudo bastante equilibrado, mas era só uma questão de tempo para que o Owens encarvoado se livrasse e ampliasse a vantagem.

— Owens na frente — gritou a voz esganiçada do menino, enquanto ele corria pela pista deserta, diretamente em direção aos aplausos retumbantes da glória olímpica. Chegou até a sentir a fita romper-se em duas em seu peito, ao atravessá-la em primeiro lugar. O homem mais veloz da Terra.

Só na volta da vitória foi que as coisas azedaram. Em meio à multidão, seu pai estava parado na linha de chegada, que nem o bicho-papão. Ou, pelo menos, um bicho-papão de terno. (Como já foi mencionado, o pai de Rudy era alfaiate. Raras vezes era visto na rua sem estar de terno e gravata. Nessa ocasião, eram apenas o terno e uma camisa amarrotada.)

— *Was ist los?* — perguntou o Sr. Steiner ao filho, quando ele apareceu em toda a sua glória acarvoada. — Que diabo está acontecendo aqui?

A multidão desapareceu. Uma brisa agitou-se.

— Eu estava dormindo na minha poltrona quando o Kurt notou que você tinha sumido. Estão todos à sua procura.

Em circunstâncias normais, o Sr. Steiner era um homem admiravelmente bem-educado. Descobrir que um de seus filhos se encarvoara até ficar preto, numa noite de verão, não era o que ele considerava circunstâncias normais.

— O menino é maluco — resmungou, embora admitisse que, com seis filhos, era fatal que acontecesse uma coisa dessas. Pelo menos um tinha que ser a maçã podre. Neste exato momento, ele a olhava, à espera de uma explicação.

— Bem?

Rudy arfou, dobrando-se e pondo as mãos nos joelhos.

— Eu estava sendo o Jesse Owens — respondeu, como se fosse a coisa mais natural do mundo para se fazer. Em seu tom havia até um quê implícito que sugeria alguma coisa do tipo "Que diabos isso parece ser?". Mas o tom se desfez quando ele viu a falta de sono recortada sob os olhos do pai.

— Jesse Owens? — repetiu o Sr. Steiner. Ele era daquele tipo de homem muito rígido. Tinha a voz angulosa e franca. O corpo era alto e pesado, como um carvalho. O cabelo lembrava lascas de madeira. — O que tem ele?

— Você sabe, papai, o Mágico Negro.

— Vou mostrar a *você* o que é magia negra — e segurou a orelha do filho entre o polegar e o indicador.

Rudy estremeceu.

— Puxa, isso dói mesmo!

— Ah, é? — fez o pai, mais preocupado com a textura pegajosa do carvão a lhe contaminar os dedos. Ele cobriu o corpo todo, não foi?, pensou consigo mesmo. Está até nas orelhas, pelo amor de Deus! — Vamos.

A caminho de casa, o Sr. Steiner resolveu conversar com o filho sobre política, da melhor maneira que pôde. Só anos depois é que Rudy entenderia tudo — quando já era tarde demais para se dar ao trabalho de entender o que quer que fosse.

· A POLÍTICA CONTRADITÓRIA ·
DE ALEX STEINER

Ponto Um: *Ele era membro do Partido Nazista, mas não
odiava os judeus, nem qualquer outra pessoa, aliás.*
Ponto Dois: *Secretamente, no entanto, não conseguiu deixar
de sentir uma parcela de alívio (ou pior — alegria!) quando
os lojistas judeus foram à falência: a propaganda lhe
informara que era apenas uma questão de tempo
uma praga de alfaiates judeus aparecer e lhe roubar a clientela.*
Ponto Três: *Mas isso significava que eles todos
tinham que ser expulsos?*
Ponto Quatro: *A família. Com certeza, ele tinha que fazer*

> *o que pudesse para sustentá-la.*
> *Se isso significasse estar no partido,*
> *significaria estar no partido.*
> **Ponto Cinco:** *Em algum lugar, bem no fundo, havia uma comichão*
> *em seu peito, mas ele fazia questão de não coçar.*
> *Tinha medo do que pudesse vazar dela.*

Os dois dobraram algumas esquinas até chegar à rua Himmel, e Alex disse:
— Filho, você não pode sair por aí se pintando de preto, escutou?

Rudy estava interessado e confuso. Agora a Lua se soltara, livre para se movimentar, subir, descer e pingar no rosto do menino, deixando-o escuro para valer, como seus pensamentos.

— Por que não, papai?
— Porque eles o levam embora.
— Por quê?
— Porque você não deve querer ser como os negros, nem como os judeus, nem como qualquer um que... que não seja *nós*.
— Quem são os judeus?
— Conhece aquele meu freguês mais antigo, o Sr. Kaufmann? Da loja onde compramos seus sapatos?
— Sim.
— Bom, ele é judeu.
— Eu não sabia. A gente tem de pagar para ser judeu? Precisa de uma licença?
— Não, Rudy.

O Sr. Steiner conduzia a bicicleta com uma das mãos e Rudy com a outra. Estava tendo dificuldade era para conduzir a conversa. Ainda não havia soltado o lobo da orelha do filho. Esquecera-se dela.

— É como ser alemão ou católico.
— Ah. O Jesse Owens é católico?
— E *eu* sei lá!

Nessa hora, tropeçou num pedal da bicicleta e soltou a orelha.

Os dois andaram em silêncio por algum tempo, até Rudy dizer:
— Eu só queria ser como o Jesse Owens, papai.

Dessa vez, o Sr. Steiner pôs a mão na cabeça do menino e explicou:
— Eu sei, meu filho, mas você tem um lindo cabelo louro e olhos azuis grandes e seguros. Devia ficar feliz com isso, está claro?

Mas não havia nada claro.

Rudy não compreendeu coisa alguma, e essa noite foi o prelúdio do que estava por vir. Dois anos e meio depois, a Sapataria Kaufmann foi reduzida a vidros quebrados e todos os calçados foram jogados num caminhão, dentro de suas caixas.

O OUTRO LADO DA LIXA DE PAREDE

As pessoas têm momentos definidores, suponho, especialmente quando são crianças. Para umas, é um incidente de Jesse Owens. Para outras, um momento de histeria que faz urinar na cama.

Era o fim de maio de 1939, e a noite tinha sido como quase todas as outras. Mamãe sacudira seu punho de ferro. Papai havia saído. Liesel limpara a porta da frente e observara o céu da rua Himmel.
Antes disso, tinha havido um desfile.
Os camisas-pardas, que eram membros extremistas do Partido Nacional Socialista dos Trabalhadores Alemães, NSDAP (também conhecido como Partido Nazista), tinham marchado pela rua Munique, exibindo orgulhosamente suas bandeiras, de queixo erguido, como que sustentado por um mastro. As vozes, cheias de melodia, haviam culminado numa tonitruante execução de *Deutschland über Alles* — A Alemanha acima de tudo.
Como sempre, eles tinham sido aplaudidos.
Foram instigados a prosseguir, ao caminharem sabe-se lá para onde.
As pessoas da rua ficaram paradas, observando, algumas estendendo o braço em saudação, outras com as mãos ardendo de tanto aplaudir. Algumas exibiam rostos contorcidos de orgulho e envolvimento, como *Frau* Diller, mas aqui e ali também se espalhavam alguns homens atípicos, como Alex Steiner, que se postou como um bloco de madeira em forma humana, batendo palmas lentas e obedientes. E belas. Submissão.

Na calçada, Liesel ficara ao lado do pai e de Rudy. O rosto de Hans Hubermann parecia ter as venezianas fechadas.

· ALGUNS NÚMEROS MASTIGADOS ·
Em 1933, noventa por cento dos alemães manifestavam
um apoio resoluto a Adolf Hitler.
Isso deixa dez por cento que não o manifestavam.
Hans Hubermann fazia parte dos dez por cento.
Havia uma razão para isso.

Durante a noite, Liesel sonhou, como sempre sonhava. No começo, viu os camisas-pardas marchando, mas logo depois eles a levaram para um trem, onde a descoberta de praxe a esperava. Seu irmão tinha os olhos fixos de novo.

Quando acordou, aos gritos, Liesel soube de imediato que, nessa ocasião, alguma coisa havia mudado. Um cheiro vazava por baixo das cobertas, morno e doentio. A princípio, ela tentou se convencer de que não havia acontecido nada, mas quando papai chegou mais perto e a abraçou, ela chorou e admitiu a verdade em seu ouvido.
— Papai — murmurou. — Papai — e foi só. Provavelmente, ele sentira o cheiro.
Hans tirou-a delicadamente da cama e a levou para o banheiro. O momento veio minutos depois.

— A gente tira os lençóis — disse o papai, e quando estendeu a mão por baixo e puxou o tecido, alguma coisa se soltou e caiu com um baque. Um livro preto, com letras prateadas na capa, que veio num tranco e despencou no chão, entre os pés do homem alto.
Ele baixou os olhos.
Olhou para a menina, que encolheu timidamente os ombros.
Em seguida, leu o título em voz alta, com concentração:
— *O Manual do Coveiro.*
Então era esse o nome, pensou Liesel.
Uma nesga de silêncio infiltrou-se entre eles. O homem, a menina, o livro. Ele o pegou e falou, baixinho feito algodão.

· UMA CONVERSA ÀS DUAS DA MANHÃ ·
— *Isto é seu?*
— *Sim, papai.*
— *Quer lê-lo?*
De novo:
— *Sim, papai.*
Sorriso cansado.
Olhos metálicos, derretendo-se.
— *Bem, então é melhor a gente ler.*

• • •

Quatro anos depois, quando ela começou a escrever no porão, duas ideias ocorreram a Liesel a respeito do trauma de urinar na cama. Primeiro, ela achou que tivera uma sorte imensa por ter sido papai a descobrir o livro. (Felizmente, ao lavar os lençóis na vez anterior, Rosa mandara Liesel tirá-los da cama e refazê-la. — E trate de andar depressa, *Saumensch!* Está parecendo que eu tenho o dia inteiro?) Segundo, ela sentia um orgulho evidente do papel de Hans Hubermann em sua educação. *Talvez você não imagine,* escreveu, *mas não foi tanto a escola que me ajudou a ler. Foi papai. As pessoas acham que ele não é inteligente, e é verdade que ele não lê muito depressa, mas eu não tardaria a saber que as palavras e a escrita tinham salvado sua vida, uma vez. Ou, pelo menos, as palavras e um homem que lhe ensinara o acordeão...*

— Primeiro as coisas mais importantes — disse Hans Hubermann naquela noite. Lavou os lençóis e os pendurou. — Agora — disse, ao regressar — vamos dar início a esta aula da meia-noite.

A luz amarela estava viva, de tanta poeira.

Liesel sentou-se nos lençóis limpos e frios, envergonhada, radiante. A ideia de ter urinado na cama a aguilhoava, mas ela ia ler. Leria o livro.

A empolgação pôs-se de pé dentro dela.

Acenderam-se visões de um gênio da leitura de dez anos de idade.

Que bom se fosse fácil assim!

— Para lhe dizer a verdade — papai foi logo explicando —, eu mesmo não sou muito bom de leitura.

Mas não fazia mal ele ler devagar. Para dizer o mínimo, talvez fosse útil seu ritmo de leitura ser mais lento do que a média. Talvez causasse menos frustração, ao lidar com a inabilidade da menina.

Ainda assim, a princípio, Hans pareceu um pouco constrangido ao segurar o livro e folheá-lo.

Quando se aproximou e se sentou ao lado dela na cama, reclinou-se, com as pernas penduradas de lado. Tornou a examinar o livro e o deixou cair no cobertor.

— Ora, por que uma boa menina como você quer ler uma coisa dessas?

Liesel tornou a encolher os ombros. Se o aprendiz andasse lendo a obra completa de Goethe, ou outro desses luminares, seria isso que estaria diante deles. Ela tentou explicar:

— Eu... quando... Eu estava sentada na neve, e...

As palavras, ditas baixinho, escorregaram pela lateral da cama e se esvaziaram no chão, feito pó.

Mas papai sabia o que dizer. Ele sempre sabia o que dizer.

Passou a mão pelo cabelo de sono e disse:

— Bem, prometa-me uma coisa, Liesel. Se eu morrer dentro em breve, trate de fazer com que me enterrem direito.

Ela fez que sim com a cabeça, com grande sinceridade.

— Nada de pular o capítulo sexto nem a quarta etapa do capítulo nono.

Ele riu, assim como a molhadora de cama.

— Bom, fico contente por termos resolvido isso. Agora podemos ir em frente.

Hans ajeitou o corpo e seus ossos rangeram como as tábuas invejosas do piso.

— Vai começar a diversão.

Ampliada pela quietude da noite, abriu-se com o livro... uma rajada de vento.

Ao olhar para trás, Liesel era capaz de dizer exatamente em que seu pai estivera pensando ao vasculhar a primeira página do *Manual do Coveiro*. Percebendo a dificuldade do texto, ele tivera clara consciência de que aquele livro estava longe de ser o ideal. Havia palavras com que ele mesmo teria dificuldade. Para não falar da morbidez do assunto. Quanto à menina, ela sentira um desejo repentino de lê-lo, que nem sequer tentara entender. Qualquer que fosse a razão, sua ânsia de ler aquele livro era tão intensa quanto qualquer ser humano de dez anos seria capaz de vivenciar.

O capítulo primeiro chamava-se "O primeiro passo: escolher o equipamento certo". Numa breve passagem introdutória, resumia o tipo de material a ser abordado nas vinte páginas seguintes. Tipos de pás, picaretas, luvas e similares foram relacionados, assim como a necessidade vital de fazer sua manutenção adequada. Esse negócio de cavar sepulturas era sério.

Enquanto o pai percorria o texto, com certeza sentia os olhos de Liesel fixados nele. Os olhos o alcançavam e agarravam, à espera de alguma coisa, de qualquer coisa que lhe saísse dos lábios.

— Pronto — disse o pai, tornando a se ajeitar e lhe entregando o livro. — Olhe para esta página e me diga quantas palavras você sabe ler.

Liesel a olhou — e mentiu.

— Mais ou menos a metade.

— Leia algumas para mim.

Mas é claro que ela não conseguiu. Quando Hans a fez apontar para qualquer palavra que soubesse ler e efetivamente pronunciá-la, houve apenas três: as três palavras principais em alemão que dão as formas do artigo "o". A página inteira devia ter umas duzentas palavras.

Isso talvez seja mais difícil do que eu imaginava.

Foi o que Liesel o apanhou pensando, só por um instante.

Hans se inclinou para a frente, pôs-se de pé e saiu.

Dessa vez, ao voltar, disse:

— Na verdade, tenho uma ideia melhor.

Trazia na mão um lápis grosso de pintor e uma pilha de lixas de parede.

— Vamos começar do zero.

Liesel não viu motivo para discutir.

No canto esquerdo de um pedaço de lixa virado pelo avesso ele desenhou um quadrado de mais ou menos dois centímetros e meteu um A maiúsculo dentro dele. No canto oposto, botou um minúsculo. Até ali, tudo bem.

— A — disse Liesel.

— A de quê?

Ela sorriu:

— *Apfel*.

Hans escreveu a palavra em letras grandes e desenhou embaixo uma maçã meio torta. Era pintor de paredes, não de quadros. Ao terminar, olhou para o papel e disse:

— Agora, o B.

Enquanto os dois avançavam pelo alfabeto, os olhos de Liesel se arregalaram. Ela já fizera aquilo na escola, na aula do jardim de infância, mas dessa vez era melhor. Ela era a única presente e não era gigantesca. Era bom ver a mão do pai escrevendo as palavras e construindo devagar os esboços primitivos.

— Ora, vamos, Liesel — disse-lhe Hans depois, quando ela lutava com a dificuldade. — Uma coisa que comece com S. É fácil. Estou muito decepcionado com você.

Ela não conseguia pensar.

— Vamos! — veio o sussurro brincalhão. — Pense na mamãe.

Foi quando a palavra atingiu-a no rosto, feito uma bofetada. Um sorriso reflexo.

— *Saumensch*! — exclamou a menina, e o pai caiu na gargalhada, depois ficou quieto.

— Pssiu, não podemos fazer barulho.

Mas continuou a rolar de rir e escreveu a palavra, completando-a com um de seus esboços.

· UMA TÍPICA OBRA DE ARTE ·
DE HANS HUBERMANN

— Papai! — sussurrou Liesel. — Eu não tenho olhos!

Hans fez um afago no cabelo da menina. Ela havia caído em sua armadilha.

— Com um sorriso desses — disse Hans Hubermann —, você não precisa de olhos.

— Abraçou-a e tornou a olhar para o desenho, com um rosto de prata aquecida.

— Agora, o T.

• • •

Terminado e estudado o alfabeto umas dez vezes, papai se inclinou e disse:
— Já chega por hoje?
— Mais umas palavras?
Ele foi categórico:
— Chega. Quando você acordar, eu lhe toco o acordeão.
— Obrigada, papai.
— Boa noite.
Um riso baixinho, de uma sílaba:
— Boa noite, *Saumensch*.
— Boa noite, papai.
Ele apagou a luz, voltou e se sentou na cadeira. Na escuridão, Liesel manteve os olhos abertos. Estava vendo as palavras.

O CHEIRO DA AMIZADE

Continuou.

Nas semanas seguintes e até entrar o verão a aula da meia-noite começou no fim de cada pesadelo. Houve mais dois episódios de urinar na cama, porém Hans Hubermann só fez repetir sua heroica proeza anterior de limpeza e se dedicar à tarefa de ler, desenhar e recitar. Nas primeiras horas da madrugada, as vozes baixas eram altas.

Numa quinta-feira, pouco depois das três da tarde, a mamãe disse a Liesel que se aprontasse para ir com ela entregar umas roupas passadas. Papai tinha outras ideias.

Entrou na cozinha e disse:

— Desculpe, mamãe, mas hoje ela não vai com você.

A mãe nem se deu ao trabalho de erguer os olhos da trouxa de lavagem:

— Quem foi que lhe perguntou, *Arschloch*? Vamos, Liesel.

— Ela vai ler — disse Hans. Ofereceu a Liesel um sorriso firme e uma piscadela. — Comigo. Estou ensinando a ela. Nós vamos ao Amper, à parte alta do rio, lá onde eu costumava treinar o acordeão.

Nessa hora, captou a atenção de Rosa.

A mãe pôs na mesa a roupa que estava lavando e se armou com todo o empenho para chegar ao nível adequado de cinismo.

— Que foi que você disse?

— Acho que você me ouviu, Rosa.

Mamãe deu uma risada.

— E que diabo *você* pode ensinar a ela? — indagou. Um sorriso de papelão. Palavras que pareciam cruzados no queixo. — Como se você soubesse ler grande coisa, seu *Saukerl*.

A cozinha esperou. Papai revidou o golpe.

— Levaremos sua roupa passada para você.

— Seu porcaria de... — Mas Rosa se deteve. As palavras lhe ficaram na ponta da língua, enquanto ela pensava. — Voltem antes do anoitecer.

— Não podemos ler no escuro, mamãe — disse Liesel.

— Como é, *Saumensch*?

— Nada, mamãe.

Papai sorriu e apontou para a menina.

— Livro, lixa de parede, lápis — ordenou — e o acordeão! — quando ela já havia saído. Logo estavam na rua Himmel, carregando as palavras, a música e a roupa lavada.

Enquanto andavam em direção à loja de *Frau* Diller, viraram-se algumas vezes para ver se mamãe ainda estava no portão a observá-los. Estava. A certa altura, ela gritou:

— Liesel, segure direito essa roupa passada! Não a amarrote!

— Sim, mamãe!

Mais uns passos adiante:

— Liesel, você se agasalhou direito?

— O que você disse?

— *Saumensch dreckiges*, você nunca escuta nada? Está bem-agasalhada? Pode esfriar mais tarde!

Ao dobrar a esquina, o pai abaixou-se para amarrar um cadarço do sapato.

— Liesel — disse —, pode enrolar um cigarro para mim?

Nada lhe daria maior prazer.

Uma vez entregue a roupa passada, eles refizeram o percurso para o rio Amper, que margeava a cidade. O rio serpenteava por ali, apontando na direção de Dachau, o campo de concentração.

Havia uma ponte de tábuas.

Os dois se sentaram na grama a uns trinta metros dela, talvez, escrevendo as palavras e lendo-as em voz alta, e quando a escuridão se aproximou Hans pegou o acordeão. Liesel o fitou e ouviu, embora não notasse de imediato a expressão perplexa no rosto do pai naquela noite, enquanto ele tocava.

· O ROSTO DE PAPAI ·
Ele vagava e meditava,
mas sem revelar nenhuma resposta.
Ainda não.

Tinha havido uma mudança nele. Uma mudança ligeira.

Liesel a viu, mas só se deu conta depois, quando todas as histórias se juntaram. Não a viu ao observá-lo tocar, porque não tinha ideia de que o acordeão de Hans Hubermann era uma história. Em tempos vindouros, essa história chegaria ao número 33 da rua Himmel nas primeiras horas da madrugada, usando ombros amarrotados e um paletó enregelado. Carregaria uma mala, um livro e duas perguntas. Uma história. Uma história depois da história. Uma história *dentro* da história.

Por enquanto, havia apenas a história que dizia respeito a Liesel, e dessa ela estava gostando.

Acomodou-se nos braços compridos da relva, deitada de costas.

Fechou os olhos, e seus ouvidos seguraram as notas.

Também havia alguns problemas, é claro. Às vezes, papai quase gritava com ela.
— Ande, Liesel — dizia. — Você sabe essa palavra, você sabe!
Justo quando o progresso parecia correr bem, as coisas empacavam, de algum modo.
Quando fazia bom tempo, os dois iam ao Amper à tarde. Com tempo ruim, era o porão. Isso foi principalmente por causa da mãe. No começo, eles tentaram a cozinha, mas não houve jeito.
— Rosa — Hans lhe disse, a horas tantas. Baixinho, suas palavras interromperam uma das frases dela. — Pode me fazer um favor?
Ela ergueu os olhos do fogão.
— O que é?
— Eu lhe peço, eu lhe *imploro*, será que você pode fazer o favor de calar a boca, só por cinco minutos?
A reação você pode imaginar.
Os dois acabaram no porão.

Lá não havia luz, de modo que eles levavam uma lamparina de querosene, e aos poucos, entre a escola e a casa, do rio ao porão, dos dias bonitos aos de mau tempo, Liesel foi aprendendo a ler e escrever.
— Dentro em breve — disse-lhe o pai — você saberá ler aquele livro horroroso das sepulturas de olhos fechados.
— E aí posso sair daquela turma de anões.
Proferiu essas palavras com uma espécie de jeito sombrio de posse.

Numa das aulas no porão, papai dispensou a lixa (que estava acabando depressa) e pegou um pincel. Eram poucos os luxos na casa dos Hubermann, mas havia um suprimento abundante de tinta, e ela foi mais do que útil para a aprendizagem de Liesel. Papai dizia uma palavra e a menina tinha que soletrá-la em voz alta e pintá-la na parede, desde que a acertasse. Depois de um mês, a parede era repintada. Uma nova página de cimento.

Certas noites, depois de trabalhar no porão, Liesel se agachava na banheira e ouvia os mesmos ditos provenientes da cozinha.

— Você está fedendo — dizia mamãe a Hans. — A cigarro e querosene.

Sentada na água, a menina imaginava aquele cheiro, mapeado nas roupas do pai. Mais do que tudo, era o cheiro da amizade, e ela também o sentia em si mesma. Liesel adorava aquele cheiro. Cheirava o próprio braço e sorria, enquanto a água esfriava a seu redor.

A CAMPEÃ PESO-PESADO DO PÁTIO DA ESCOLA

O verão de 1939 estava com pressa, ou talvez Liesel estivesse. Ela passou o tempo jogando futebol com Rudy e com os outros garotos da rua Himmel (um passatempo do ano inteiro), carregando roupas pela cidade com a mãe e aprendendo palavras. Foi como se o verão acabasse dias depois de começar.

Na última parte do ano, aconteceram duas coisas.

· SETEMBRO-NOVEMBRO DE 1939 ·
*1. Começou a Segunda Guerra Mundial.
2. Liesel Meminger tornou-se a campeã
peso-pesado do pátio da escola.*

Início de setembro.

Fez um dia frio em Molching quando a guerra começou e minha carga de trabalho aumentou.

O mundo discutiu o assunto.

As manchetes dos jornais se deleitaram.

A voz do *Führer* rugia nos rádios alemães. Não desistiremos. Não descansaremos. Seremos vencedores. Chegou nossa vez.

Começara a invasão da Polônia e havia gente reunida em toda parte, escutando as notícias. A rua Munique, como todas as outras ruas principais da Alemanha, ganhou vida com a guerra. O cheiro, a voz. O racionamento tinha começado dias antes — o sinal da desgraça iminente — e agora era oficial. A Inglaterra e a França tinham feito sua declaração à Alemanha. Para roubar uma frase de Hans Hubermann,

Vai começar a diversão.

No dia do anúncio, papai tivera a sorte de ter trabalho. Na volta para casa, pegou um jornal que alguém jogara fora e, em vez de parar para metê-lo entre as latas de tinta de sua carroça, dobrou-o e o enfiou embaixo da camisa. Quando chegou em casa e o retirou, o suor havia puxado a tinta para sua pele. O jornal caiu na mesa, mas as notícias lhe ficaram gravadas no peito. Uma tatuagem. Mantendo a camisa aberta, ele olhou para baixo, na luz vacilante da cozinha.

— O que é que diz? — perguntou Liesel, que olhava para lá e para cá, dos contornos pretos na pele para o jornal.

— Hitler toma a Polônia — foi a resposta, e Hans Hubermann desabou numa cadeira. — *Deutschland über Alles* — murmurou, e sua voz não foi nem remotamente patriótica.

Lá estava o rosto de novo — o rosto do acordeão.

Foi o começo de uma guerra.
Liesel logo estaria em outra.

Quase um mês depois do reinício das aulas, ela foi transferida para o ano do seu nível apropriado. Talvez você imagine que foi por causa de sua melhora na leitura, mas não foi. Apesar do avanço, ela continuava a ler com grande dificuldade. Havia frases espalhadas por toda parte. As palavras a ludibriavam. A razão de ela ter sido promovida teve mais a ver com o fato de Liesel ter-se tornado disruptiva na turma dos mais novos. Respondia a perguntas dirigidas a outras crianças e interrompia. Vez por outra, recebia o que era conhecido como uma *Watschen* (pronunciada "varchen") no corredor.

· UMA DEFINIÇÃO ·
Watschen = *uma boa sova*

Ela era levantada, colocada numa cadeira à parte e instruída pela professora sobre calar a boca; a professora, aliás, também era freira. Do outro lado da sala, Rudy a olhava e lhe dava adeusinhos. Liesel retribuía o aceno e procurava não sorrir.

Em casa, ela havia avançado bastante na leitura do *Manual do Coveiro* com o pai. Os dois circundavam as palavras que ela não conseguia compreender e as levavam para o porão no dia seguinte. Liesel achava que isso era o bastante. Não era.

Em algum ponto do início de novembro houve provas de aproveitamento na escola. Uma delas era de leitura. Todas as crianças tinham que ficar de pé na frente da sala e ler um trecho que a professora lhes dava. Era uma manhã gelada, mas de sol brilhante. As crianças espremiam os olhos. Um halo circundava a ceifeira implacável, irmã Maria. (A propósito, gosto dessa ideia humana da ceifeira implacável. Gosto da gadanha. Isso me diverte.)

Na sala banhada de sol, os nomes iam sendo chacoalhados ao acaso.

— Waldenheim, Lehmann, Steiner.

Todos ficaram de pé e fizeram uma leitura, todos com níveis diferentes de capacidade. Rudy foi surpreendentemente bem.

Durante toda a prova, Liesel ficou sentada, com uma mescla de expectativa febril e medo excruciante. Queria desesperadamente ser avaliada, descobrir de uma vez por todas se seu aprendizado vinha progredindo. Estaria à altura da prova? Poderia sequer aproximar-se de Rudy e dos demais?

Toda vez que irmã Maria olhava para a lista, um feixe de nervos comprimia as costelas de Liesel. Tinha começado no estômago, mas fora subindo. Logo, logo estaria em seu pescoço, grosso como uma corda.

Quando Tommy Müller terminou sua tentativa medíocre, Liesel correu os olhos pela sala. Todos já tinham lido. Ela era a única que faltava.

— Muito bem — disse irmã Maria, balançando a cabeça enquanto examinava a lista. — Estão todos aí.

O quê?

— Não!

Uma voz praticamente apareceu do outro lado da sala. Preso a ela estava um menino de cabelo cor de limão, cujos joelhos ossudos chocavam-se com suas calças embaixo da carteira. Ele levantou a mão e disse:

— Irmã Maria, acho que a senhora esqueceu a Liesel.

Irmã Maria.
Não se impressionou.

Bateu com a pasta na mesa à sua frente e inspecionou Rudy, com um suspiro de reprovação. Foi quase melancólico. Por quê, lamentava-se a freira, tinha ela que suportar Rudy Steiner? Ele simplesmente não conseguia ficar de boca fechada. Por quê, Senhor, por quê?

— Não — disse, em tom categórico. Sua barriguinha inclinou-se para a frente com o resto do corpo. — Receio que a Liesel não possa, Rudy. — E olhou para a menina, em busca de confirmação. — Ela lerá para mim depois.

A menina pigarreou e falou, com sereno desafio:

— Posso ler agora, irmã.

A maioria das outras crianças observava em silêncio. Algumas praticaram o belo ato infantil de dar risinhos abafados.

Foi o bastante para a irmã.

— Não, você não pode!... que está fazendo?

É que Liesel saíra da cadeira e se dirigia lentamente, com andar duro, para a frente da sala. Pegou o livro e o abriu numa página qualquer.

— Então, muito bem — disse irmã Maria. — É o que você quer fazer? Pois leia.

— Sim, irmã.

Após uma rápida olhadela para Rudy, Liesel baixou os olhos e examinou a página.

Quando tornou a erguê-los, a sala desfez-se em pedaços, depois voltou a se amontoar numa só. Todas as crianças tinham virado uma pasta, bem diante dos seus olhos, e num momento luminoso ela se imaginou lendo a página inteira, num triunfo impecável de fluência.

· UMA PALAVRA-CHAVE ·
Imaginou

— Anda, Liesel!

Rudy quebrou o silêncio.

A menina que roubava livros tornou a baixar os olhos para as palavras.

Anda. Dessa vez, Rudy fez apenas os movimentos labiais. Anda, Liesel.

O sangue dela soou mais alto. As frases viraram um borrão.

Súbito, a página branca estava escrita em outra língua, e o fato de seus olhos se encherem de lágrimas não ajudou. Ela já nem conseguia enxergar as palavras.

E o sol. Aquele sol terrível. Explodia pela janela — havia vidro em toda parte —, e brilhava diretamente sobre a menina inútil. Gritava em seu rosto. "Você é capaz de roubar um livro, mas não consegue lê-lo!"

Então lhe ocorreu. Uma solução.

Respirando, respirando fundo, ela começou a ler, mas não o livro à sua frente. Era alguma coisa do *Manual do Coveiro*. Capítulo terceiro: "Na eventualidade de nevar." Ela o havia decorado na voz do pai.

— Na eventualidade de nevar — disse —, você deve certificar-se de usar uma boa pá. Deve cavar fundo, não pode ter preguiça. Não pode economizar o trabalho — prosseguiu, sugando mais um grande naco de ar. — É claro que é mais fácil esperar pela parte mais quente do dia, quando...

Acabou-se.

O livro foi arrancado de sua mão e ela ouviu a ordem:

— Liesel, para o corredor.

Enquanto recebia uma pequena *Watschen*, podia ouvir todos rindo na sala, entre um tapa e outro de irmã Maria. Ela as via. Todas aquelas crianças misturadas. Arreganhando os dentes, gargalhando. Banhadas em sol. Todo o mundo ria, menos Rudy.

No recreio, fizeram chacota dela. Um menino chamado Ludwig Schmeikl aproximou-se, segurando um livro.

— Ei, Liesel — disse-lhe —, estou com dificuldade com esta palavra. Pode lê-la para mim? — e riu, um riso presunçoso de garoto de dez anos. — Sua *Dummkopf*, sua idiota.

Agora as nuvens se enfileiravam, grandes e desajeitadas, e havia mais crianças chamando por ela, vendo-a fervilhar.

— Não dê ouvidos a eles — aconselhou Rudy.

— Pra você é fácil falar. Não é você o idiota.

Quase no fim do recreio a contagem dos comentários estava em dezenove. No vigésimo, ela perdeu a estribeira. Com Schmeikl, que voltou para implicar mais um pouco.

— Vamos, Liesel — e lhe enfiou o livro embaixo do nariz. — Me ajude, sim?

E Liesel ajudou, pode crer.

Levantou-se, arrancou-lhe o livro e, enquanto ele sorria por cima do ombro para outras crianças, jogou longe o livro e lascou-lhe o pontapé mais forte que podia nas imediações da virilha.

Bem, como você pode imaginar, Ludwig Schmeikl certamente dobrou-se e, no caminho da descida, levou um soco no ouvido. Quando arriou no chão, foi atacado. Atacado, levou tapas e unhadas e foi obliterado por uma menina profundamente tomada pelo ódio. A pele de Ludwig era muito quente e macia. Os punhos e as unhas de Liesel eram assustadoramente brutos, apesar da pequenez.

— Seu *Saukerl*! — disse a voz dela, que também sabia arranhar. — Seu *Arschloch*. Sabe soletrar *Arschloch* para mim?

Ah, como as nuvens se atropelaram e se juntaram estupidamente no céu!

Enormes nuvens obesas.

Escuras e gorduchas.

Esbarrando umas nas outras. Pedindo desculpas. Continuando a se mover para arranjar espaço.

Vieram as crianças, tão rápido, bem, tão rápido quanto crianças gravitando para uma briga. A misturada de braços e pernas, de gritos e vivas, engrossou em volta deles. Todas assistiam, enquanto Liesel Meminger dava em Ludwig Schmeikl a maior surra de sua vida.

— Jesus, Maria, José — comentou uma menina, soltando um grito —, ela vai matar ele!

Liesel não o matou.

Mas chegou perto.

Provavelmente, na verdade, a única coisa que a deteve foi o rosto sorridente e cheio de tiques ridículos de Tommy Müller. Ainda locupletada de adrenalina, Liesel o avistou, rindo de um jeito tão absurdo, que o puxou para baixo e começou a dar nele também.

— O que você está fazendo? — gemeu o menino, e só então, depois do terceiro ou quarto tapa e de surgir um filete de sangue vivo em seu nariz, foi que ela parou.

De joelhos, inspirou forte e ouviu os gemidos abaixo. Olhou para o remoinho de rostos à direita e à esquerda e anunciou:

— Eu não sou burra.

Ninguém discordou.

Só depois que todos voltaram para dentro e que irmã Maria viu o estado de Ludwig Schmeikl foi que a briga recomeçou. Primeiro, o grosso da suspeita recaiu sobre Rudy e uns outros. Eles estavam sempre se pegando.

— Mãos — veio a ordem para cada menino, mas todos os pares estavam limpos.

— Não acredito — resmungou a freira. — Não pode ser — porque, é claro, quando Liesel deu um passo à frente para mostrar suas mãos, Ludwig Schmeikl estava em todas as partes delas, mais vermelhas a cada instante.

— Para o corredor — disse irmã Maria, pela segunda vez naquele dia. Pela segunda vez naquela hora, a rigor.

Dessa vez, não foi uma *Watschenzinha*. Não foi nem uma *Watschen* média.

Dessa vez, foi a pior de todas as *Watschens* do corredor, uma fustigada da vara de marmelo após outra, a tal ponto que Liesel mal pôde sentar-se durante uma semana. E não houve risadas vindas da sala. Foi mais o medo silencioso de quem escuta.

No fim do dia de aulas, Liesel voltou para casa com Rudy e com os outros filhos dos Steiner. Quando se aproximava da rua Himmel, numa precipitação de ideias, uma culminação de sofrimentos tomou conta dela — o recital falho do *Manual do Coveiro*, a demolição de sua família, seus pesadelos, a humilhação do dia —, e Liesel se agachou na sarjeta e chorou. Tudo levava àquilo.

Rudy ficou parado junto dela.

Começou a chover, uma chuva muito forte.

Kurt Steiner chamou, mas nenhum dos dois se mexeu. Uma estava sofridamente sentada, em meio às bateladas de chuva que caíam, e o outro se postava de pé a seu lado, esperando.

— Por que ele tinha que morrer? — perguntou Liesel, mas Rudy não fez nada, não disse nada.

Quando ela enfim terminou e se levantou, o menino pôs o braço em seus ombros, no estilo melhor amigo, e os dois seguiram caminho. Não houve pedidos de beijos. Nada disso. Você pode gostar do Rudy por isso, se quiser.

Só não me dê um pontapé nos ovos.

Foi o que ele pensou, mas não o disse a Liesel. Só quase quatro anos depois foi que lhe ofereceu essa informação.

Por ora, Rudy e Liesel caminharam para a rua Himmel embaixo de chuva.

Ele era o maluco que se pintara de preto e derrotara o mundo inteiro.

Ela era a roubadora de livros que não tinha palavras.

Mas, acredite, as palavras estavam a caminho, e quando chegassem Liesel as seguraria nas mãos feito nuvens, e as torceria feito chuva.

PARTE DOIS

O Dar de Ombros

APRESENTANDO:

uma menina feita de trevas
a alegria dos cigarros
a andarilha da cidade
umas cartas mortas
o aniversário de hitler
suor alemão cem por cento puro
os portões do furto
e um livro de fogo

Uma menina feita de trevas

· ALGUNS DADOS ESTATÍSTICOS ·
Primeiro livro furtado: 13 de janeiro de 1939
Segundo livro furtado: 20 de abril de 1940
Intervalo entre os citados livros furtados: 463 dias

Se você quisesse usar de insolência, diria que bastou um pouquinho de fogo, na verdade, com uma gritaria humana para acompanhar. Diria que isso foi tudo de que Liesel Meminger precisou para arrebatar seu segundo livro roubado, ainda que ele fumegasse em suas mãos. Ainda que lhe acendesse as costelas.

Mas o problema é este:

Não é hora de insolências.

Não é hora de atenção parcial, nem de virar as costas e ir dar uma olhada no fogão — porque, quando a menina que roubava livros roubou seu segundo livro, não só houve muitos fatores implicados em sua ânsia de fazê-lo, como o ato de furtá-lo desencadeou o ponto crucial do que estava por vir. Isso lhe proporcionaria uma abertura para o roubo contínuo de livros. Inspiraria Hans Hubermann a conceber um plano para ajudar o lutador judeu. E mostraria a mim, mais uma vez, que uma oportunidade conduz diretamente a outra, assim como o risco leva a mais risco, a vida, a mais vida, e a morte, a mais morte.

• • •

De certo modo, foi o destino.

Sabe, talvez lhe digam que a Alemanha nazista ergueu-se sobre o antissemitismo, sobre um líder meio exagerado no entusiasmo e uma nação de fanáticos cheios de ódio, mas tudo teria dado em nada se os alemães não adorassem uma atividade em particular:

Queimar.

Os alemães adoravam queimar coisas. Lojas, sinagogas, *Reichstags*, casas, objetos pessoais, gente assassinada e, é claro, livros. Adoravam uma boa queima de livros, com certeza — o que dava às pessoas que tinham predileção por estes uma oportunidade de pôr as mãos em certas publicações que de outro modo não conseguiriam. Uma das pessoas que *tinha* essa inclinação, como sabemos, era uma garota ossuda chamada Liesel Meminger. Ela pode ter esperado 463 dias, mas valeu a pena. No fim de uma tarde em que houvera muita animação, muita maldade bonita, um tornozelo encharcado de sangue e um tapa vindo de uma mão que inspirava confiança, Liesel Meminger obteve sua segunda história de sucesso. *O Dar de Ombros*. Era um livro azul com letras vermelhas gravadas na capa, e havia um desenhinho de um cuco abaixo do título, também em vermelho. Quando olhou para trás, Liesel não se envergonhou de tê-lo roubado. Ao contrário, foi orgulho o que mais se assemelhou àquele bolinho de *uma coisa* sentida em seu estômago. E foram a raiva e um ódio tenebroso que alimentaram seu desejo de roubá-lo. Na verdade, em 20 de abril — o aniversário do *Führer* —, quando surrupiou aquele livro debaixo de uma pilha fumegante de cinzas, Liesel era uma menina feita de trevas.

A pergunta, é claro, seria: por quê?

Que razão havia para sentir raiva?

O que tinha acontecido, nos quatro ou cinco meses anteriores, para culminar nesse sentimento?

Em suma, a resposta ia da rua Himmel para o *Führer* e para a localização inencontrável de sua mãe de verdade, e perfazia o caminho de volta.

Como a maioria dos sofrimentos, esse começou com uma aparente felicidade.

A ALEGRIA DOS CIGARROS

Ali pelo fim de 1939, Liesel se acomodara bastante bem na vida em Molching. Ainda tinha pesadelos com o irmão e sentia saudade da mãe, mas agora também havia alguns consolos.

Ela gostava muito do pai, Hans Hubermann, e até da mãe de criação, apesar das grosserias e das agressões verbais. Amava e odiava seu melhor amigo, Rudy Steiner, o que era perfeitamente normal. E gostava do fato de que, apesar do fracasso na sala de aulas, sua leitura e sua escrita vinham tendo uma melhora decisiva e logo estariam à beira de alguma coisa respeitável. Tudo isso resultava pelo menos numa certa forma de contentamento, e em pouco tempo se erigiria em algo próximo do conceito de *Ser Feliz*.

. AS CHAVES DA FELICIDADE ·
1. *Terminar* O Manual do Coveiro.
2. *Escapar à ira de irmã Maria.*
3. *Ganhar dois livros no Natal.*

17 de dezembro.

Ela se lembrava bem dessa data, por ter sido exatamente uma semana antes do Natal.

Como de praxe, seu pesadelo de todas as noites interrompeu-lhe o sono e ela foi acordada por Hans Hubermann. A mão dele segurou o tecido encharcado de seu pijama.

— O trem? — murmurou o pai.

— O trem — confirmou Liesel.

Engoliu ar até ficar pronta, e os dois começaram a ler o décimo primeiro capítulo do *Manual do Coveiro*. Terminaram pouco depois das três da manhã, e só ficou faltando o último capítulo, "O respeito ao cemitério". Papai, com os olhos de prata inchados de cansaço e o rosto coberto de pelos de barba, fechou o livro e aguardou suas sobras de sono. Não as conseguiu.

Mal fazia um minuto que a luz fora apagada quando Liesel se dirigiu a ele, na escuridão.

— Papai?

Ele apenas fez um ruído, em algum lugar da garganta.

— Está acordado, papai?

— *Ja*.

Apoiada num dos cotovelos:

— Podemos terminar o livro, por favor?

Houve um longo suspiro, o raspar da mão coçando a barba e, em seguida, a luz. Ele abriu o livro e começou.

— "Capítulo Doze. O respeito ao cemitério."

Leram até de manhãzinha, circundando e anotando as palavras que a menina não compreendia, e virando páginas em direção ao amanhecer. Em alguns momentos, o pai quase dormiu, sucumbindo à fadiga que lhe comichava os olhos e à inclinação da cabeça. Liesel o flagrou em todas as ocasiões, mas não teve o altruísmo de deixá-lo dormir nem o descaramento de ficar ofendida. Era uma menina com uma montanha para escalar.

Enfim, quando a escuridão lá fora começou a clarear um pouco, eles terminaram. O último trecho dizia assim:

> *Nós, da Associação Bávara de Cemitérios, esperamos ter informado e entretido o leitor quanto ao funcionamento, às medidas de segurança e aos deveres da escavação de túmulos. Desejamos extremo sucesso em sua carreira nas artes funerárias e esperamos que este livro tenha contribuído de algum modo.*

Fechado o livro, os dois trocaram um olhar de viés. O pai falou.

— Conseguimos, hein?

Liesel, meio enrolada no cobertor, estudou o livro preto em sua mão e as letras prateadas. Fez que sim com a cabeça, de boca seca e com a fome matinal. Foi um daqueles momentos de cansaço perfeito, de ter dominado não só o trabalho por fazer, mas também a noite que atrapalhava.

Papai se espreguiçou, com os punhos cerrados e os olhos arranhando para fechar, e a manhã não se atreveu a ser chuvosa. Os dois se puseram de pé, andaram até a cozinha e, através da neblina e dos cristais de gelo na janela, puderam ver as faixas róseas de luz sobre as camadas de neve nos telhados da rua Himmel.

— Veja as cores — disse o pai. É difícil não gostar de um homem que não apenas nota as cores, mas fala delas.

Liesel continuava segurando o livro. Apertou-o com mais força quando a neve se alaranjou. Num dos telhados, via um garotinho sentado, olhando para o céu.

— O nome dele era Werner — mencionou. As palavras foram saindo, involuntariamente.

— Sim — disse o pai.

Na escola, nessa época, não tinha havido outras provas de leitura em voz alta, mas, à medida que foi aos poucos ganhando mais confiança, certa manhã Liesel pegou um livro didático que estava por perto, para ver se conseguia lê-lo sem dificuldade. Conseguiu ler todas as palavras, mas continuou presa a um ritmo muito inferior ao dos colegas de turma. É muito mais fácil, percebeu, estar à beira de alguma coisa do que ser de fato aquilo. Isso ainda levaria tempo.

Uma tarde, ela se sentiu tentada a furtar um livro da estante da sala de aulas, mas, com franqueza, a perspectiva de outra *Watschen* no corredor, nas mãos de irmã Maria, foi um fator de dissuasão suficientemente forte. Além disso, ela não tinha mesmo um desejo verdadeiro de tirar os livros da escola. O mais provável é que a intensidade de seu fracasso de novembro houvesse causado esse desinteresse, mas Liesel não tinha certeza. Só sabia que era assim.

Em aula, ela não falava.

Nem sequer olhava na direção errada.

Com a aproximação do inverno, deixou de ser vítima das frustrações de irmã Maria, preferindo observar outros serem levados em marcha ao corredor para receber sua justa recompensa. O som de outro aluno debatendo-se no corredor não era particularmente agradável, mas o fato de se tratar de uma outra pessoa era, se não um consolo verdadeiro, ao menos um alívio.

Quando as aulas tiveram uma breve interrupção para a *Weihnachten*, Liesel até se permitiu dizer "Feliz Natal" à irmã Maria, antes de ir embora. Ciente de que os Hubermann estavam essencialmente duros, ainda quitando dívidas e pagando o aluguel mais depressa do que o dinheiro conseguia entrar, ela não esperava nenhum tipo de presente. Talvez apenas uma comida melhor. Para sua surpresa, na noite de Natal, depois da missa da meia-noite com mamãe, papai, Hans Júnior e Trudy, ela voltou para casa e encontrou uma coisa embrulhada em papel de jornal embaixo da árvore de Natal.

— Do Papai Noel — disse-lhe o pai, mas a menina não se deixou enganar. Abraçou os pais de criação, ainda com a neve espalhada nos ombros.

Ao desdobrar o papel, desembrulhou dois livrinhos. O primeiro, *Fausto, o cachorro*, fora escrito por um homem chamado Mattheus Ottleberg. Ao todo, ela o leria treze vezes. Na noite de Natal, leu as primeiras vinte páginas à mesa da cozinha, enquanto papai e Hans Júnior discutiam sobre uma coisa que ela não compreendia. Uma coisa chamada política.

Depois, leu um pouco mais na cama, aderindo à tradição de circundar as palavras que não conhecia e escrevê-las. *Fausto, o cachorro* também tinha desenhos — curvas e orelhas e caricaturas encantadoras de um pastor alemão com um problema vexatório de babar e dotado da capacidade da fala.

O segundo livro chamava-se *O Farol* e fora escrito por uma mulher, Ingrid Rippinstein. Esse era um pouquinho mais longo, de modo que Liesel só conseguiu lê-lo até o fim nove vezes, aumentando ligeiramente o ritmo ao final dessas leituras prolíficas.

Foi dias depois do Natal que ela fez uma pergunta a respeito dos livros. A família fazia uma refeição na cozinha. Olhando para as colheradas de sopa de ervilha que entravam na boca da mãe, Liesel resolveu desviar o foco para o pai.

— Preciso perguntar uma coisa.

A princípio, nada.

— Então?

Foi a mãe, ainda com a boca meio cheia.

— Eu só queria saber como vocês arranjaram o dinheiro para comprar meus livros.

Um sorrisinho sorriu para a colher do pai.

— Quer mesmo saber?

— É claro.

Papai tirou do bolso o que restava de sua quota de fumo e começou a enrolar um cigarro, ao que Liesel se impacientou.

— Vai me dizer ou não?

O pai riu.

— Mas *já estou* lhe dizendo, menina.

Concluiu a produção de um cigarro, bateu-o na mesa e começou a enrolar outro.

— Foi exatamente assim.

Foi nessa hora que mamãe terminou a sopa com uma batida da colher, reprimiu um leve arroto e respondeu no lugar de Hans.

— Esse *Saukerl* — começou. — Sabe o que ele fez? Enrolou todos esses cigarros nojentos, foi à feira quando ela passou pela cidade, e os trocou com um cigano qualquer.

— Oito cigarros por livro — disse o pai, pondo um na boca, com ar triunfal. Acendeu-o e tragou fumaça.

— Louvado seja Deus pelos cigarros, hein, mamãe?

Ela só fez dirigir-lhe um dos olhares de nojo que eram sua marca registrada, seguido pela quota mais comum de seu vocabulário:

— *Saukerl*.

Liesel trocou a piscadela costumeira com o pai e acabou de tomar a sopa. Como sempre, um dos livros estava a seu lado. Ela não pôde negar que a resposta à pergunta fora mais do que satisfatória. Não havia muita gente capaz de dizer que sua instrução tinha sido paga com cigarros.

A mãe, por outro lado, disse logo que se Hans Hubermann prestasse para alguma coisa, trocaria um pouco do fumo pelo vestido novo de que ela precisava desesperadamente, ou por sapatos melhores.

— Mas não... — completou, esvaziando as palavras na pia. — Quando se trata de mim, você prefere fumar uma quota inteira, não é? E *mais* alguma do vizinho.

Algumas noites depois, entretanto, Hans Hubermann chegou em casa com uma caixa de ovos.

— Desculpe, mamãe — disse, colocando-a na mesa. — Eles não tinham sapatos.

Mamãe não reclamou.

Chegou até a cantarolar sozinha, enquanto cozinhava os ovos até quase queimarem. Parecia haver uma grande alegria nos cigarros, e foi um período feliz na casa dos Hubermann.

Acabou semanas depois.

A ANDARILHA DA CIDADE

O estrago começou com a roupa lavada e aumentou rapidamente.

Num dia em que Liesel acompanhava Rosa Hubermann em suas entregas por Molching um de seus fregueses, Ernst Vogel, informou-lhes que não poderia mais pagar para mandar lavar e passar sua roupa.

— São os tempos — desculpou-se —, como é que eu vou dizer? Estão ficando mais difíceis. A guerra está trazendo um aperto.

Olhou para a menina e completou:

— Tenho certeza de que você recebe uma pensão para cuidar da garotinha, não é?

Para desolação de Liesel, a mãe ficou sem palavras.

Com um saco vazio a seu lado.

Vamos, Liesel.

As palavras não foram ditas. Foram arrastadas pela mão junto com ela, asperamente.

Vogel chamou-as da escada da frente. Teria talvez 1,75m, e seus fiapos de cabelo untuosos pendiam sem vida pela testa.

— Sinto muito, *Frau* Hubermann!

Liesel acenou para ele.

Vogel retribuiu o aceno.

Mamãe praguejou.

— Não dê adeusinho para esse *Arschloch* — disse. — E ande depressa.

Nessa noite, quando Liesel tomou banho, a mãe a esfregou com rispidez especial, o tempo todo resmungando sobre aquele *Saukerl* do Vogel e imitando-o a intervalos de dois minutos.

— "A senhora deve receber uma pensão pela menina..."

Castigou o peito nu de Liesel com suas esfregadelas.

— Você não tem *todo* esse valor, *Saumensch*. Não está me deixando rica, sabe?
Liesel continuou sentada e aguentou.

Não mais de uma semana depois desse incidente específico, Rosa a rebocou para a cozinha.
— Pois então, Liesel — disse, fazendo-a sentar à mesa. — Como você passa metade do tempo na rua, jogando futebol, pode muito bem tornar-se útil aqui. Para variar.
Liesel olhava apenas para as próprias mãos.
— O que foi, mamãe?
— De agora em diante, você vai buscar e entregar a roupa para mim. É menos provável que aqueles ricaços nos despeçam, se *for você* parada na frente deles. Se lhe perguntarem por mim, diga que estou doente. E faça uma cara triste quando disser isso. Você já é magrela e pálida o bastante para inspirar pena neles.
— *Herr* Vogel não sentiu pena de mim.
— Bem... — Era visível a agitação de Rosa. — *Pode ser* que os outros sintam. Por isso, não discuta.
— Sim, mamãe.
Por um instante, a mãe adotiva pareceu prestes a consolá-la, ou a lhe dar um tapinha no ombro.
Boa menina, Liesel. Você é uma boa menina. Tape, tape, tape.
Mas ela não disse nada parecido.
Em vez disso, Rosa Hubermann levantou-se, escolheu uma colher de pau e a segurou embaixo do nariz da menina. Aquilo era uma necessidade, no que lhe dizia respeito.
— Quando estiver na rua, você leva a sacola de roupa a cada lugar e a traz direto para casa, *com* o dinheiro, ainda que ele não seja quase nada. Nada de ir atrás do papai, se por acaso ele estiver trabalhando, para variar. Nada de fazer bagunça por aí com aquele *Saukerlzinho* do Rudy Steiner. Direto. Para casa.
— Sim, mamãe.
— E quando segurar a sacola, segure *direito*. Nada de balançar, nem de deixá-la cair no chão, nem de amassá-la, nem de jogá-la no ombro.
— Sim, mamãe.
— *Sim, mamãe* — repetiu Rosa Hubermann, que era uma grande imitadora, e das mais fervorosas. — É melhor mesmo, *Saumensch*. Eu descubro, se você fizer uma dessas coisas. Sabe disso, não sabe?
— Sim, mamãe.
Dizer essas duas palavras era, muitas vezes, a melhor maneira de sobreviver, assim como obedecer quando era mandada; e, a partir de então, Liesel passou a palmilhar as ruas de Molching, do bairro pobre para o rico, apanhando e entregando roupa. No começo, foi um trabalho solitário, do qual ela nunca se queixava. Afinal, na primeiríssima vez que carregou a sacola pela cidade, ela dobrou a esquina da rua Munique, olhou para um lado e para o outro, e lhe deu uma enorme girada — uma revolução

completa —, e depois verificou o conteúdo. Felizmente, não havia amassados. Nada de rugas. Só um sorriso, e a promessa de nunca mais balançá-la outra vez.

De modo geral, Liesel gostava da tarefa. Não havia participação no pagamento, mas ela ficava longe de casa, e andar pelas ruas sem a mãe já era, por si só, um paraíso. Nada de dedos apontados nem xingamentos. Ninguém olhando para as duas, enquanto ela era xingada por não carregar a sacola direito. Nada além de serenidade.

Liesel também passou a gostar das pessoas:

* Os Pfaffelhürver, que inspecionavam a roupa e diziam: *"Ja, ja, sehr gut, sehr gut."* Liesel imaginava que eles faziam tudo duas vezes.

* A delicada Helena Schmidt, que entregava o dinheiro com um trejeito da mão artrítica.

* Os Weingartner, cujo gato de bigodes tortos sempre atendia à porta com eles. Pequeno Goebbels, era assim que o chamavam, por causa do homem que era o braço direito de Hitler.

* E *Frau* Hermann, a mulher do prefeito, parada com seu cabelo fofo e toda trêmula no vão enorme e frio de sua porta de entrada. Sempre calada. Sempre sozinha. Nem uma palavra, nem uma vez.

De quando em quando, Rudy também ia.

— Quanto dinheiro você tem aí? — perguntou ele, certa tarde. Já ia anoitecendo e os dois andavam em direção à rua Himmel, passando pela loja. — Você já ouviu falar da *Frau* Diller, não foi? Dizem que ela tem balas escondidas em algum lugar, e pelo preço certo...

— Nem pense nisso — disse Liesel. Como sempre, segurava o dinheiro com força. — Pra você não é muito ruim: você não tem que encarar minha mãe.

Rudy deu de ombros.

— Valeu a tentativa.

Em meados de janeiro o trabalho escolar voltou a atenção para a redação de cartas. Depois de aprender os fundamentos, cada aluno tinha de escrever duas cartas: uma para um amigo, uma para alguém de outra turma.

A carta que Liesel recebeu de Rudy foi assim:

Cara Saumensch,
Você continua tão inútil no futebol quanto era da última vez que jogamos?
Espero que sim. Isso significa que posso passar correndo por você, de novo, que nem o Jesse Owens na Olimpíada...

Quando a irmã Maria a encontrou, fez uma pergunta muito amável ao menino.

· O OFERECIMENTO DE IRMÃ MARIA ·
— Está com vontade de visitar o corredor, Sr. Steiner?

• • •

Nem é preciso dizer que a resposta de Rudy foi negativa, o papel foi rasgado e ele recomeçou. A segunda tentativa foi escrita para uma pessoa chamada Liesel e indagou quais seriam os passatempos dela.

Em casa, enquanto terminava uma carta da tarefa escolar, Liesel resolveu que, na verdade, escrever para Rudy ou outro *Saukerl* parecido era ridículo. Não significava nada. Enquanto redigia no porão, ela falou com o pai, que repintava a parede mais uma vez.

Ele e os vapores da tinta viraram-se.

— *Was wuistz?*

Bom, essa era a mais grosseira forma de alemão que alguém podia falar, mas foi dita com ar de absoluta satisfação.

— Que é?

— Será que eu poderia escrever uma carta pra mamãe?

Pausa.

— Para que você quer lhe escrever uma carta? Já tem que aguentá-la todos os dias — disse papai, *schmunzelando*, com um sorriso maroto. — Isso já não é ruim o bastante?

— Não é *essa* mamãe — disse Liesel, engolindo em seco.

— Ah!

O pai voltou-se para a parede e continuou a pintar.

— Bem, acho que sim. Você poderia mandá-la para a... como é mesmo o nome? Aquela que trouxe você para cá e veio visitar algumas vezes, a do pessoal da adoção.

— *Frau* Heinrich.

— Isso mesmo. Mande-a para ela. Talvez ela possa mandá-la para sua mãe.

Já nessa hora ele não soou convincente, como se deixasse de dizer alguma coisa a Liesel. As notícias sobre sua mãe também tinham sido silenciadas nas breves visitas de *Frau* Heinrich.

Em vez de perguntar qual era o problema, Liesel começou a escrever na mesma hora, optando por ignorar a sensação de mau presságio que se acumulava rapidamente em seu peito. Precisou de três horas e seis rascunhos para aperfeiçoar a carta, contando à mãe tudo sobre Molching, seu papai e o acordeão dele, o jeito estranho, mas sincero, de Rudy Steiner, e as façanhas de Rosa Hubermann. Também explicou como estava orgulhosa por saber ler e escrever um pouquinho, agora. No dia seguinte, despachou a carta na loja de *Frau* Diller, com um selo tirado da gaveta da cozinha. E começou a esperar.

Na noite em que escreveu a carta, ela entreouviu uma conversa entre Hans e Rosa.

— Para que ela está escrevendo para a mãe? — perguntou mamãe. Sua voz era surpreendentemente calma e atenciosa. Como você pode imaginar, isso deixou a menina preocupadíssima. Ela preferiria ouvi-los brigando. Adultos aos cochichos dificilmente inspiravam confiança.

— Ela me pediu — respondeu o pai —, e não consegui dizer não. Como poderia?
— Jesus, Maria, José. — De novo, o cochicho. — Ela devia mesmo era esquecê-la. Quem sabe por onde ela anda? Quem sabe o que fizeram com ela?

Na cama, Liesel se abraçou, apertado. Enroscou-se feito uma bola.

Pensou na mãe e repetiu as perguntas de Rosa Hubermann.

Onde estava ela?

O que eles teriam feito com ela?

E na verdade, de uma vez por todas, quem eram *eles*?

CARTAS MORTAS

Avanço rápido para o porão, setembro de 1943.
Uma menina de quatorze anos escreve num caderninho de capa escura. É ossuda, mas forte, e já viu muita coisa. Papai está sentado com o acordeão junto aos pés.
Diz ele:
— Sabe, Liesel? Quase lhe escrevi uma resposta e assinei o nome da sua mãe. — E coçou a perna, onde tinha estado o gesso. — Mas não pude. Não consegui fazer isso.

Em várias ocasiões, durante o resto de janeiro e todo o mês de fevereiro de 1940, quando Liesel vasculhava a caixa do correio em busca de uma resposta à sua carta, aquilo claramente partia o coração de seu pai adotivo. "Sinto muito", ele lhe dizia. "Nada hoje, hein?" Olhando para trás, ela percebeu que aquilo tudo fora inútil. Se sua mãe estivesse em condições de fazê-lo, já teria entrado em contato com o pessoal da agência de lares de criação, ou diretamente com ela, ou, então, com os Hubermann. Mas não houvera nada.
Para piorar as coisas, em meados de fevereiro Liesel recebeu uma carta de outro freguês da lavagem de roupa — os Pfaffelhürver, da Heide Strasse. O casal postou-se com grande altivez na porta, dando-lhe um olhar melancólico.
— É para sua mamãe — disse o homem, entregando-lhe o envelope. — Diga a ela que sentimos muito. Diga-lhe que lamentamos.
Não foi uma noite muito boa na residência dos Hubermann.
Mesmo quando se recolheu ao porão, para escrever sua quinta carta à mãe (todas ainda por enviar, exceto a primeira), Liesel pôde ouvir

Rosa praguejando e xingando aqueles *Arschlöcher* dos Pfaffelhürver e aquele nojento do Ernst Vogel.

— *Feuer soll'n's brunzen für einen Monat!* — ouviu-a gritar. Tradução: "Eles todos deviam urinar fogo durante um mês!"

Liesel escreveu.

Quando chegou seu aniversário, não houve presente. Não houve presente porque não havia dinheiro, e, na ocasião, papai estava sem fumo.

— Eu disse a você — acusou a mãe, apontando-lhe o dedo. — Eu lhe disse para não dar os dois livros a ela no Natal. Mas não. Você escutou? É *claro* que não!

— Já sei! — disse Hans, voltando-se para a menina, em voz baixa: — Desculpe, Liesel. Não podemos arcar com a despesa.

Liesel não se importou. Não resmungou, não gemeu nem bateu com os pés. Simplesmente engoliu a decepção e optou por um risco calculado — um presente dela para si mesma. Juntaria todas as cartas acumuladas para a mãe, poria tudo num envelope e usaria só um tiquinho do dinheiro da roupa lavada e passada para enviá-lo pelo correio. Depois, é claro, levaria a *Watschen*, muito provavelmente na cozinha, e não emitiria um som.

Três dias depois, o plano foi posto em prática.

— Está faltando um pouco — disse a mãe, contando o dinheiro pela quarta vez, com Liesel parada junto ao fogão. Estava quentinho ali, e cozinhava o fluxo acelerado de seu sangue. — Que aconteceu, Liesel?

Ela mentiu:

— Devem ter-me dado menos que de costume.

— Você contou o dinheiro?

Liesel rendeu-se:

— Eu o gastei, mamãe.

Rosa aproximou-se. Aquilo não era bom sinal. Ficou muito perto das colheres de pau.

— Você o quê?

Antes que houvesse possibilidade de resposta, a colher de pau baixou sobre o corpo de Liesel Meminger feito os passos de Deus. Marcas vermelhas, como pegadas, e ardiam. Do chão, quando a surra acabou, a menina olhou para cima e se explicou.

Havia a pulsação e a luz amarela, tudo junto. Seus olhos piscavam.

— Eu mandei minhas cartas.

O que lhe ocorreu nesse momento foi o empoeirado do chão, a sensação de que sua roupa estava mais junto dela do que nela, e o súbito reconhecimento de que tudo aquilo não adiantaria nada — sua mãe nunca responderia às cartas e ela nunca mais a veria. A realidade disso foi uma segunda *Watschen*. Foi como uma ferroada, e durou vários minutos até parar.

Acima dela, Rosa parecia um borrão, mas logo ficou nítida, quando seu rosto encarquilhado chegou mais perto. Desalentada, ela ficou parada ali, com todas as suas formas roliças, segurando a colher de pau junto ao corpo, como um porrete. Estendeu a mão e se deixou extravasar um pouco.

— Desculpe, Liesel.

Liesel a conhecia bem o bastante para compreender que não era pela surra.

As marcas vermelhas estenderam-se em tiras sobre sua pele, enquanto a menina continuava deitada no pó, na sujeira e na luz mortiça. Sua respiração se acalmou e uma lágrima amarela e perdida escorreu-lhe pelo rosto. Ela voltou a sentir o próprio corpo junto ao chão. Um braço, um joelho. Um cotovelo. Uma bochecha. Um músculo da panturrilha.

O chão era frio, especialmente a parte encostada no rosto, mas ela não conseguia se mexer.

Nunca mais voltaria a ver sua mãe.

Durante quase uma hora, ficou ali, estirada embaixo da mesa da cozinha, até papai chegar em casa e tocar o acordeão. Só então foi que ela se sentou e começou a se recuperar.

Quando escreveu sobre essa noite, não guardava nenhum rancor de Rosa Hubermann, nem de sua mãe, aliás. Para Liesel, as duas eram apenas vítimas das circunstâncias. A única ideia que lhe voltou continuamente foi a da lágrima amarela. Se estivesse escuro, percebeu, a lágrima teria sido preta.

Mas estava escuro, disse a si mesma.

Não importa quantas vezes tentasse imaginar a cena, com a luz amarela que ela sabia ter estado presente, precisava se esforçar para visualizá-la. Levara uma surra no escuro e havia permanecido lá, num piso frio e enegrecido de cozinha. Até a música de papai tinha sido da cor da escuridão.

Até a música de papai.

O mais estranho era que ela se sentia vagamente consolada por essa ideia, em vez de aflita.

A escuridão, a luz.

Qual era a diferença?

Os pesadelos reforçaram-se nas duas, quando a menina que roubava livros começou realmente a compreender como eram as coisas e como sempre seriam. Pelo menos, ela poderia se preparar. Talvez tenha sido por isso que, no aniversário do *Führer*, quando a resposta à pergunta referente ao sofrimento de sua mãe evidenciou-se por completo, ela pôde reagir, a despeito de sua perplexidade e sua raiva.

Liesel Meminger estava pronta.

Feliz aniversário, *Herr* Hitler.

Muitos anos de vida.

O ANIVERSÁRIO DE HITLER, 1940

Contra toda a desesperança, Liesel continuou a examinar a caixa do correio todas as tardes, durante o mês inteiro de março e boa parte de abril. E isso, apesar de uma visita (pedida por Hans) de *Frau* Heinrich, que explicou aos Hubermann que o escritório da agência de adoção perdera completamente o contato com Paula Meminger. Mesmo assim, a menina persistiu, e como você poderia esperar, a cada dia que ela examinava a correspondência, não havia nada.

Molching, como o resto da Alemanha, estava em plenos preparativos para o aniversário do *Führer*. Nesse ano, em particular, com o desenrolar da guerra e a posição então vitoriosa de Hitler, os partidários dos nazistas em Molching queriam que a comemoração fosse especialmente adequada. Haveria um desfile. Gente marchando. Música. Cantoria. E haveria uma fogueira.

Enquanto Liesel andava pelas ruas de Molching, recolhendo e entregando roupa para lavar e passar, os membros do Partido Nazista acumulavam combustível. Umas duas vezes, Liesel foi testemunha de homens e mulheres que batiam às portas, perguntando às pessoas se elas possuíam alguma coisa que achassem que devia ser jogada fora ou destruída. O exemplar do *Expresso de Molching* de papai anunciou que haveria uma fogueira comemorativa na praça central, junto à qual estariam presentes todas as divisões locais da Juventude Hitlerista. Ela celebraria não apenas o aniversário do *Führer*, mas também a vitória sobre seus inimigos e sobre as restrições que haviam mantido a Alemanha atrasada desde o fim da Primeira Guerra Mundial. "Qualquer material daquela época", pedia o jornal — "jornais, cartazes, livros, bandeiras —, assim como qualquer propaganda de nossos inimigos que seja encontrada, deve ser levado ao escritório do Partido Nazista, na rua Munique." Até a Schiller Strasse — a rua das estrelas amarelas —, que ainda estava à espera de uma reforma, foi saqueada pela última vez, a fim de se encontrar alguma coisa, qualquer coisa, que pudesse ser queimada em nome da glória do *Führer*. Não seria surpresa se alguns membros do partido se afastassem e publicassem uns mil livros ou cartazes de material moral venenoso, simplesmente para incinerá-los.

Estava tudo preparado para produzir um magnífico 20 de abril. Seria um dia repleto de queimação e vivas.

E furto de livros.

Naquela manhã, na casa dos Hubermann, foi tudo típico.

— Aquele *Saukerl* está de novo na janela — praguejou Rosa Hubermann. — Todo *dia* — continuou. — Que é que você está olhando, desta vez?

— Ahhhh — suspirou papai, encantado. A bandeira lhe cobria as costas, pendendo do alto da janela. — Você devia dar uma olhada na mulher que estou vendo! — disse. Olhou por cima do ombro e sorriu para Liesel. — Eu seria capaz de sair correndo atrás dela. Dá de dez a zero em você, mamãe.

— *Schwein!* — E Rosa sacudiu a colher de pau para o marido.

Papai continuou a olhar pela janela para a mulher imaginária, e para um corredor muito real de bandeiras alemãs.

Nas ruas de Molching, nesse dia, todas as janelas estavam decoradas para o *Führer*. Em alguns lugares, como na loja de *Frau* Diller, os vidros tinham sido vigorosamente lavados e a suástica parecia uma joia, deitada sobre um cobertor vermelho e branco. Noutros, a bandeira tremulava nos beirais feito roupa pendurada para secar. Mas estava lá.

Um pouco antes, tinha havido uma pequena calamidade. Os Hubermann não conseguiam encontrar sua bandeira.

— Eles virão nos buscar — Rosa alertara o marido. — Virão para nos levar embora. Eles.

— Temos que achá-la!

A horas tantas, achou-se que o pai teria que descer ao porão e pintar uma bandeira numa das mantas que usava para proteger os móveis dos respingos de tinta. Felizmente, descobriu-se que ela estava enfiada atrás do acordeão, no armário.

— Esse acordeão infernal estava tapando minha visão! — exclamou a mãe, girando-o. — Liesel!

A menina teve a honra de prender a bandeira no caixilho da janela.

Hans Júnior e Trudy chegaram para a refeição vespertina, como faziam no Natal ou na Páscoa. Este parece ser um bom momento para apresentá-los com mais detalhes.

Hans Júnior tinha os olhos e a altura do pai. Mas o prateado de seus olhos não era caloroso como o do pai — tinha sido *Führerizado*. Havia também um pouco mais de carne sobre seus ossos, e ele tinha cabelos louros espetados e uma pele feito tinta cor de pérola.

Trudy, ou Trudel, como muitas vezes era conhecida, era poucos centímetros mais alta que a mãe. Havia clonado o andar lamentável e meio gingado de Rosa Hubermann, mas o resto era muito mais suave. Como doméstica residente num bairro rico de Munique, o mais provável era que estivesse farta de crianças, mas sempre conseguia produzir ao menos algumas palavras risonhas em direção a Liesel. Tinha lábios macios. E falava baixo.

Os dois chegaram juntos no trem de Munique, e não demorou para que surgissem as antigas tensões.

· BREVE HISTÓRIA DE ·
HANS HUBERMANN VERSUS SEU FILHO
O rapaz era nazista, o pai, não.
Na opinião de Hans Júnior, seu pai fazia parte de
uma Alemanha velha e decrépita —
que havia deixado o mundo inteiro lhe passar o
proverbial conto do vigário, enquanto seu povo sofria.
Quando adolescente, ele tomara conhecimento de que
o pai era chamado de "Der Juden Maler" —
o pintor dos judeus —, por pintar casas de judeus.
Depois tinha havido um incidente, que lhe exporei na íntegra
daqui a pouco — no dia em que Hans estragou tudo,
quando estava prestes a se filiar ao partido.
Todo o mundo sabia que ninguém devia cobrir de tinta
os insultos escritos na fachada de uma loja judaica.
Esse comportamento era ruim para a Alemanha
e era ruim para o transgressor.

— E, então, eles já o deixaram entrar? — perguntou Hans Júnior, retomando o assunto onde ele havia parado no Natal.

— Onde?

— Adivinhe. No partido.

— Não, acho que se esqueceram de mim.

— Bem, você pelo menos fez outra tentativa? Não pode ficar aí sentado, esperando que o novo mundo venha buscá-lo. Você tem que sair para fazer parte dele... apesar de seus erros do passado.

O pai ergueu os olhos.

— Erros? Já cometi muitos erros na vida, mas não me filiar ao Partido Nazista não é um deles. Eles ainda têm meu formulário de solicitação, você sabe disso, mas não pude voltar lá para perguntar. Eu só...

Foi nessa hora que entrou um grande arrepio.

Veio bailando pela janela com a corrente. Talvez fosse a brisa do Terceiro Reich, ganhando cada vez mais força. Ou talvez fosse só a Europa de novo, respirando. De um jeito ou de outro, caiu entre eles, enquanto seus olhos metálicos se chocavam feito latas na cozinha.

— Você nunca se importou com este país — disse Hans Júnior. — Não o bastante, pelo menos.

Os olhos do pai começaram a corroer. Mas isso não deteve Hans Júnior. Nessa hora, por algum motivo, ele olhou para a menina. Com seus três livros erguidos sobre a mesa, como se conversassem entre si, Liesel mexia a boca em silêncio, enquanto lia um deles.

— E qual é a porcaria que essa menina anda lendo? Devia estar lendo *Mein Kampf*.

Liesel ergueu os olhos.

— Não se preocupe, Liesel — disse o pai. — Continue a ler. Ele não sabe o que diz.

Mas Hans Júnior não havia terminado. Chegou mais perto e disse:

— Ou você está do lado do *Führer* ou está contra ele. E percebo que está contra ele. Sempre esteve.

Liesel observava o rosto de Hans Júnior, fixada na finura de seus lábios e na linha rochosa de seus dentes inferiores.

— É patético — decretou o rapaz — que um homem possa ficar parado, sem fazer nada, enquanto uma nação inteira joga o lixo fora e se torna grandiosa.

Trudy e a mãe sentavam-se em silêncio, amedrontadas, assim como Liesel. Havia um cheiro de sopa de ervilha, de alguma coisa queimando e de confronto.

Todas esperaram pelas palavras seguintes.

Elas vieram do filho. Apenas duas.

— Seu covarde.

Ele as levantou na cara do pai e se retirou prontamente da cozinha e da casa. Ignorando a inutilidade, o pai foi até a porta e chamou o filho.

— Covarde? *Eu é que sou* covarde?

Em seguida, precipitou-se para o portão e foi atrás dele, com apelos aflitos. A mãe correu para a janela, arrancou a bandeira e abriu os batentes. Ela, Trudy e Liesel se acotovelaram, vendo o pai alcançar o filho e segurá-lo, implorando-lhe que parasse. As três não conseguiam ouvir nada, mas o modo como Hans Júnior se soltou com um safanão foi alto o bastante. A visão do pai observando-o afastar-se gritou da rua para elas.

— Hansi! — a mãe finalmente chamou. Trudy e Liesel recuaram de sua voz. — Volte!

O rapaz se fora.

É, o rapaz se fora, e eu gostaria de poder lhe dizer que tudo correu bem para o Hans Hubermann mais moço, porém não correu.

Ao desaparecer da rua Himmel naquele dia, em nome do *Führer*, ele se atirou pelos acontecimentos de uma outra história, na qual cada passo levava tragicamente à Rússia.

A Stalingrado.

· ALGUNS FATOS SOBRE STALINGRADO ·
*1. Em 1942 e no começo de 1943, nessa cidade, o céu
branqueou-se como um lençol, todas as manhãs.
2. O dia inteiro, enquanto eu carregava as almas por ele, esse lençol era
respingado de sangue, até ficar cheio e abaulado em direção à Terra.
3. À noite, era torcido e novamente alvejado,
pronto para o alvorecer seguinte.
4. E isso foi na época em que os combates eram só durante o dia.*

Partido o filho, Hans Hubermann deixou-se ficar por mais alguns minutos. A rua parecia imensa.

Quando reapareceu dentro de casa, a mãe fixou os olhos nele, mas não se trocou uma palavra. Ela não o admoestou, o que, como você sabe, era sumamente inusitado. Talvez tenha decidido que ele já fora magoado o bastante, depois de ser rotulado de covarde pelo único filho.

Durante algum tempo, Hans continuou calado à mesa, depois que todos acabaram de comer. Seria realmente um covarde, como o filho tinha assinalado com tanta brutalidade? Certamente, na Primeira Guerra Mundial, era assim que se havia considerado. Atribuíra sua sobrevivência a isso. Mas, afinal, será que é covardia reconhecer o medo? Haverá covardia em ficar contente por ter vivido?

Seus pensamentos ziguezagueavam pela mesa enquanto ele a fitava.

— Papai? — disse Liesel, mas Hans não a olhou. — Do que ele estava falando? O que ele quis dizer quando...

— Nada — respondeu o pai. Falou baixo e com calma, dirigindo-se à mesa. — Não é nada. Esqueça-se dele, Liesel.

Deve ter levado um minuto para falar outra vez.

— Não está na hora de você se aprontar? — perguntou, dessa vez olhando para a menina. — Você não tem que ir a uma fogueira?

— Sim, papai.

A roubadora de livros foi trocar de roupa, vestiu seu uniforme da Juventude Hitlerista e meia hora depois os dois saíram, caminhando em direção à sede da BDM. De lá, as meninas seriam levadas em seus grupos ao centro da cidade.

Far-se-iam discursos.

Uma fogueira seria acesa.

Um livro seria furtado.

SUOR ALEMÃO
CEM POR CENTO PURO

As pessoas perfilaram-se nas ruas enquanto a juventude da Alemanha marchava para a Prefeitura e a praça. Num bom número de ocasiões, Liesel esqueceu-se da mãe e de qualquer outro problema de que detivesse a posse naquele momento. Havia um inchaço em seu peito, enquanto as pessoas aplaudiam. Algumas crianças acenaram para os pais, porém muito rapidamente — havia uma instrução explícita de que marchassem em frente e *não olhassem nem acenassem* para a multidão.

Quando o grupo de Rudy entrou na praça e recebeu a ordem de fazer alto, houve uma discrepância. Tommy Müller. O resto do regimento parou de marchar e Tommy trombou diretamente com o menino à sua frente.

— *Dummkopf!* — cuspiu o garoto, antes de se virar para trás.

— Desculpe — disse Tommy, com os braços arrependidamente estendidos. Seu rosto tropeçou nele mesmo. — Eu não ouvi.

Foi só um breve momento, mas foi também uma prévia dos problemas que viriam. Para Tommy. Para Rudy.

Terminada a marcha, as divisões da Juventude Hitlerista tiveram permissão de se dispersar. Teria sido quase impossível mantê-los todos juntos, enquanto a fogueira ardia em seus olhos e os deixava alvoroçados. Juntos, eles gritaram um *"heil* Hitler" em uníssono e ficaram livres para perambular. Liesel procurou Rudy, mas, uma vez espalhada a multidão de crianças, ela se viu presa numa confusão de uniformes e palavras estridentes. Crianças chamando outras crianças.

• • •

Por volta das quatro e meia, o ar havia esfriado consideravelmente.

As pessoas brincavam, dizendo que precisavam se aquecer.

— É para isso que serve toda essa porcaria, afinal.

Usaram-se carroças para transportar tudo. A tralha foi jogada no meio da praça central e encharcada de um líquido doce. Os livros, papéis e outros materiais escorregavam ou despencavam, mas eram atirados de novo na pilha. De uma distância maior, aquilo parecia uma coisa vulcânica. Ou algo grotesco e estranho que, de algum modo, tivesse sido milagrosamente descarregado no meio da cidade e precisasse ser destruído com um atiçador, e rápido.

O cheiro aplicado aos papéis inclinou-se para a multidão, mantida a uma boa distância. Havia bem mais de mil pessoas, no chão, na escadaria da Prefeitura e nos telhados que cercavam a praça.

Quando Liesel tentou passar, um som estralejante a fez supor que a fogueira já tinha começado a arder. Não tinha. O som era da cinética humana, fluindo, arremetendo.

Começaram sem mim!

Embora alguma coisa dentro dela lhe dissesse que aquilo era um crime — afinal, seus três livros eram os bens mais preciosos que possuía —, a menina sentiu-se impelida a ver a coisa acesa. Não pôde evitá-lo. Acho que os seres humanos gostam de assistir a uma destruiçãozinha. Castelos de areia, castelos de cartas, é por aí que começam. Sua grande aptidão está em sua capacidade de promover a escalada.

A ideia de perder o espetáculo diminuiu quando ela achou uma brecha entre os corpos e pôde ver a montanha de culpa, ainda intacta. A coisa foi cutucada e borrifada, e até cuspiram nela. Aquilo fez Liesel pensar numa criança impopular, desamparada e perplexa, impotente para modificar seu destino. Ninguém gostava dela. Cabeça baixa. Mãos nos bolsos. Para sempre. Amém.

Pedaços soltos continuavam a despencar pelos lados, enquanto Liesel caçava Rudy. Onde estava aquele *Saukerl*?

Quando ela levantou os olhos, o céu se agachava.

Um horizonte de bandeiras e uniformes nazistas se erguia, barrando-lhe a visão, toda vez que ela tentava enxergar acima da cabeça de uma criança pequena. Era inútil. A multidão era uma coisa com vida própria. Não havia como controlá-la, espremer-se entre ela ou ponderar a ela. A pessoa respirava com ela e entoava seus cânticos. Aguardava sua fogueira.

Um homem num pódio pediu silêncio. Seu uniforme era marrom reluzente. O ferro praticamente permanecera nele. Começou o silêncio.

Suas primeiras palavras:

— *Heil* Hitler!

Seu primeiro ato: a saudação ao *Führer*.

• • •

— Hoje é um lindo dia — prosseguiu. — Não só é o aniversário de nosso líder, como também detivemos nossos inimigos mais uma vez. Impedimos que chegassem a nossas mentes...

Liesel continuava tentando abrir caminho, aos trancos.

— Pusemos fim à doença que se espalhou pela Alemanha nos últimos vinte anos, ou mais até!

Agora ele apresentava o que se chama de *Schreierei* — uma exibição completa de gritaria apaixonada —, alertando a multidão a ser atenta, vigilante, a desvendar e destruir as maquinações maléficas que conspiravam para infectar a pátria com seus costumes deploráveis.

— Os imorais! Os *Kommunisten*!

Aquela palavra de novo. Aquela velha palavra. Salas escuras. Homens de terno.

— *Die Juden*, os judeus!

Na metade do discurso, Liesel desistiu. Enquanto a palavra "comunistas" se apoderava dela, o resto do recital nazista foi passando pelos dois lados, perdido em algum ponto dos pés alemães que a cercavam. Cascatas de palavras. Uma menina tentando não perder pé. Pensou naquilo de novo. *Kommunisten*.

Até essa ocasião, na BDM, tinham-lhes dito que a Alemanha era a raça superior, porém ninguém mais, em particular, fora mencionado. É claro que todos sabiam dos judeus, já que eles eram o principal *infrator*, no que dizia respeito a violar o ideal alemão. Nem uma vez, entretanto, os comunistas tinham sido mencionados até esse dia, a despeito do fato de que as pessoas desse credo político também deviam ser punidas.

Liesel tinha que sair.

À sua frente, uma cabeça com o cabelo louro repartido e trancinhas apoiava-se nos ombros, absolutamente imóvel. Fixando os olhos nela, Liesel revisitou aqueles cômodos escuros do passado e sua mãe respondendo a perguntas feitas de uma palavra só.

Enxergou tudo com perfeita clareza.

Sua mãe passando fome, seu pai desaparecido. *Kommunisten*.

Seu irmão morto.

— E agora vamos dizer adeus a esse lixo, a esse veneno.

Pouco antes de Liesel Meminger rodopiar de náusea para sair da multidão, a criatura reluzente de camisa marrom desceu do pódio. Recebeu uma tocha de um cúmplice e acendeu a pilha, que o apequenava com toda a sua culpa.

— *Heil* Hitler!

E a plateia:

— *Heil* Hitler!

Um batalhão de homens desceu de uma plataforma e circundou a pilha, acendendo-a, para a aprovação de todos. As vozes se elevaram acima dos ombros e o cheiro de puro suor alemão lutou para se soltar, a princípio; depois, desprendeu-se. Contornou esquina após esquina, até todos nadarem nele. Nas palavras, no suor. E no riso. Não esqueçamos o riso.

Seguiram-se muitos comentários jocosos, assim como outra investida furiosa de gritos de "*heil* Hitler". Sabe, realmente me pergunto se algum dia alguém perdeu um olho, ou machucou a mão ou o pulso com todos aqueles gestos. Era só estar olhando na direção errada, na hora errada, ou estar ligeiramente perto demais de outra pessoa. Talvez alguém se machucasse, sim. Pessoalmente, só posso lhe dizer que ninguém morreu disso, ou, pelo menos, não fisicamente. Houve, é claro, a questão dos quarenta milhões de pessoas que peguei, quando a coisa toda acabou, mas isso está ficando muito metafórico. Deixe-me devolver-nos à fogueira.

As labaredas cor de laranja acenavam para a multidão, à medida que papel e tinta se dissolviam dentro delas. Palavras em chamas eram arrancadas de suas frases.

Do outro lado, para além do calor das formas indistintas, era possível ver as camisas pardas e as suásticas dando as mãos. Não se via gente. Apenas uniformes e símbolos.

No alto, os pássaros davam voltas.

Descreviam círculos, atraídos de algum modo pelo brilho — até chegarem perto demais do calor. Ou seriam os seres humanos? Com certeza, o calor não era nada.

Em sua tentativa de fugir, uma voz a encontrou.

— Liesel!

Abriu caminho, e a menina a reconheceu. Não era Rudy, mas ela conhecia aquela voz.

Liesel contorceu-se para se libertar e achou o rosto ligado à voz. Ah, não. Ludwig Schmeikl. Ele não deu risinhos de mofa nem fez piadas, como a menina esperava, nem entabulou nenhuma conversa. Tudo que conseguiu fazer foi puxá-la para si e apontar para o próprio tornozelo. Ele fora esmagado, em meio à empolgação, e sangrava, escuro e ominoso, pela meia. O rosto de Ludwig exibia uma expressão de desamparo, abaixo do cabelo louro embaraçado. Um bicho. Não um cervo assustado. Nada tão típico nem específico. Ele era apenas um animal, ferido na confusão de sua própria espécie, prestes a ser pisoteado por ela.

De algum modo, Liesel o ajudou a ficar de pé e o arrastou para trás. Ar puro.

Cambalearam até a escadaria na lateral da igreja. Ali havia algum espaço, e os dois descansaram, ambos aliviados.

A respiração despencava da boca de Schmeikl. Escorregou, desceu-lhe pela garganta. Ele conseguiu falar.

Sentado, segurou o tornozelo e encontrou o rosto de Liesel Meminger.

— Obrigado — disse, dirigindo-se mais à boca do que aos olhos da menina.

Novas golfadas de ar. — E... — O menino viu imagens de travessuras escolares, seguidas por uma surra no pátio da escola. — Sinto muito por... você sabe.

Liesel tornou a escutar a palavra.

Kommunisten.

Mas optou por se concentrar em Ludwig Schmeikl.

— Eu também.

Depois disso, ambos se concentraram em respirar, porque não havia mais nada a fazer nem dizer. Seu assunto tinha chegado ao fim.

O sangue aumentou no tornozelo de Ludwig Schmeikl.

Uma única palavra encostava-se na menina.

À esquerda dos dois, as labaredas e os livros em chamas eram saudados como heróis.

OS PORTÕES DO FURTO

Ela continuou na escada, à espera do pai, observando as cinzas que se espalhavam e o cadáver dos livros reunidos. Tudo muito triste. Brasas alaranjadas e vermelhas pareciam balinhas recusadas, e quase toda a multidão havia sumido. Liesel vira *Frau* Diller ir embora (muito satisfeita) e Pfiffikus (cabeleira branca, uniforme nazista, os mesmos sapatos gastos e um assobio triunfal). Agora, não faltava nada além da limpeza, e logo, ninguém nem sequer imaginaria que aquilo tinha acontecido.

Mas era possível sentir o cheiro.

— Que está fazendo?
Hans Hubermann chegou à escadaria da igreja.
— Oi, papai.
— Era para você estar em frente à Prefeitura.
— Desculpe, papai.
Hans sentou-se a seu lado, reduzindo sua altura pela metade no concreto e segurando uma mecha do cabelo de Liesel. Seus dedos a ajeitaram com delicadeza atrás da orelha da menina.
— Liesel, o que foi?
Por algum tempo ela não disse nada. Estava fazendo contas, embora já soubesse. Uma menina de onze anos pode ser muitas coisas, mas burra não é.

· UMA SOMINHA ·
A *palavra* comunista + *uma grande fogueira*
+ *uma coleção de cartas mortas* + *o sofrimento da mãe*
+ *a morte do irmão* = o Führer

. . .

O *Führer*.

Era ele o *eles* de quem Hans e Rosa Hubermann haviam falado, na noite em que Liesel escrevera sua primeira carta à mãe. Ela sabia, mas tinha que perguntar.

— Minha mãe é comunista? — indagou. Olhando fixo. Para a frente. — Estavam sempre perguntando coisas a ela, antes de eu vir para cá.

Hans chegou um pouquinho para a beirada do degrau, compondo o começo de uma mentira.

— Não faço ideia... nunca a conheci.

— O *Führer* levou ela embora?

A pergunta surpreendeu os dois e obrigou o pai a ficar de pé. Ele olhou para os homens de camisas pardas que remexiam a pilha de cinzas com pás. Podia ouvi-los a escavá-la. Outra mentira crescia em sua boca, mas foi impossível soltá-la.

— Acho que ele pode tê-la levado, sim.

— Eu sabia.

As palavras foram jogadas nos degraus e Liesel sentiu a lama de raiva quente que se agitava em sua barriga.

— Odeio o *Führer* — disse. — *Odeio* ele.

E Hans Hubermann?

Que foi que ele fez?

O que disse?

Porventura se curvou e abraçou a filha de criação, como teve vontade de fazer? Disse-lhe que sentia muito pelo que estava acontecendo com ela, com sua mãe, e pelo que havia acontecido com seu irmão?

Não exatamente.

Fechou os olhos com força. Tornou a abri-los. Plantou uma sólida bofetada no rosto de Liesel Meminger.

— *Nunca* mais diga isso!

Sua voz foi baixa, mas contundente.

Enquanto a menina tremia e se arqueava na escada, Hans sentou-se a seu lado e cobriu o rosto com as mãos. Seria fácil dizer que ele era só um homem alto, sentado com uma postura precária e abalada numa escadaria de igreja. Mas não era. Naquele momento, Liesel não fazia ideia de que seu pai de criação, Hans Hubermann, enfrentava um dos dilemas mais perigosos que um cidadão alemão podia encarar. E não apenas isso, mas o vinha encarando fazia quase um ano.

— Papai?

A surpresa em sua própria voz a impelia, mas também a deixava sem ação. Ela teve vontade de correr, mas não pôde. Podia levar uma *Watschen* de freiras e de Rosas, mas doía muito mais quando vinha do papai. Agora as mãos tinham saído do rosto dele, que encontrou forças para falar de novo.

— Você pode dizer isso na nossa casa — autorizou, com um olhar grave para a face de Liesel. — Mas nunca o diga na rua, na escola, na BDM, nunca!

Pôs-se de pé diante dela e a levantou pelos tríceps. Sacudiu-a.

— Está me ouvindo?

Com os olhos arregalados, aprisionados, Liesel acenou sua concordância com um gesto da cabeça.

Na verdade, isso foi um ensaio para uma preleção futura, quando todos os piores temores de Hans Hubermann chegassem à rua Himmel, no fim do ano, nas primeiras horas de uma madrugada de novembro.

— Ótimo. — E a repôs no chão. — Agora, vamos tentar...

Na base da escadaria, o pai empertigou-se numa postura ereta e estendeu o braço. Quarenta e cinco graus.

— *Heil* Hitler.

Liesel levantou-se e também esticou o braço. Com absoluta infelicidade, repetiu:

— *Heil* Hitler.

Foi uma visão e tanto: uma menina de onze anos esforçando-se para não chorar na escadaria da igreja, fazendo a saudação ao *Führer*, enquanto as vozes atrás dos ombros do pai picotavam e surravam a forma escura ao fundo.

— Ainda somos amigos?

Passados quinze minutos, talvez, o pai estendeu uma oferta de paz, sob a forma de cigarros na palma da mão — o papel e o fumo que havia acabado de receber. Sem dizer palavra, Liesel estendeu tristonhamente a mão e começou a enrolá-lo.

Por um bom tempo, ficaram sentados juntos.

A fumaça ergueu-se sobre os ombros do pai.

Passados mais dez minutos, os portões do furto se abririam só uma frestinha, e Liesel Meminger os abriria um pouco mais e se espremeria para atravessá-los.

· DUAS PERGUNTAS ·
Os portões se fechariam atrás dela?
Ou teriam a boa vontade de deixá-la sair de costas?

Como Liesel descobriria, um bom ladrão precisa de muitas coisas.

Movimentos furtivos. Coragem. Velocidade.

Mais importante que qualquer dessas coisas, no entanto, era um último requisito.

Sorte.

De verdade.

Esqueça os dez minutos.

Os portões se abrem agora.

Um livro de fogo

A escuridão chegou aos pedaços, e terminado o cigarro Liesel e Hans Hubermann começaram a caminhar para casa. Para sair da praça, teriam que passar pelo local da fogueira e por uma ruazinha que dava na rua Munique. Não chegaram tão longe.

Um carpinteiro de meia-idade, de nome Wolfgang Edel, chamou. Havia construído as plataformas em que os figurões nazistas ficariam durante a fogueira e estava no processo de desmontá-las.

— Hans Hubermann? — disse. Tinha longas costeletas que apontavam para a boca e uma voz soturna. — Hansi!

— Olá, Wolfal — respondeu Hans. Houve uma apresentação à menina e um *"heil* Hitler".

— Muito bem, Liesel.

Nos minutos seguintes, Liesel ficou num raio de cinco metros da conversa. Alguns fragmentos passaram por ela, mas a menina não prestou muita atenção.

— Tem arranjado muito trabalho?

— Não, está tudo mais difícil agora. Você sabe como é, especialmente quando o sujeito não é filiado.

— Você me disse que ia se filiar, Hansi.

— Tentei, mas cometi um erro... Acho que eles ainda estão considerando.

Liesel perambulou até a montanha de cinzas. Parecia um ímã, uma anomalia. Irresistível para os olhos, semelhante à rua das estrelas amarelas.

Como em sua ânsia anterior de ver a pilha se acender, ela não conseguia desviar os olhos. Inteiramente só, não tinha disciplina para se manter a uma distância segura. A pilha a sugava, e Liesel começou a circundá-la.

Acima dela, o céu concluía sua rotina de escurecer, mas ao longe, acima do ombro da montanha, havia um vestígio opaco de luz.

— *Pass auf, Kind* — disse-lhe um uniforme, a certa altura. "Cuidado, menina", enquanto jogava mais umas pás de cinza numa carroça.

Mais perto da Prefeitura, embaixo de uma lâmpada, algumas sombras conversavam de pé, provavelmente exultando pelo sucesso da fogueira. Da posição em que estava Liesel, suas vozes eram apenas sons. Nada de palavras.

Durante alguns minutos ela observou os homens que removiam a pilha com pás, primeiro reduzindo-a dos lados, para deixar que uma parte maior desmoronasse. Iam e voltavam de um caminhão, e depois de três viagens, quando a pilha estava quase reduzida à base, um pedacinho de material vivo escorregou do interior das cinzas.

· O MATERIAL ·
Meia bandeira vermelha, dois cartazes anunciando
um poeta judeu, três livros e uma placa de madeira,
com uma inscrição em hebraico.

Talvez estivessem molhados. Talvez a fogueira não tivesse ardido por tempo suficiente para atingir as profundezas em que se encontravam. Qualquer que fosse a razão, estavam aninhados entre as cinzas, abalados. Sobreviventes.

— Três livros — disse Liesel, baixinho, olhando para as costas dos homens.

— Vamos — disse um deles. — Ande logo, sim? Estou morto de fome.

Dirigiram-se ao caminhão.

O trio de livros espichou o nariz para fora.

Liesel aproximou-se.

O calor ainda era bastante forte para aquecê-la, quando parou ao pé da pilha de cinzas. Quando estendeu a mão, levou uma mordida, mas na segunda tentativa ela se certificou de ser bem rápida. Fisgou o livro mais próximo. Estava quente, mas também molhado, queimado apenas nas bordas, mas, afora isso, intacto.

Era azul.

A capa dava a sensação de ter sido feita de centenas de cordas firmemente esticadas e presas. Havia letras vermelhas impressas nessas fibras. A única palavra que Liesel teve tempo de ler foi *Ombros*. Não sobrou muito tempo para o resto, e havia um problema. A fumaça.

A fumaça erguia-se da capa do livro quando ela o pegou num passe de mágica e se afastou depressa. Manteve a cabeça baixa, e a beleza doentia do nervosismo revelou-se de maneira mais horripilante a cada passo. Foram quatorze passos até a voz.

Voz que se perfilou atrás dela.

— Ei!

Foi quando ela quase voltou correndo e atirou o livro na pilha, mas não conseguiu. O único movimento de que dispunha era o gesto de se virar.

— Tem uns troços aqui que não queimaram!

Era um dos homens da limpeza. Não olhava para a menina, mas para as pessoas paradas junto ao prédio da Prefeitura.

— Bom, então queime de novo — veio a resposta. — E fique *olhando* até queimarem.

— Acho que estão molhados!

— Jesus, Maria, José, será que eu tenho que fazer tudo sozinho?

O som das passadas ladeou-a. Era o prefeito, usando um sobretudo preto por cima do uniforme nazista. Não notou a menina, parada absolutamente imóvel, a uma pequena distância.

· UMA PERCEPÇÃO ·
Havia uma estátua da roubadora de livros na praça...
É muito raro, não acha?, uma estátua aparecer
antes de o homenageado ter-se tornado famoso.

Liesel desabou.
A emoção de ser ignorada!

Agora o livro parecia bem frio para que ela o enfiasse dentro do uniforme. No começo, fez um calorzinho gostoso em seu peito. Mas quando a menina começou a andar, ele tornou a se aquecer.

Quando Liesel voltou para junto do pai e de Wolfgang Edel, o livro começava a queimá-la. Parecia estar pegando fogo.

Os dois homens a olharam.

Ela sorriu.

Imediatamente, quando o sorriso encolheu em seus lábios, sentiu uma outra coisa. Ou, para falar com mais exatidão, outra *pessoa*. Não havia como confundir a sensação de estar sendo observada. Ela a invadiu por inteiro, e foi confirmada quando a menina se atreveu a virar de frente para as sombras junto à Prefeitura. Ao lado da coletânea de silhuetas havia uma outra, a alguns metros de distância, e Liesel percebeu duas coisas.

· PEDACINHOS DE RECONHECIMENTO ·
1. A identidade da sombra e
2. O fato de que ela vira tudo

• • •

As mãos da sombra estavam nos bolsos do casaco.
O cabelo dela era fofo.
Se ela tivesse rosto, sua expressão seria de mágoa.
— *Gottverdammt* — disse Liesel, baixinho, só para ela mesma. "Que diabo!"

— Estamos prontos para ir?
Nos instantes anteriores de perigo estupendo, o pai se despedira de Wolfgang Edel e estava pronto para acompanhar Liesel a casa.
— Pronta — respondeu ela.
Começaram a deixar a cena do crime, e agora o livro a queimava para valer. *O Dar de Ombros* estava grudado em sua caixa torácica.
Quando os dois passaram pelas sombras incertas junto à Prefeitura, a menina que roubava livros estremeceu.
— O que foi? — perguntou o pai.
— Nada.
Mas uma porção de coisas estava decididamente errada:
Havia fumaça saindo da gola de Liesel.
Um colar de suor formara-se em torno de sua garganta.
Embaixo da blusa, um livro a estava devorando.

PARTE TRÊS

Mein Kampf

APRESENTANDO:

a volta para casa

uma mulher alquebrada

um lutador

um malabarista

os atributos do verão

uma lojista ariana

uma roncadora

dois trapaceiros

e uma vingança em forma de balinhas mistas

A VOLTA PARA CASA

*M*ein Kampf.
    O livro escrito pelo próprio *Führer*.
    Foi o terceiro livro de grande importância a chegar a Liesel Meminger; só que, dessa vez, ela não o furtou. O livro apareceu na rua Himmel, 33, talvez uma hora depois de Liesel ter mergulhado de novo no sono, após seu pesadelo obrigatório.
    Alguns diriam que foi um milagre a menina ter chegado a possuir esse livro.
    A viagem dele começou no trajeto para casa, na noite da fogueira.

    Eles haviam percorrido metade do caminho de volta à rua Himmel quando Liesel não aguentou mais. Curvou o corpo e puxou o livro fumegante, deixando-o saltar, envergonhado, de uma das mãos para a outra.
    Depois que ele esfriou o suficiente, os dois o fitaram por um instante, à espera das palavras.
    — De que diabo você chama isso? — perguntou o pai.
    Estendeu a mão e pegou *O Dar de Ombros*. Não havia necessidade de explicação. Era óbvio que a menina o furtara da fogueira. O livro estava quente e molhado, azul e vermelho — sem graça —, e Hans Hubermann o abriu. Páginas trinta e oito e trinta e nove.
    — Mais um?
    Liesel esfregou as costelas.
    Sim.
    Mais um.
    — Parece — sugeriu o pai — que não preciso mais trocar cigarros, não é? Não quando você furta essas coisas tão depressa quanto eu consigo comprá-las.

Liesel, em comparação, não falou. Talvez tenha sido seu primeiro reconhecimento de que a criminalidade falava melhor por si. Irrefutável.

O pai estudou o título, provavelmente se perguntando que tipo exato de ameaça aquele livro representaria para os corações e as mentes do povo alemão. Devolveu-o. Havia acontecido alguma coisa.

— Minha Santíssima Trindade!

Cada palavra foi escorregando pelas bordas. Interrompia-se e formava a seguinte.

A criminosa não pôde mais resistir.

— O que foi, papai? O que é?

— É claro!

Como a maioria dos seres humanos tomados por uma revelação, Hans Hubermann sentiu um certo torpor. As palavras seguintes seriam gritadas, ou então não chegariam a passar de seus dentes. Além disso, o mais provável é que fossem uma repetição da última coisa que ele dissera, momentos antes.

— É claro!

Dessa vez, sua voz foi como um murro recém-desferido na mesa.

O homem estava tendo uma visão. Observava-a depressa, de uma ponta à outra, feito uma corrida, mas a coisa era grande demais e estava longe demais para Liesel enxergá-la. A menina lhe implorou:

— Anda, papai, o que foi?

Teve medo de que ele contasse à mãe sobre o livro. Como acontece com os humanos, tudo tinha relação com ela.

— Você vai contar?

— Perdão?

— Você sabe. Vai contar à mamãe?

Hans Hubermann continuava a observar sua visão, alto e distante.

— Contar o quê?

Ela ergueu o livro:

— Isto. — E o brandiu no ar, como se balançasse uma arma.

O pai ficou perplexo:

— Por que contaria?

Liesel detestava essas perguntas. Elas a obrigavam a admitir uma verdade feia, a revelar sua natureza imunda de ladra.

— Porque eu tornei a roubar.

O pai curvou-se até se agachar, depois levantou-se e pôs a mão na cabeça da menina. Afagou-lhe o cabelo com os dedos longos e rudes e disse:

— É claro que não, Liesel. Você está a salvo.

— Então, o que você vai fazer?

Essa era a questão.

Que ato maravilhoso Hans Hubermann estaria prestes a praticar a partir da brisa da rua Munique?

Antes de eu mostrá-lo a você, acho que devemos dar uma olhada no que ele estava vendo, antes de tomar sua decisão.

· AS VISÕES ACELERADAS DE PAPAI ·
Primeiro, ele viu os livros da menina: O Manual do Coveiro,
Fausto, o Cachorro, O Farol *e, agora,* O Dar de Ombros.
*Depois, uma cozinha e um Hans Júnior volúvel,
vendo esses livros na mesa, onde a menina costumava ler.
Ele dissera: "E qual é a porcaria que essa menina anda lendo?"
O filho repetira a pergunta três vezes, e depois fizera
sua sugestão de um material de leitura mais apropriado.*

— Escute, Liesel — disse o pai, abraçando-a e fazendo-a recomeçar a andar. — Este é um segredo nosso, este livro. Vamos lê-lo à noite no porão, tal como os outros... mas você tem que me prometer uma coisa.
— Qualquer coisa, papai.
A noite estava suave e quieta. Tudo ouvia.
— Se algum dia eu lhe pedir para guardar um segredo para mim, você o guardará.
— Prometo.
— Ótimo. Agora, vamos. Se demorarmos mais, a mamãe vai nos matar, e nós não queremos isso, não é? E nada de roubar mais livros, hein?
Liesel sorriu.
O que ela só veio a saber depois foi que, nos dias que se seguiram, seu pai de criação conseguiu trocar uns cigarros por outro livro, embora este não fosse para ela. Bateu na porta do escritório do Partido Nazista em Molching e aproveitou o ensejo para indagar sobre seu pedido de filiação. Discutido esse assunto, tratou de dar ao pessoal de lá seus últimos trocados e uma dúzia de cigarros. Em troca, recebeu um exemplar usado de *Mein Kampf*.
— Boa leitura — disse um membro do partido.
— Obrigado — fez Hans, assentindo com a cabeça.
Na rua, ainda pôde ouvir os homens lá dentro. Uma das vozes foi especialmente clara.
— Ele nunca será aprovado — dizia —, mesmo que compre cem exemplares de *Mein Kampf*.
Houve uma concordância unânime com essa afirmação.
Hans segurou o livro na mão direita, pensando no dinheiro dos selos, numa vida sem cigarros e na filha de criação que lhe dera essa ideia brilhante.
— Obrigado — repetiu, ao que um transeunte perguntou o que ele tinha dito.
Com típica afabilidade, Hans respondeu:
— Nada, meu bom homem, absolutamente nada. *Heil* Hitler. — E seguiu pela rua Munique, segurando as páginas do *Führer*.

Deve ter havido uma boa dose de sentimentos confusos naquele momento, porque a ideia de Hans Hubermann brotara não apenas de Liesel, mas também de seu filho. Será que ele já temia nunca mais voltar a vê-lo? Por outro lado, ele também se comprazia com o êxtase de uma ideia, ainda sem se atrever a pensar em suas complicações, perigos e absurdos perversos. Por ora, a ideia bastava. Era indestrutível. Transformá-la em realidade, bem, isso era outra história, completamente diferente. Mas, por enquanto, deixemos que ele a desfrute.

Vamos dar-lhe sete meses.

Depois, chegaremos a ele.

Ah! e como chegaremos.

A BIBLIOTECA DO PREFEITO

Com certeza, algo de grande magnitude se aproximava do número 33 da rua Himmel, algo a que Liesel ainda não dava atenção. Para distorcer uma expressão humana muito batida, a menina tinha mais — e mais depressa — o que fazer:
 Havia furtado um livro.
 Alguém a vira.
 A roubadora de livros reagiu. Apropriadamente.

A cada minuto, a cada hora, havia uma preocupação, ou, para ser mais exata, uma paranoia. A atividade criminosa faz isso com as pessoas, especialmente com uma criança. Elas imaginam um sortimento prolífico de *maneiras de serem flagradas*. Eis alguns exemplos: gente pulando de becos. Professores que, de repente, descobrem todos os pecados que você já cometeu. A polícia parada na porta, toda vez que uma página é virada ou que se ouve um portão bater ao longe.
 Para Liesel, a paranoia em si tornou-se o castigo, assim como o pavor de entregar outros sacos de roupa lavada e passada na casa do prefeito. Não foi por engano que, como você certamente pode imaginar, quando chegou o momento, Liesel esqueceu-se convenientemente da casa da Grande Strasse. Fez a entrega à artrítica Helena Schmidt e pegou a roupa na residência dos Weingartner, os que gostavam de gatos, mas ignorou a casa pertencente ao *Bürgermeister* Heinz Hermann e sua mulher, Ilsa.

· OUTRA TRADUÇÃO RÁPIDA ·
Bürgermeister = *prefeito*

Na primeira ocasião, ela afirmou ter simplesmente esquecido daquele lugar — a desculpa mais fajuta de que já ouvi falar, uma vez que a casa ficava no alto da colina, com vista para a cidade, e era inesquecível. Quando ela foi de novo e tornou a voltar de mãos vazias, mentiu, dizendo que não havia ninguém em casa.

— Ninguém em casa? — disse a mãe, cética. O ceticismo lhe dava uma comichão de pegar a colher de pau. Ela a brandiu para Liesel e disse: — Volte lá, agora, e se não chegar em casa com a roupa para lavar, nem precisa voltar.

— É mesmo?

Foi essa a reação de Rudy, quando Liesel lhe contou o que a mãe dissera.

— Quer fugir comigo?

— A gente morreria de fome.

— Eu estou passando fome mesmo!

Os dois riram.

— Não — disse a menina. — Eu tenho que ir.

Percorreram a cidade como costumavam fazer, quando Rudy ia junto. Ele sempre tentava ser cavalheiresco e carregar a sacola, mas, todas as vezes, Liesel recusava. Só ela estava com a ameaça de uma *Watschen* pairando sobre a cabeça e, por isso, só a ela podia ser confiada a tarefa de carregar corretamente a sacola. Qualquer outra pessoa teria mais tendência a não segurá-la direito, torcê-la ou maltratá-la, nem que fosse da maneira mais ínfima, e o risco não valia a pena. Além disso, era provável que se Liesel deixasse Rudy carregar a sacola, ele esperasse um beijo por seus serviços, e essa alternativa era inviável. Depois, ela já estava acostumada com o peso. Passava a sacola de um ombro para outro, aliviando cada lado a cada cem passos, mais ou menos.

Liesel foi andando à esquerda, Rudy, à direita. Rudy falou quase o tempo todo, sobre o último jogo de futebol na rua Himmel, sobre trabalhar na loja do pai e sobre o que mais lhe veio à cabeça. Liesel procurou escutar, mas não conseguiu. O que ouvia era o pavor zumbindo em seus ouvidos, e ficando mais alto quanto mais perto eles chegavam da Grande Strasse.

— O que você está fazendo? Não é aqui?

Liesel fez um aceno de cabeça, indicando que Rudy tinha razão, porque havia tentado passar direto pela casa do prefeito, para ganhar tempo.

— Bom, vai logo — apressou-a o menino. Escurecia em Molching. O frio começava a subir do chão. — Anda logo, *Saumensch*. — E parou no portão.

Depois da alameda, havia oito degraus para a entrada principal da casa, e a porta enorme parecia um monstro. Liesel franziu o cenho para a aldraba de bronze.

— Que está esperando? — gritou Rudy.

Liesel virou-se de frente para a rua. Haveria algum jeito, um jeitinho qualquer, de escapar daquilo? Haveria outra história, ou, sejamos francos, outra mentira em que ela não tivesse pensado?

— A gente não tem o dia inteiro — disse de novo a voz distante de Rudy. — Que droga você está esperando?

— Quer fechar a matraca, Steiner? — foi o grito de Liesel, emitido como um cochicho.

— O quê?

— Eu disse pra calar a boca, seu *Saukerl* idiota...

E com isso virou-se novamente para a porta, levantou a aldraba de bronze e bateu três vezes, devagar. Pés se aproximaram do outro lado.

No começo, ela não olhou para a mulher, mas se concentrou no saco de roupa que tinha nas mãos. Examinou o cordão que o fechava ao entregá-lo. O dinheiro lhe foi entregue e, em seguida, nada. A mulher do prefeito, que nunca falava, apenas ficou parada, com seu roupão de banho, o cabelo macio e fofo preso num rabo de cavalo curto. Uma corrente de ar se fez sentir. Algo assim como a respiração imaginária de um cadáver. Mesmo então não houve palavras, e quando Liesel encontrou coragem para encará-la, a mulher não exibia uma expressão de censura, mas de profunda distância. Por um instante, olhou para o menino, por cima do ombro de Liesel, depois fez um aceno com a cabeça e deu um passo atrás, fechando a porta.

Durante um bom tempo Liesel ficou parada, de frente para a manta de madeira vertical.

— Ei, *Saumensch*!

Nenhuma resposta.

— Liesel!

A menina recuou.

Cautelosamente.

Desceu os primeiros degraus de costas, contando.

Talvez a mulher não a tivesse visto roubar o livro, afinal. Estava escurecendo. Talvez tivesse sido uma daquelas ocasiões em que uma pessoa parece estar olhando diretamente para a gente quando, na verdade, está feliz da vida prestando atenção em outra coisa, ou só devaneando. Qualquer que fosse a resposta, Liesel não tentou nenhuma análise adicional. Tinha-se safado, e isso era o bastante.

Virou-se e cuidou normalmente dos degraus que restavam, saltando os últimos três de uma vez só.

— Vamos, *Saukerl* — disse. Chegou até a se permitir uma risada. A paranoia aos onze anos é poderosa. O alívio aos onze anos é eufórico.

· UMA COISINHA PARA BAIXAR A EUFORIA ·
Ela não se safara de coisa alguma.
A mulher do prefeito a vira, sim.
Só estava esperando o momento certo.

• • •

Passaram-se algumas semanas.
Futebol na rua Himmel.
Leitura de *O Dar de Ombros* entre as duas e as três de todas as madrugadas, pós-pesadelo, ou durante a tarde, no porão.
Outra visita sem incidentes à casa do prefeito.
Estava tudo um encanto.
Até quê.

Na visita seguinte de Liesel, sem Rudy, apresentou-se a oportunidade.
Era dia de buscar a roupa suja.
A mulher do prefeito abriu a porta e não estava segurando o saco de roupas, como normalmente faria. Em vez disso, deu um passo para o lado e fez sinal, com a mão e o pulso alvos feito giz, para que a menina entrasse.
— Só vim buscar a roupa suja — disse Liesel, com o sangue empedrado nas veias. Ele desmoronou. A menina quase se desfez em pedaços na escada.
Foi quando a mulher lhe disse as primeiras palavras. Estendeu a mão, com os dedos frios, e disse:
— *Warte*. Espere.
Quando teve certeza de que a menina se reequilibrara, virou-se e voltou às pressas para dentro.
— Graças a Deus — exalou Liesel. — Ela foi buscá-la.
Ela se referia à roupa suja.
Mas a coisa com que a mulher voltou não foi nada desse gênero.
Quando voltou e parou, com uma firmeza incrivelmente frágil, ela segurava uma torre de livros encostados na barriga, do umbigo até o começo dos seios. Parecia muito vulnerável no monstruoso vão da porta. Cílios compridos e claros, e o mais ínfimo toque de expressividade. Uma sugestão.
Que dizia: entre e olhe.
Ela vai me torturar, decidiu Liesel. Vai me levar para dentro, acender a lareira e me jogar lá dentro, com os livros e tudo. Ou, então, vai me trancar no porão, sem comida.
Por alguma razão, porém — mais provavelmente, a atração dos livros —, ela se descobriu entrando. O guinchar de seus sapatos nas tábuas de madeira a fez encolher-se, e ao atingir um ponto sensível, que induziu a madeira a gemer, a menina quase parou. A mulher do prefeito não se deteve. Só deu uma rápida olhada para trás e continuou andando, até uma porta de cor castanha. Foi quando seu rosto formulou uma pergunta.
Está pronta?
Liesel inclinou um pouco o pescoço, como se pudesse enxergar por cima da porta em seu caminho. Claramente, foi a dica para que ela se abrisse.

* * *

— Jesus, Maria...

Ela o disse em voz alta, com as palavras distribuídas por uma sala repleta de ar frio e livros. Livros por toda parte! Cada parede era provida de estantes apinhadas, mas imaculadas. Mal se conseguia ver a tinta. Havia toda sorte de estilos e letras diferentes nas lombadas dos livros, pretos, vermelhos, cinzentos, de toda cor. Era uma das coisas mais lindas que Liesel Meminger já tinha visto.

Deslumbrada, ela sorriu.

A existência de uma sala daquelas!

Mesmo quando tentou apagar o sorriso com o braço, percebeu no mesmo instante que era um exercício inútil. A menina sentiu os olhos da mulher percorrendo seu corpo, e quando olhou para ela, haviam pousado em seu rosto.

O silêncio foi maior do que Liesel jamais imaginara possível. Esticou-se como um elástico, prestes a se romper. A menina o quebrou.

— Posso?

A palavra ecoou entre acres e acres de terra deserta, com um piso de madeira. Os livros estavam a quilômetros de distância.

A mulher fez que sim com a cabeça.

Sim, pode.

A sala foi encolhendo sem parar, até que a menina que roubava livros pôde tocar nas estantes, a poucos passinhos de distância. Correu o dorso da mão pela primeira prateleira, ouvindo o arrastar de suas unhas deslizar pela espinha dorsal de cada livro. Soava como um instrumento, ou como as notas de pés em correria. Ela usou as duas mãos. Passou-as correndo. Uma estante encostada em outra. E riu. Sua voz se espalhava, aguçada na garganta, e quando ela enfim parou e ficou postada no meio do cômodo, passou vários minutos olhando das estantes para os dedos, e de novo para as prateleiras.

Em quantos livros tinha tocado?

Quantos havia *sentido*?

Andou até o começo e fez tudo de novo, dessa vez muito mais devagar, com a mão virada para a frente, deixando a palma sentir o pequeno obstáculo de cada livro. Parecia magia, parecia beleza, enquanto as linhas vivas de luz brilhavam de um lustre. Em vários momentos, Liesel quase puxou um título do lugar, mas não se atreveu a perturbá-los. Eram perfeitos demais.

À sua esquerda, tornou a ver a mulher, parada junto a uma grande escrivaninha, ainda segurando a torrezinha contra o tronco. Estava entortada de um jeito encantador. Um sorriso parecia ter-lhe paralisado os lábios.

— A senhora quer que eu...?

Não terminou a pergunta, mas fez efetivamente o que ia perguntar, aproximando-se e tirando delicadamente os livros dos braços da mulher. Em seguida, colocou-os no pedaço que faltava numa prateleira, perto da janela entreaberta. O frio lá de fora escoava para dentro.

Por um momento, Liesel considerou a ideia de fechá-la, mas pensou melhor. Não era sua casa, e não se podia brincar com aquela situação. Em vez disso, retornou à mulher às suas costas, cujo sorriso tinha agora a aparência de um machucado e cujos braços pendiam, magros, dos lados do corpo. Feito braços de menina.

E agora?

Um constrangimento infiltrou-se na sala e Liesel deu uma última olhadela fugaz nas paredes de livros. Na boca, as palavras ficaram irrequietas, mas saíram numa correria.

— Tenho que ir embora.

Precisou de três tentativas para sair.

Esperou uns minutos no corredor, mas a mulher não veio, e ao voltar à entrada da sala, Liesel a viu sentada à escrivaninha, olhando fixamente para um dos livros. Optou por não perturbá-la. No corredor, pegou a roupa para lavar.

Dessa vez, evitou o ponto sensível nas tábuas do piso, ao andar pela longa extensão do corredor, preferindo a parede da esquerda. Quando fechou a porta atrás de si, um tilintar de bronze soou em seus ouvidos, e com o saco de roupas do lado ela afagou a carne da madeira.

— Trate de andar — disse a si mesma.

No começo, foi andando zonza para casa.

A experiência surreal da sala repleta de livros, com a mulher perplexa e alquebrada, caminhou a seu lado. Liesel podia vê-la nos prédios, como uma brincadeira. Talvez fosse algo parecido com a maneira como papai tivera sua revelação sobre o *Mein Kampf*. Para onde quer que olhasse, Liesel via a mulher do prefeito com os livros empilhados nos braços. Ao dobrar as esquinas, ouvia o tamborilar de suas próprias mãos, perturbando as estantes. Via a janela aberta, o lustre com a luz encantadora, e via a si mesma indo embora, sem sequer uma palavra de agradecimento.

Em pouco tempo, seu estado de sedação transformou-se em tormentos e autodepreciação. Ela começou a se repreender.

— Você não disse nada. — E sacudia vigorosamente a cabeça, em meio aos passos apressados. — Nem um "até logo". Nem um "obrigada". Nem um "isso é a coisa mais linda que eu já vi". Nada!

Não há dúvida de que ela era uma roubadora de livros, mas isso não queria dizer que não devesse ter modos. Não significava que não pudesse ser educada.

Andou por uns bons minutos, lutando com a indecisão.

Na rua Munique, a dúvida chegou ao fim.

No exato momento em que pôde discernir a tabuleta que dizia STEINER — SCHNEIDERMEISTER, a Alfaiataria Steiner, deu meia-volta e saiu correndo.

Dessa vez, não houve hesitação.

Bateu com força na porta, mandando um eco de bronze pela madeira.

Scheisse!

Não foi a mulher do prefeito, mas o próprio prefeito quem se postou diante dela. Na pressa, Liesel não havia reparado no carro parado em frente, na rua.

De bigode e terno preto, o homem falou.

— Em que posso ajudá-la?

Liesel não conseguiu dizer nada. Ainda não. Estava dobrada para a frente, sem fôlego, e, por sorte, a mulher chegou quando ela havia se recuperado, pelo menos em parte. Ilsa Hermann parou atrás do marido, meio de lado.

— Eu me esqueci — disse Liesel. Levantou o saco de roupas e se dirigiu à mulher do prefeito. Apesar do grande esforço de respiração, conseguiu inserir as palavras pela brecha do vão da porta — entre o prefeito e a moldura — em direção à mulher. Tamanho era seu esforço para respirar, que as palavras só escaparam aos pouquinhos de cada vez: — Esqueci... quero dizer, eu só... queria... lhe agradecer — soltou.

A mulher do prefeito assumiu de novo o sorriso machucado. Avançando, ficou ao lado do marido, fez um aceno levíssimo com a cabeça, esperou e fechou a porta.

Liesel precisou de mais ou menos um minuto para ir embora.

Sorriu para a escada.

Entra o lutador

Agora, uma mudança de cena.
Foi tudo muito fácil para nós dois até aqui, meu amigo ou amiga, não acha? Que tal nos esquecermos de Molching por um ou dois minutos?
Isso nos fará bem.
Além disso, é importante para a história.
Viajaremos um pouquinho até um depósito secreto, e veremos o que virmos.

· UMA TURNÊ GUIADA PELO SOFRIMENTO ·
À sua esquerda,
talvez à sua direita,
ou até direto em frente,
você encontrará um quartinho escuro.
Nele está sentado um judeu.
Ele é a escória.
Está morrendo de fome.
Sente medo.
Por favor, procure não desviar os olhos.

Algumas centenas de quilômetros a noroeste, em Stuttgart, longe de ladrões de livros, de mulheres de prefeitos e da rua Himmel, havia um homem sentado no escuro. Era o melhor lugar, tinham resolvido. É mais difícil achar um judeu no escuro.
Ele estava sentado em sua mala, esperando. Havia já quantos dias?

Só havia comido o gosto fétido de seu próprio hálito faminto, no que pareciam ter sido semanas, e, mesmo assim, nada. De quando em quando, vozes passavam vagando, e às vezes ele desejava que batessem na porta, abrissem-na e o arrastassem para fora, para a luz insuportável. Por ora, só lhe restava sentar-se em sua mala-sofá, com as mãos embaixo do queixo e os cotovelos a lhe queimar as coxas.

Havia o sono, o sono esfaimado, e a irritação de ficar semiadormecido, e o castigo do chão.
Esqueça a comichão nos pés.
Não coce as solas.
E não se mexa muito.
Só deixe tudo como está, haja o que houver. Pode ser que logo chegue a hora de ir embora. Leve como uma arma. Explosiva nos olhos. Talvez esteja na hora de ir. Talvez esteja na hora, portanto, acorde. Acorde agora, diabos! Acorde.

A porta abriu e fechou, e havia uma figura agachada, curvando-se sobre ele. A mão espalmada sobre as ondas de frio de sua roupa e as correntes imundas por baixo. Detrás dela desceu uma voz.
— Max — sussurrou. — Max, acorde.
Seus olhos não fizeram nada do que o susto normalmente descreve. Nada de fechar bruscamente, nada de pálpebras batendo, nenhum sobressalto. Essas coisas acontecem quando se acorda de um sonho ruim, não quando se acorda *dentro* dele. Não, seus olhos abriram-se num movimento arrastado, da escuridão para a penumbra. Seu corpo foi que reagiu, levantando-se encolhido e estendendo um braço para agarrar o ar.
A voz o acalmou.
— Desculpe ter demorado tanto. Acho que havia gente me vigiando. E o homem da carteira de identidade demorou mais do que eu imaginava, mas... — houve uma pausa — agora ela é sua. Não tem grande qualidade, mas esperemos que seja boa o bastante para levá-lo até lá, se a coisa chegar a esse ponto.
O homem se agachou e apontou para a mala. Na outra mão segurava alguma coisa pesada e chata.
— Ande, vamos.
Max obedeceu, ficando de pé e se coçando. Sentia os ossos se apertarem.
— A carteira está aí dentro — apontou. Era um livro. — Você deve pôr o mapa aí dentro também, e as instruções sobre o caminho. E há uma chave... está colada com fita adesiva na parte interna da capa.
Destrancou a caixa o mais silenciosamente que pôde, e plantou o livro como uma bomba.
— Volto daqui a uns dias.
Deixou um saquinho cheio de pão, gordura e três cenouras pequenas. Ao lado havia uma garrafa d'água. Nenhum pedido de desculpas.

— Foi o melhor que consegui arranjar.
Porta aberta, porta fechada.
Sozinho outra vez.

O que lhe chegou de imediato, nesse momento, foi o som.
Era tudo desesperadamente ruidoso no escuro, quando ele ficava só. Toda vez que Max se mexia, vinha o som de uma dobra. Ele se sentia como um homem usando um terno de papel.
A comida.

Max dividiu o pão em três partes e pôs duas de lado. Mergulhou na que estava em sua mão, mastigando e engolindo, empurrando-a para baixo pelo corredor ressequido da garganta. A gordura estava dura e fria, descendo em etapas, às vezes ficando presa. Os goles grandes arrancavam tudo e o empurravam para baixo.
Depois, as cenouras.
Mais uma vez, pôs duas de lado e devorou a terceira. O barulho foi estarrecedor. Sem dúvida, o próprio *Führer* poderia ouvir o som da trituração alaranjada em sua boca. Ela lhe quebrava os dentes a cada mordida. Quando bebeu água, Max teve certeza de que os estava engolindo. Da próxima vez, aconselhou a si mesmo, beba primeiro.

Depois, para seu alívio, quando os ecos o abandonaram e ele arranjou coragem para fazer uma verificação com os dedos, descobriu que todos os dentes ainda estavam lá, intactos. Tentou um sorriso, mas ele não veio. Só conseguia imaginar uma tentativa mansa e uma boca cheia de dentes quebrados. Passou horas a apalpá-los.
Abriu a mala e pegou o livro.
Não conseguiu ler o título no escuro, e o perigo de riscar um fósforo pareceu-lhe grande demais nesse momento.
Quando falou, teve um gosto de sussurro.
— Por favor — disse. — Por favor.
Dirigia-se a um homem que nunca tinha visto. Além de alguns outros detalhes importantes, sabia o nome dele. Hans Hubermann. Mais uma vez, dirigiu-se a ele, ao estranho distante. Implorou.
— Por favor.

OS ATRIBUTOS DO VERÃO

Portanto, é isso aí.
Você já sabe muito bem o que estava prestes a chegar à rua Himmel no fim de 1940.
Eu sei.
Você sabe.
Liesel Meminger, no entanto, não pode ser incluída nessa categoria.
Para a menina que roubava livros, o verão daquele ano tinha sido simples. Compunha-se de quatro elementos ou atributos principais. De vez em quando, ela se perguntava qual deles era o mais poderoso.

· E OS INDICADOS SÃO... ·
1. *Avançar por* O Dar de Ombros *todas as noites.*
2. *Ler no chão da biblioteca do prefeito.*
3. *Jogar futebol na rua Himmel.*
4. *Aproveitar uma oportunidade diferente de roubar.*

O Dar de Ombros, ela decidiu, era excelente. Toda noite, quando se acalmava do pesadelo, logo se sentia contente por estar acordada e poder ler. "Algumas páginas?", perguntava papai, e Liesel fazia que sim. Às vezes, eles terminavam um capítulo na tarde seguinte, no porão.
O problema das autoridades com o livro era óbvio. O protagonista era judeu, e era apresentado sob um prisma favorável. Imperdoável. Era um homem rico que se cansara de deixar a vida passar — cansara-se daquilo a que se referia como *o dar de ombros* para os problemas e os prazeres do tempo de uma pessoa na Terra.

Na primeira parte do verão, em Molching, enquanto Liesel e o pai avançavam pelo livro, esse homem viajava a negócios para Amsterdã, e a neve era arrepiante lá fora. A menina adorou isso — a neve arrepiante. "É exatamente o que ela faz quando cai", disse a Hans Hubermann. Sentados juntos na cama, o pai semiadormecido, a menina inteiramente desperta.

De quando em quando, ela observava o pai dormindo, sabendo mais e menos sobre ele que qualquer dos dois se apercebia. Muitas vezes, ouvia o pai e a mãe discutindo sobre o desemprego dele, ou falando com desânimo sobre Hans ter procurado ver o filho, só para descobrir que o rapaz já saíra de seu alojamento e, muito provavelmente, já estava a caminho da guerra.

— *Schlaf gut*, papai — dizia a menina, nessas ocasiões. "Durma bem", e deslizava em volta dele, saindo da cama para apagar a luz.

O atributo seguinte, como já mencionei, era a biblioteca do prefeito.

Para exemplificar essa situação específica podemos considerar um dia fresco no fim de junho. Rudy, para usar de um eufemismo, estava enfurecido.

Quem é que Liesel Meminger pensava que era, a lhe dizer que tinha que ir sozinha levar a roupa lavada e passada nesse dia? Ele não era bom o bastante para andar na rua com ela?

— Pare de reclamar, *Saukerl* — repreendeu a menina. — É só que eu me sinto mal. Você vai perder o jogo.

Ele olhou por cima do ombro.

— Bom, se é assim que você diz. — E veio um *Schmunzel*, um sorriso. — Dane-se sua roupa lavada.

Saiu correndo e não tardou a se juntar a um time. Quando Liesel chegou ao alto da rua Himmel, olhou para trás, bem a tempo de vê-lo parado em frente à baliza improvisada mais próxima. Estava acenando.

— *Saukerl* — riu a menina, e ao levantar a mão soube perfeitamente que, ao mesmo tempo, ele a chamava de *Saumensch*. Acho que isso é o máximo que as crianças de onze anos podem se aproximar do amor.

Liesel começou a correr, em direção à Grande Strasse e à casa do prefeito.

É claro que havia suor e arquejos amarfanhados de respiração estendidos diante dela. Mas Liesel estava lendo.

A mulher do prefeito, depois de deixar a menina entrar pela quarta vez, sentou-se à escrivaninha, simplesmente olhando para os livros. Na segunda visita, dera permissão para que Liesel tirasse um deles da estante e o folheasse, o que levara a outro e mais outros, até que havia uma dúzia de livros grudados nela, ou presos embaixo de um braço, ou na pilha que subia cada vez mais na mão restante.

Nessa ocasião, enquanto Liesel estava parada no ambiente frio da sala, seu estômago roncou, mas não houve nenhuma reação da mulher muda e avariada. Ela estava outra vez de roupão de banho, e embora observasse a menina várias vezes, nunca era por muito tempo. Costumava prestar mais atenção ao que estava junto dela, a alguma coisa que faltava. A janela continuava escancarada — uma boca quadrada e fresca, com baforadas de vento ocasionais.

Liesel sentou-se no chão. Os livros espalharam-se à sua volta.

Passados quarenta minutos, foi embora. Todos os livros foram devolvidos a seus lugares.

— Até logo, *Frau* Hermann — disse. As palavras sempre vinham como um choque. — Obrigada.

Depois disso, a mulher lhe pagou e ela se foi. Cada movimento seu tinha que ser explicado, e a menina que roubava livros correu para casa.

À medida que o verão se instalou, a sala repleta de livros ficou mais quente, e a cada busca ou entrega da roupa o chão se tornava menos incômodo. Liesel sentava-se com uma pequena pilha de livros a seu lado e lia alguns parágrafos de cada um, tentando decorar as palavras que não conhecia, para perguntar ao pai quando chegasse em casa. Mais tarde, quando adolescente, ao escrever sobre esses livros, Liesel já não se lembraria dos títulos. Nem mesmo de um. Talvez, se os tivesse roubado, tivesse ficado mais bem-equipada.

O que recordou foi que um dos livros ilustrados tinha um nome, escrito com letra desajeitada, na parte interna da capa.

· O NOME DE UM MENINO ·
Johann Hermann

Liesel mordeu o lábio, mas não pôde resistir por muito tempo. Do chão, virou-se e olhou para a mulher de roupão, e soltou a pergunta:

— Johann Hermann — disse. — Quem é esse?

A mulher olhou para seu lado, em algum ponto próximo dos joelhos da menina. Liesel se desculpou.

— Sinto muito. Eu não devia perguntar essas coisas...

Deixou a frase morrer de morte natural.

O rosto da mulher não se alterou, mas, de algum modo, ela conseguiu falar.

— Agora ele não é mais nada neste mundo — explicou. — Era meu...

· OS ARQUIVOS DA MEMÓRIA ·
Ah!, sim, decididamente, eu me lembro dele.
O céu estava pesado e fundo feito areia movediça.
Havia um rapaz embrulhado em arame farpado,
como uma gigantesca coroa de espinhos. Desenredei-o
e o levei embora. Bem acima da terra, caímos juntos de joelhos.
Foi só mais um dia de 1918.

• • •

— Afora todo o resto, ele morreu congelado — disse ela. Brincou com as mãos por um momento e repetiu: — Morreu congelado, tenho certeza.

A mulher do prefeito era apenas uma numa brigada mundial. Você já a viu antes, tenho certeza. Em suas histórias, seus poemas, nos filmes a que gosta de assistir. Elas estão em toda parte, então, por que não aqui? Por que não numa bela colina de uma cidadezinha alemã? É um lugar tão bom quanto qualquer outro para sofrer.

A questão é que Ilsa Hermann tinha resolvido fazer do sofrimento sua vitória. Quando a dor se recusou a largá-la, a mulher sucumbiu a ela. Abraçou-a.

Podia ter-se matado com um tiro, ter-se arranhado ou se entregado a outras formas de automutilação, mas escolheu a que provavelmente achava ser a opção mais fraca — ao menos suportar o desconforto do clima. Ao que Liesel soubesse, ela rezava por dias de verão que fossem frios e úmidos. Na maior parte do tempo, morava no lugar certo.

Quando Liesel se foi nesse dia, disse uma coisa com grande constrangimento. Na tradução, lutou com duas palavras gigantescas, carregou-as no ombro e as largou como um par atamancado aos pés de Ilsa Hermann. Elas caíram de banda, quando a menina deu uma guinada e não pôde mais suportar o peso. Juntas, as duas ficaram no chão, grandes, altas e canhestras.

· DUAS PALAVRAS GIGANTESCAS ·
Sinto muito.

De novo, a mulher do prefeito olhou para o espaço a seu lado. Um rosto de página em branco.

— Por quê? — perguntou, mas o momento já havia passado.

A menina já estava longe da sala. Quase chegara à porta da frente. Ao ouvir a pergunta, parou, mas optou por não voltar, preferindo sair da casa e descer a escada sem fazer barulho. Olhou para a paisagem de Molching antes de descer e desaparecer nela, e sentiu pena da mulher do prefeito por um bom tempo.

Vez ou outra, Liesel se perguntava se deveria simplesmente deixar a mulher em paz, mas Ilsa Hermann era muito interessante e a atração dos livros era forte demais. Um dia, as palavras haviam inutilizado Liesel, mas agora, quando se sentava no chão, com a mulher do prefeito sentada à escrivaninha do marido, ela experimentava uma sensação inata de poder. Acontecia toda vez que decifrava uma palavra nova ou formava uma frase.

Ela era uma menina.

Na Alemanha nazista.

Como era apropriado que descobrisse o poder das palavras!

E como seria terrível (mas revigorante!), muitos meses depois, o momento em que ela desencadearia o poder dessa descoberta recente, no instante exato em que a mulher do prefeito a decepcionasse. Com que rapidez a compaixão a deixaria, e com que rapidez transbordaria em outra coisa completamente...
Nesse momento, porém, no verão de 1940, Liesel não tinha como saber o que o futuro reservava, em mais de um sentido. Era apenas testemunha de uma mulher pesarosa, com uma sala cheia de livros que ela gostava de visitar. Apenas isso. Era a parte dois de sua vida naquele verão.
A parte três, graças a Deus, era um pouco mais despreocupada — o futebol na rua Himmel.

Deixe-me pintar-lhe um quadro:
Pés roçando o chão.
O ímpeto do fôlego juvenil.
Palavras gritadas: "Pra cá! Por aqui! *Scheisse!*"
O quicar rude da bola na rua.

Estavam todos presentes na rua Himmel, além do som dos pedidos de desculpas, enquanto o verão se intensificava ainda mais.
As desculpas eram de Liesel Meminger.
Dirigiram-se a Tommy Müller.
No começo de julho, ela finalmente conseguiu convencê-lo de que não o mataria. Desde a surra que lhe dera, em novembro do ano anterior, Tommy ainda tinha pavor de ficar perto dela. Nas reuniões do futebol da rua Himmel, mantinha-se bem afastado.
— A gente nunca sabe quando ela pode perder a estribeira — confidenciou a Rudy, meio fazendo caretas espásticas, meio falando.
Em defesa de Liesel, cabe dizer que ela nunca desistiu de tentar deixá-lo à vontade. Para a menina, era uma decepção ter feito as pazes tão bem com Ludwig Schmeikl e não com o inocente Tommy Müller, que ainda se encolhia ligeiramente toda vez que a via.
— Como é que eu podia saber que você estava sorrindo *pra* mim naquele dia? — perguntava, repetidamente.
Chegou inclusive a passar uns períodos servindo de goleira para ele, até todos os outros jogadores do time implorarem para Tommy voltar.
— Volte pra lá! — finalmente ordenou-lhe um garoto chamado Harald Mollenhauer. — Você é um inútil.
Isso foi depois de Tommy derrubá-lo quando ele estava prestes a marcar um gol. Harald teria conseguido um pênalti a seu favor não fosse o fato de os dois estarem no mesmo time.
Liesel saiu do gol e, de algum modo, sempre acabava jogando contra Rudy. Os dois driblavam e derrubavam um ao outro, trocando xingamentos. Rudy comentava:

— Ela não vai conseguir passar por ele *desta* vez, aquela *Saumensch Arschgrobbler* idiota. Não tem a menor chance.

Rudy parecia gostar de chamar Liesel de coçadora de bunda. Era uma das alegrias da infância.

Outra alegria, é claro, era roubar. Parte quatro, verão de 1940.

Para ser imparcial, eram muitas as coisas que uniam Rudy e Liesel, mas foi o roubo que cimentou por completo sua amizade. Ele foi trazido por uma oportunidade e movido por uma força inescapável — a fome de Rudy. O menino vivia permanentemente morto de vontade de comer alguma coisa.

Além da situação de racionamento, o negócio de seu pai não ia muito bem nos últimos tempos (a ameaça da concorrência judaica tinha sido afastada, mas o mesmo se dera com os clientes judeus). Os Steiner andavam rapando o fundo do tacho para se arranjar. Como muitas outras pessoas do lado da cidade em que ficava a rua Himmel, precisavam do comércio. De bom grado Liesel daria a Rudy um pouco de comida de sua casa, mas lá também não havia abundância. Em geral, Rosa fazia sopa de ervilha. Cozinhava-a nas noites de domingo — e não só o bastante para uma ou duas repetições. Preparava sopa de ervilha suficiente para durar até o sábado seguinte. Depois, no domingo, fazia outra. Sopa de ervilha, pão, às vezes uma pequena porção de batata ou carne. A pessoa comia e não pedia mais, e não reclamava.

No começo, os dois faziam coisas para tentar esquecer.

Rudy não sentia fome quando eles jogavam futebol na rua. Ou quando pegavam as bicicletas do irmão e da irmã dele e iam à loja de Alex Steiner, ou visitavam o pai de Liesel, se ele estivesse trabalhando nesse dia. Hans Hubermann sentava-se com eles e contava piadas à última luz do entardecer.

Com a chegada de uns dias de calor, outra distração era aprender a nadar no rio Amper. A água ainda estava meio fria demais, mas eles iam assim mesmo.

— Vem — persuadiu-a Rudy. — Só até aqui. Aqui não é muito fundo.

Liesel não viu o buraco gigantesco em que estava entrando e foi direto para o fundo. Nadar cachorrinho salvou-lhe a vida, embora ela quase sufocasse com o tanto de água que engoliu.

— Seu *Saukerl* — acusou-o, ao desabar na margem do rio.

Rudy certificou-se de ficar bem longe. Tinha visto o que ela fizera com Ludwig Schmeikl.

— Agora você sabe nadar, não é?

O que não a animou particularmente enquanto se afastava, pisando duro. Tinha o cabelo grudado num lado do rosto e muco escorrendo do nariz.

Rudy gritou de longe:

— Isso quer dizer que eu não ganho um beijo por lhe ensinar a nadar?

— *Saukerl*!

Que petulância dele!

• • •

Foi inevitável.

A deprimente sopa de ervilha e a fome de Rudy acabaram por impeli-los ao furto. Isso inspirou sua ligação com um grupo de meninos mais velhos que roubavam dos lavradores. Ladrões de frutas. Depois de um jogo de futebol, Liesel e Rudy aprenderam as vantagens de ficar de olho aberto. Sentados na escada frontal da casa de Rudy, notaram Fritz Hammer — um de seus colegas mais antigos — comendo uma maçã. Era do tipo *Klar*, que amadurece em julho e agosto, e parecia magnífica na mão dele. Outras três ou quatro formavam claras protuberâncias nos bolsos de seu casaco. Rudy e Liesel foram chegando mais perto.

— Onde você arranjou isso? — perguntou Rudy.

No começo, o menino apenas sorriu.

— Pssiu — e parou. Depois, tirou uma maçã do bolso e começou a jogá-la. — Só olhem pra ela — advertiu-os. — Não comam.

Na vez seguinte em que viram o mesmo menino, usando o mesmo casaco, num dia quente demais para ele, resolveram segui-lo. Ele os levou para a parte alta do rio Amper. Perto de onde Liesel às vezes lia com o pai, nos primeiros tempos de aprendizagem.

Um grupo de cinco meninos, uns altos, magros e desengonçados, outros baixotes e magrelas, estava esperando.

Havia um punhado desses grupos em Molching, na época, alguns com membros de apenas seis anos. O líder dessa organização específica era um agradável criminoso de quinze anos, chamado Arthur Berg. Ele deu uma olhada em volta e viu as duas crianças de onze anos rondando ao fundo.

— *Und?* — perguntou. "E aí?"

— Estou morrendo de fome — respondeu Rudy.

— E ele é rápido — disse Liesel.

Berg olhou para a menina.

— Não me lembro de ter pedido sua opinião.

Era um adolescente alto, de pescoço comprido. Havia espinhas reunidas em grupos de pares em seu rosto.

— Mas gosto de você — acrescentou. Era amistoso, com um jeito adolescente atrevido. — Não foi essa que bateu no seu irmão, Anderl?

A notícia, com certeza, havia circulado. Uma boa surra transcende as divisões etárias.

Outro menino — um dos baixos e magros —, de cabelo louro desabado e pele cor de gelo, deu uma olhadela.

— Acho que sim.

Rudy confirmou:

— É ela.

Andy Schmeikl aproximou-se e estudou-a, de cima a baixo, com ar pensativo, antes de abrir um largo sorriso.

— Grande trabalho, garota — comentou. Chegou até a lhe dar um tapinha entre os ossos das costas, batendo numa omoplata pontiaguda. — Eu teria levado uma surra de chicote se fizesse aquilo.

Arthur tinha se aproximado de Rudy.

— E você é o tal do Jesse Owens, não é?

Rudy fez que sim.

— É claro que é um idiota — disse Arthur —, mas é nosso tipo de idiota. Vamos.

Estavam aceitos.

Quando chegaram à fazenda, alguém jogou uma saca para Liesel e Rudy. Arthur Berg segurou seu próprio saco de aniagem. Passou a mão pelos fios macios do cabelo.

— Algum de vocês já roubou?

— É claro — atestou Rudy. — O tempo todo.

Não soou muito convincente.

Liesel foi mais específica:

— Roubei dois livros. —Ao que Arthur riu, em três roncos breves. Suas espinhas mudaram de lugar.

— Não se pode comer livro, benzinho.

Dali, todos examinaram as macieiras, perfiladas em fileiras compridas e tortas. Arthur Berg deu as ordens:

— Um — disse. — Não fiquem presos na cerca. Quem ficar preso na cerca vai ser deixado pra trás. Entendido?

Todos assentiram com a cabeça ou disseram que sim.

— Dois. É um na árvore, um embaixo. Alguém tem que recolher — e esfregou as mãos. Estava gostando daquilo. — Três. Se virem alguém chegando, vocês gritam numa altura que dê para acordar os mortos, e todo o mundo sai correndo. *Richtig?*

— *Richtig* — veio o coro.

· DOIS DEBUTANTES NO FURTO DE MAÇÃS ·
COCHICHANDO

— *Liesel, tem certeza? Ainda quer fazer isso?*

— *Olhe pro arame farpado, Rudy. É muito alto.*

— *Não, não, olhe: você joga o saco em cima. Está vendo? Como eles.*

— *Está bem.*

— *Então, vamos!*

— *Não posso!* — *hesitou ela.* — *Rudy, eu...*

— *Anda logo, Saumensch!*

Empurrou-a para a cerca, jogou o saco vazio no arame e os dois pularam, correndo em direção aos outros. Rudy abriu caminho para a árvore mais próxima e começou a derrubar as maçãs. Liesel ficou embaixo, pondo-as no saco. Quando ele ficou cheio, houve um outro problema.

— Como é que vamos pular a cerca de volta?

A resposta veio quando notaram que Arthur Berg a escalava o mais perto possível de uma estaca.

— Ali o arame é mais forte — apontou Rudy. Jogou o saco por cima da cerca, fez Liesel subir primeiro e em seguida desceu junto dela, do outro lado, entre as frutas que tinham rolado do saco.

Perto deles, as pernas compridas de Arthur Berg vigiavam, divertidas.

— Nada mau — veio a voz lá de cima. — Nada mau mesmo.

Quando regressaram ao rio, escondendo-se entre as árvores, Arthur pegou o saco e deu a Liesel e Rudy uma dúzia de maçãs, ao todo.

— Bom trabalho. — Foi seu último comentário.

Naquela tarde, antes de voltarem para casa, Liesel e Rudy comeram seis maçãs cada um, no intervalo de meia hora. No começo, pensaram em dividir as frutas em suas respectivas casas, mas isso implicava um perigo considerável. Os dois não ficaram especialmente encantados com a oportunidade de explicar exatamente de onde tinham vindo as frutas. Liesel chegou até a pensar que talvez se safasse, se contasse apenas ao pai, mas não queria que ele achasse que tinha uma criminosa compulsiva nas mãos. Assim, comeu.

Na margem do rio em que ela aprendera a nadar, todas as maçãs foram consumidas. Pouco acostumados a esses luxos, eles sabiam ser provável que ficassem enjoados.

Mas comeram assim mesmo.

— *Saumensch!* — xingou sua mãe naquela noite. — Por que está vomitando tanto?

— Vai ver é a sopa de ervilha — sugeriu Liesel.

— É isso — ecoou o pai, de novo debruçado à janela. — Deve ser. Eu mesmo ando meio enjoado.

— Quem foi que lhe perguntou, *Saukerl?* — E se virou depressa para a *Saumensch* que vomitava. — E então? O que há? O que foi, sua porca imunda?

E Liesel?

Não disse palavra.

As maçãs, pensou, alegremente. As maçãs, e vomitou mais uma vez, para dar sorte.

A LOJISTA ARIANA

Pararam do lado de fora da loja de *Frau* Diller, encostados na parede caiada.

Havia um pedaço de bala na boca de Liesel.

O sol batia em seus olhos.

Apesar dessas dificuldades, ela ainda conseguiu falar e discutir.

· OUTRA CONVERSA ·
ENTRE RUDY E LIESEL
— *Ande logo*, Saumensch, *já foram dez.*
— *Não foram, foram só oito, ainda tenho mais duas.*
— *Bom, então ande depressa. Eu disse que a gente devia
ter pegado uma faca e cortado ela ao meio...
Ande, já foram duas.*
— *Está bem. Tome. E não engula.*
— *Eu pareço idiota?*
[*Uma pequena pausa*]
— *É o máximo, não é?*
— *Com certeza*, Saumensch.

No fim de agosto e do verão, eles acharam um fênigue no chão. Pura empolgação.

Estava caído na terra, meio estragado, no trajeto da roupa para lavar e passar. Uma moeda solitária e corroída.

— Olhe só pra isso!

Rudy a arrebatou. A animação chegou quase a espetar, enquanto os dois voltaram correndo para a loja de *Frau* Diller, sem sequer considerar que um único fênigue talvez não fosse o *preço certo*. Irromperam porta adentro e pararam diante da lojista ariana, que os olhou com desdém.

— Estou esperando — disse ela. Usava o cabelo preso para trás e um vestido preto que lhe sufocava o corpo. A foto emoldurada do *Führer* vigiava na parede.

— *Heil* Hitler — fez Rudy.

— *Heil* Hitler — ela respondeu, empertigando-se mais, atrás do balcão. — E você? — disse, lançando um olhar furioso para Liesel, que lhe ofereceu prontamente seu "*heil* Hitler".

Rudy não demorou a tirar a moeda do bolso e a colocá-la com firmeza no balcão. Olhou diretamente para os olhos de *Frau* Diller, cobertos pelos óculos, e disse:

— Balas mistas, por favor.

Frau Diller sorriu. Seus dentes se acotovelavam para arranjar espaço na boca, e sua gentileza inesperada fez com que Rudy e Liesel também sorrissem. Por pouco tempo.

Ela se inclinou, procurou alguma coisa e reergueu o corpo.

— Pronto — disse, jogando uma única bala no balcão. — Misture você.

Do lado de fora, eles a desembrulharam e tentaram parti-la ao meio com os dentes, mas o açúcar estava duro feito vidro. Duro demais, até para as presas animalescas de Rudy. Em vez disso, tiveram que alternar chupadelas até a bala acabar. Dez chupadelas para Rudy. Dez para Liesel. Para lá e para cá.

— Isso é que é boa vida — anunciou Rudy, a horas tantas, com um sorriso de apreciador de doces, e Liesel não discordou.

Quando terminaram, os dois tinham um tom vermelho exagerado na boca, e ao caminharem para casa lembraram um ao outro de ficar de olho aberto, para o caso de acharem mais uma moeda.

Naturalmente, não acharam nada. Não se pode ter uma sorte dessas duas vezes num ano, que dirá numa única tarde.

Mesmo assim, de línguas e dentes vermelhos, os dois desceram a rua Himmel, vasculhando alegremente o chão na passagem.

Tinha sido um dia genial, e a Alemanha nazista era um lugar maravilhoso.

O LUTADOR, CONTINUAÇÃO

Agora vamos adiante, até uma luta numa noite fria. Deixaremos que a roubadora de livros nos alcance depois.

Era dia 3 de novembro, e o piso do trem grudava-se a seus pés. Segurando o livro diante do rosto, ele lia o exemplar de *Mein Kampf*. Seu salvador. O suor lhe brotava das mãos. As marcas dos dedos agarravam o livro.

· A PRODUTORA ROUBADORA DE LIVROS ·
APRESENTA OFICIALMENTE

Mein Kampf
(Minha luta)
de
Adolf Hitler

Atrás de Max Vandenburg, a cidade de Stuttgart abria os braços, zombeteira.

O rapaz não era bem-vindo nela e procurou não olhar para trás enquanto o pão dormido se desintegrava em seu estômago. Em alguns momentos, tornou a mudar de posição e viu as luzes se transformarem num simples punhado, depois desaparecerem por completo.

Assuma um ar orgulhoso, aconselhou-se. Você não pode parecer amedrontado. Leia o livro. Sorria para ele. É um grande livro — o melhor que você já leu. Ignore a mulher do outro lado. Ela está dormindo, de qualquer modo. Vamos, Max, faltam apenas algumas horas.

• • •

Como se constatou, a nova visita prometida ao quarto das trevas não tinha levado dias, mas uma semana e meia. Depois, outra semana, até a seguinte, e mais outra, até ele perder toda a noção da passagem dos dias e das horas. Max fora deslocado mais uma vez, para outro pequeno depósito, em que houvera mais luz, mais visitas e mais comida. O tempo, entretanto, ia se esgotando.

— Logo estarei de partida — disse seu amigo Walter Kugler. — Sabe como é, o Exército.

— Sinto muito, Walter.

Walter Kugler, amigo de infância de Max, pôs a mão no ombro do judeu.

— Podia ser pior. — E olhou o amigo nos olhos judaicos. — Podia ser você.

Era o último encontro dos dois. Um derradeiro pacote foi deixado num canto, e dessa vez havia um bilhete. Walter abriu o *Mein Kampf* e o enfiou lá dentro, junto com o mapa que ele mesmo trouxera com o livro.

— Página treze — sorriu. — Para dar sorte, sim?

— Para dar sorte. — E os dois se abraçaram.

Quando a porta se fechou, Max abriu o livro e examinou o bilhete. *Stuttgart-Munique-Pasing*. Partiria em dois dias, à noite, bem a tempo de fazer a última conexão. De lá, seguiria a pé. O mapa já estava em sua cabeça, dobrado em quatro. A chave continuava presa com fita adesiva à parte interna da capa.

Max passou meia hora sentado, antes de andar até a mala e abri-la. Afora a comida, havia alguns outros objetos lá dentro.

· O CONTEÚDO ADICIONAL DO ·
PRESENTE DE WALTER KUGLER
Uma lâmina pequena.
Uma colher — o que havia de mais próximo de um espelho.
Creme de barbear.
Uma tesoura.

Quando Max o deixou, o depósito estava vazio, a não ser pelo chão.
— Adeus — murmurou.
A última coisa que viu foi o montinho de cabelo, descuidadamente encostado na parede. Adeus.

Com o rosto escanhoado e o cabelo um pouco torto, mas bem-penteado, ele saiu do prédio como um novo homem. Na verdade, saiu alemão. Espere um minuto: ele era alemão. Ou, melhor dizendo, *tinha* sido.

No estômago havia uma combinação elétrica de comida e náusea.

Dirigiu-se à estação.

Mostrou o bilhete e a carteira de identidade, e agora estava sentado numa pequena cabine do trem, diretamente sob o refletor do perigo.

— Documentos.

Era o que ele temia ouvir.

Já fora ruim o bastante ao parar na plataforma. Ele sabia que não suportaria aquilo duas vezes.

As mãos trêmulas.

O cheiro — não, o fedor — da culpa.

Simplesmente não o suportaria de novo.

Por sorte, eles passaram cedo e só pediram o bilhete, e agora restavam apenas uma janela de cidadezinhas, os aglomerados de luz e a mulher que roncava no outro banco da cabine.

Durante a maior parte da viagem ele avançou pelo livro, procurando nunca erguer os olhos.

As palavras refestelavam-se em sua boca, à medida que as lia.

Estranhamente, ao virar as páginas e progredir na leitura dos capítulos, foram só duas as palavras que Max provou.

Mein Kampf. Minha luta...

O título, que se repetia sem parar enquanto o trem balbuciava adiante, de uma cidade alemã para outra.

Mein Kampf.

Justo essa, de todas as coisas que poderiam salvá-lo.

TRAPACEIROS

Você poderia dizer que as coisas foram fáceis para Liesel Meminger. E foram *mesmo*, em comparação com Max Vandenburg. É claro, o irmão praticamente morrera em seus braços. A mãe a havia abandonado.

Mas qualquer coisa era melhor do que ser judeu.

No período que antecedeu a chegada de Max, perdeu-se mais um freguês da lavagem de roupas, dessa vez os Weingartner. O *Schimpferei*, o xingamento obrigatório, ocorreu na cozinha, e Liesel se acalmou com o fato de ainda restarem dois e, melhor ainda, de um deles ser o prefeito, a mulher, os livros.

Quanto às demais atividades de Liesel, ela continuava a fazer estragos com Rudy Steiner. Eu sugeriria até que os dois estavam aprimorando suas travessuras.

Fizeram mais umas saídas com Arthur Berg e seus amigos, ansiosos por provar seu valor e ampliar seu repertório de furtos. Tiraram batatas de uma fazenda e cebolas de outra. Sua maior vitória, porém, eles obtiveram sozinhos.

Como já foi testemunhado, uma das vantagens de andar pela cidade era a perspectiva de achar coisas no chão. Outra era observar pessoas, ou, mais importante, as *mesmas* pessoas, fazendo coisas idênticas, semana após semana.

Um garoto da escola, Otto Sturm, era uma dessas pessoas. Toda sexta-feira, à tarde, ele ia de bicicleta até a igreja, levando mantimentos para os padres.

Durante um mês os dois o observaram, enquanto o bom tempo ia ficando ruim, e Rudy, em particular, tinha resolvido que numa sexta-feira, numa semana anormalmente fria de outubro, Otto não chegaria a seu destino.

— Aqueles padres todos — explicou Rudy, enquanto andavam pela cidade. — Estão todos muito gordos, de qualquer jeito. Podem ficar sem comida por uma semana, ou coisa assim.

Liesel só podia concordar. Para começar, não era católica. Segundo, ela mesma andava com muita fome. Como sempre, estava carregando a roupa. Rudy levava dois baldes de água fria, ou, como disse, dois baldes de gelo futuro.

Pouco antes das duas horas, ele se dedicou ao trabalho.

Sem a menor hesitação, derramou a água na rua, no ponto exato em que Otto pedalaria ao dobrar a esquina.

Liesel teve que admitir.

No começo, houve uma parcelinha de culpa, mas o plano era perfeito, ou, pelo menos, tão próximo da perfeição quanto possível. Pouco depois das duas horas, toda sexta-feira, Otto Sturm virava na rua Munique com os mantimentos na cesta da frente, presa ao guidom. Nessa sexta-feira específica, seria só a esse ponto que ele chegaria.

A rua já estava mesmo gelada, mas Rudy pôs a camada extra, mal conseguindo conter o sorriso. Ele lhe atravessava o rosto feito um patim.

— Vamos para aquela moita ali — disse.

Passados aproximadamente quinze minutos, o plano diabólico deu frutos, por assim dizer.

Rudy apontou o dedo para uma abertura na moita.

— Lá vem ele.

Otto dobrou a esquina, bobo feito um carneiro.

Não demorou a perder o controle da bicicleta, derrapando no gelo e caindo de cara no chão.

Quando não se mexeu, Rudy olhou para Liesel, assustado.

— Jesus crucificado — disse —, acho que é capaz de a gente ter *matado* ele!

Esgueirou-se para fora da moita, pegou a cesta e os dois partiram em fuga.

— Ele estava respirando? — perguntou Liesel, mais adiante na rua.

— *Keine Ahnung* — respondeu Rudy, agarrado à cesta. Não fazia ideia.

De longe, ladeira abaixo, os dois viram Otto levantar-se, coçar a cabeça, coçar a virilha e procurar a cesta em toda parte.

— *Scheisskopf* idiota — riu Rudy, e ambos examinaram o butim. Pão, ovos quebrados e o melhor de tudo, *Speck*. Rudy levou o presunto gorduroso ao nariz e inalou o perfume glorioso. — Beleza!

Por maior que fosse a tentação de guardar a vitória para si, eles foram dominados pelo sentimento de lealdade a Arthur Berg. Andaram até suas acomodações miseráveis na Kempf Strasse e lhe mostraram os mantimentos. Arthur mal pôde conter a aprovação.

— De quem vocês roubaram isso?

Foi Rudy quem respondeu.

— De Otto Sturm.

— Bem — fez Arthur, balançando a cabeça —, seja ele quem for, tem minha gratidão.

Entrou e voltou com uma faca de pão, uma frigideira e um paletó, e os três ladrões andaram pelo corredor de apartamentos.

— Vamos chamar os outros — declarou Arthur Berg, ao chegarem do lado de fora. — Podemos ser criminosos, mas não somos totalmente imorais.

Assim como a menina que roubava livros, pelo menos ele traçava um limite em algum lugar.

Bateram em mais algumas portas. Nomes foram chamados da rua para os apartamentos, e em pouco tempo todo o conglomerado do bando de ladrões de frutas de Arthur Berg pôs-se a caminho do Amper. Na clareira do lado oposto acendeu-se uma fogueira e o que restara dos ovos foi resgatado e frito. O pão e o *Speck* foram cortados. Com mãos e facas, toda a entrega de Otto Sturm foi devorada até o último pedaço. Nenhum padre à vista.

Só no fim é que surgiu uma discussão, concernente à cesta. A maioria da garotada queria queimá-la. Fritz Hammer e Andy Schmeikl queriam guardá-la, mas Arthur Berg, mostrando sua incongruente aptidão moral, teve uma ideia melhor.

— Vocês dois — disse a Rudy e Liesel. — Talvez vocês devam levá-la de volta para o tal de Sturm. Eu diria que o pobre coitado provavelmente o merece.

— Ora, vamos, Arthur.

— Não quero saber, Andy.

— Cristo!

— *Ele* também não quer saber.

O grupo riu e Rudy Steiner pegou a cesta.

— Vou levar de volta e penduro na caixa do correio deles.

Só tinha andado uns vinte metros quando a menina o alcançou. Chegaria em casa tarde demais para o que lhe convinha, mas estava perfeitamente consciente de que tinha que acompanhar Rudy Steiner pela cidade até a fazenda de Sturm, lá do outro lado.

Durante muito tempo os dois caminharam em silêncio.

— Você se sentiu mal? — acabou perguntando Liesel. Já estavam no trajeto de casa.

— Com quê?

— Você sabe.

— É claro que sim, mas não estou mais com fome, e aposto que *ele* também não está com fome. Não pense nem por um segundo que os padres ganhariam comida se eles não tivessem o suficiente em casa.

— É só que ele bateu no chão com muita força.

— Nem me lembre.

Mas Rudy Steiner não pôde resistir a um sorriso. Em anos vindouros, ele seria um doador de pão, não um ladrão — mais uma prova de como o ser humano é contraditório. Um punhado de bem, um punhado de mal. É só misturar com água.

Cinco dias depois da pequena vitória agridoce Arthur Berg tornou a aparecer e os convidou para seu projeto seguinte de furto. Os dois esbarraram nele na rua Munique, ao voltarem da escola, numa quarta-feira. Arthur já estava de uniforme da Juventude Hitlerista.

— Vamos de novo amanhã à tarde. Estão interessados?

Eles não conseguiam evitar.

— Onde?

— Ao lugar das batatas.

Vinte e quatro horas depois Liesel e Rudy enfrentaram mais uma vez a cerca de arame farpado e encheram o saco de aniagem.

O problema surgiu quando iam fugindo.

— Nossa! — gritou Arthur. — O fazendeiro!

Porém, o que mais assustou foi sua palavra seguinte. Arthur a gritou como se ela já o tivesse atacado. Sua boca escancarou-se. A palavra saiu voando, e a palavra era *machado*.

E com certeza, quando eles viraram para trás, o fazendeiro vinha correndo em sua direção, erguendo a arma acima da cabeça.

O grupo todo correu para a cerca e a pulou. Rudy, o que estava mais longe, alcançou-os depressa, mas não depressa o bastante para deixar de ser o último. Quando levantou a perna, ficou preso.

— Ei!

O som dos enrascados.

O grupo parou.

Instintivamente, Liesel voltou correndo.

— Depressa! — gritou Arthur. Sua voz estava muito longe, como se ele a tivesse engolido antes de ela lhe sair da boca.

Céu branco.

Os outros correram.

Liesel chegou e começou a puxar o tecido das calças de Rudy. Ele tinha os olhos arregalados de medo.

— Depressa — disse —, ele está vindo.

Ao longe, os dois ainda ouviam os pés em fuga, quando uma outra mão agarrou o arame e o arrancou das calças de Rudy Steiner. Ficou um pedaço no nó metálico, mas o menino conseguiu escapar.

— Agora, mexam-se — recomendou Arthur, não muito antes de o fazendeiro chegar, xingando e lutando para recobrar o fôlego. O machado pendia com força nesse momento, junto a sua perna. E o homem gritou as palavras inúteis dos roubados:

— Vou mandar prender vocês! Eu os encontro! Vou descobrir quem vocês são!

Foi nessa hora que Arthur Berg respondeu.

— O nome é Owens! — E saiu andando a passos largos, até alcançar Liesel e Rudy. — Jesse Owens!

Ao chegarem a um local seguro, lutando para inalar o ar e levá-lo aos pulmões, os dois se sentaram e Arthur Berg se aproximou. Rudy não queria olhar para ele.

— Já aconteceu com todos nós — disse Arthur, intuindo a decepção. Estaria mentindo? Eles não podiam ter certeza, e nunca descobririam.

Semanas depois, Arthur Berg mudou-se para Colônia.

Os dois o viram mais uma vez, numa das rondas de Liesel para entregar a roupa. Numa viela que saía da rua Munique, o rapazinho entregou a Liesel um saco de papel pardo com uma dúzia de castanhas. Deu um riso maroto.

— Um contato na indústria de torrefação.

Depois de informá-los de sua partida, conseguiu oferecer um último sorriso espinhento e dar um tapinha na testa de cada um.

— Tratem de não comer esses troços todos de uma vez. — E os dois nunca mais viram Arthur Berg.

Quanto a mim, posso lhe dizer que definitivamente o vi.

· UM PEQUENO TRIBUTO A ARTHUR BERG ·
AINDA VIVO
O céu de Colônia estava amarelo e pútrido,
descascando nas bordas.
Ele se sentou, encostado numa parede, com
uma criança no colo. Sua irmã.
Quando a menina parou de respirar, ele ficou a seu lado,
e senti que a seguraria durante horas.
Havia duas maçãs roubadas em seu bolso.

Dessa vez, eles foram mais espertos. Cada um comeu uma castanha, depois venderam o resto de porta em porta.

— Se a senhora puder dispensar uns fênigues — dizia Liesel em cada casa —, eu tenho castanhas.

Acabaram com dezesseis moedas.

— E agora — sorriu Rudy — a vingança.

• • •

   Na mesma tarde, voltaram à loja de *Frau* Diller, disseram "*heil* Hitler" e aguardaram.
   — Balas mistas de novo? — *schmunzelou* a mulher, ao que os dois fizeram que sim.
O dinheiro espalhou-se sobre o balcão, e o sorriso de *Frau* Diller ficou entreaberto.
   — Sim, *Frau* Diller — disseram em uníssono. — Balas mistas, por favor.
   O *Führer* emoldurado olhou-os com orgulho.
   A vitória antes da tempestade.

O LUTADOR, CONCLUSÃO

Agora os malabarismos chegam ao fim, mas não a luta. Tenho Liesel Meminger numa das mãos e Max Vandenburg na outra. Daqui a pouco, baterei palmas com eles. É só me dar umas páginas.

O lutador:
Se o matassem nessa noite, pelo menos ele morreria vivo.
A viagem de trem já ia muito longe, e a roncadora provavelmente se encolhia no vagão que transformara em sua cama, seguindo viagem. Agora só havia passos entre Max e a sobrevivência. Passos e pensamentos, e dúvidas.

Ele seguiu o mapa que levava na cabeça, de Pasing a Molching. Era tarde quando avistou a cidade. Suas pernas doíam terrivelmente, mas ele estava quase lá — o lugar mais perigoso para estar. Tão perto que seria possível tocá-lo.
Tal como lhe fora descrita, ele encontrou a rua Munique e seguiu pela calçada.
Tudo se enrijeceu.

Poças reluzentes dos postes de iluminação.
Prédios escuros, passivos.
O edifício da Prefeitura erguia-se como um jovem gigantesco e sem graça, grande demais para a idade. A igreja desaparecia na escuridão, quanto mais os olhos subiam pela torre.
Tudo o vigiava.
Max estremeceu.

Avisou a si mesmo:

— Fique de olhos abertos.

(Havia crianças alemãs à procura de moedas perdidas. Os judeus alemães atentavam para a possível captura.)

Em consonância com o uso do treze para dar sorte, Max contou os passos em grupos desse número. Só treze passos, dizia a si mesmo. Vamos, só mais treze. Numa estimativa, completou noventa conjuntos, até parar na esquina da rua Himmel.

Numa das mãos segurava a mala.

A outra continuava segurando *Mein Kampf*.

Os dois eram pesados, e ambos eram manejados com uma delicada secreção de suor.

Max entrou na ruazinha, dirigindo-se ao número 33 e resistindo à ânsia de sorrir, resistindo à ânsia de soluçar, ou até de imaginar a segurança que talvez o aguardasse. Lembrou a si mesmo que não era hora de esperança. Sem dúvida, quase podia tocá-la. Podia senti-la em algum lugar, ligeiramente fora do alcance. Em vez de reconhecê-la, tratou de decidir mais uma vez o que faria, se fosse apanhado no último instante, ou se, por mero acaso, a pessoa errada o esperasse lá dentro.

É claro, havia também a sensação pruriente de pecado.

Como podia fazer uma coisa dessas?

Como podia aparecer e pedir a pessoas que arriscassem suas vidas por ele? Como podia ser tão egoísta?

Trinta e três.
Entreolharam-se.

A casa era pálida, de aparência quase doentia, com um portão de ferro e uma porta marrom, manchada de cuspe.

Do bolso ele tirou a chave. Que não reluziu, mas ficou em sua mão, opaca e frouxa. Por um instante, Max a apertou, como que esperando vê-la vazar para seu pulso. Não vazou. O metal era duro e plano, com um conjunto saudável de dentes, e ele o apertou até que lhe perfurasse a mão.

E então, devagar, o lutador inclinou-se, encostou o rosto na madeira e tirou a chave do punho cerrado.

PARTE QUATRO

O Vigiador

APRESENTANDO:

o acordeonista
um cumpridor de promessas
uma boa menina
um lutador judeu
a ira de rosa
uma preleção
um dorminhoco
a troca de pesadelos
e algumas páginas do porão

O ACORDEONISTA
(A vida secreta de Hans Hubermann)

Havia um rapaz parado na cozinha. A chave em sua mão parecia que se tornaria ferrugem na palma. Ele não disse nada parecido com olá, nem por favor, me ajude, nem qualquer outra dessas frases esperada. Fez duas perguntas.

· PERGUNTA UM ·
Hans Hubermann?

· PERGUNTA DOIS ·
O senhor ainda toca acordeão?

Enquanto o rapaz olhava, constrangido, para a forma humana à sua frente, sua voz foi despregada dele e entregue na escuridão, como se fosse tudo o que restava dele.

O pai, atento e consternado, aproximou-se mais.

Dirigindo-se à cozinha, murmurou:

— É claro que sim.

Tudo remontava a muitos anos antes, à Primeira Guerra Mundial.

São estranhas essas guerras.

Cheias de sangue e violência — mas também cheias de histórias igualmente difíceis de esquadrinhar. "É verdade", murmuram as pessoas. "Não me importa se você não acreditar. Foi aquela raposa que me salvou a vida", ou, então, "Eles dois morreram, um de cada lado de mim, e fiquei lá de pé, o único que não levou um tiro entre os olhos. Por que eu? Por que eu e não eles?".

A história de Hans Hubermann era desse tipo. Quando a achei, nas palavras da menina que roubava livros, percebi que ele e eu já nos tínhamos cruzado, aqui e ali, durante aquele período, embora nenhum de nós tivesse marcado um encontro. Pessoalmente, eu tinha muito trabalho a fazer. Quanto a Hans, acho que ele fazia todo o possível para me evitar.

A primeira vez que estivemos nas imediações um do outro, Hans estava com vinte e dois anos e combatia na França. A maioria dos rapazes de seu pelotão se sentia ansiosa por lutar. Hans não tinha tanta certeza. Eu havia levado alguns deles pelo caminho, mas pode-se dizer que nunca chegara nem perto de encostar em Hans Hubermann. Ou ele tinha muita sorte, ou merecia viver, ou havia uma boa razão para que vivesse.

No Exército, ele não se destacava num extremo nem no outro. Corria medianamente, escalava medianamente e era capaz de atirar com pontaria suficiente para não afrontar seus superiores. E não se destacava o bastante para ser um dos primeiros escolhidos a correr direto para mim.

· UMA OBSERVAÇÃO PEQUENA ·
PORÉM DIGNA DE NOTA
Ao longo dos anos,
vi inúmeros rapazes que pensam
estar correndo para outros rapazes.
Não estão.
Eles correm para mim.

Fazia quase seis meses que ele estava na guerra quando foi parar na França, onde, à primeira vista, um estranho acontecimento salvou sua vida. Outra perspectiva sugeriria que, no contrassenso da guerra, aquilo fez perfeito sentido.

Grosso modo, seu período na Grande Guerra o deixara atônito, desde o momento em que entrara no Exército. Parecia um seriado. Dia após dia após dia. Após dia.

A conversa dos projéteis.

Homens descansando.

As melhores piadas obscenas do mundo.

Suor frio — o amiguinho maligno — ultrapassando os limites da hospitalidade, nas axilas e nas calças.

O que ele mais gostava era dos jogos de baralho, seguidos pelas poucas partidas de xadrez, embora fosse absolutamente ridículo em todos. E da música. Sempre a música.

Foi um homem um ano mais velho que ele — um judeu alemão chamado Erik Vandenburg — quem lhe ensinou a tocar acordeão. Aos poucos, os dois tornaram-se amigos, graças ao fato de que nenhum deles estava terrivelmente interessado em combater. Preferiam enrolar cigarros a se enrolar na neve e na lama. Preferiam lançar dados a lançar projéteis. Uma sólida amizade alicerçou-se no jogo, no fumo e na música, para não falar no desejo comum de sobrevivência. O único problema foi que, mais tarde, Erik Vandenburg seria encontrado em vários pedaços numa colina cheia de relva. Tinha os olhos abertos e sua aliança de casamento fora roubada. Recolhi sua alma junto com as outras e fomos embora. O horizonte estava cor de leite. Frio e fresco. Derramado entre os corpos.

Tudo o que restou de Erik Vandenburg, na verdade, foram alguns objetos pessoais e o acordeão muito manuseado. Tudo, menos o instrumento, foi mandado para sua casa. O acordeão foi considerado grande demais. Quase com autocensura, ficou parado na cama improvisada do dono, no acampamento da base, e foi dado ao amigo dele, Hans Hubermann, que aliás foi o único a sobreviver.

· ELE SOBREVIVEU ASSIM ·
Não entrou em combate nesse dia.

E tinha que agradecer isso a Erik Vandenburg. Ou, para ser mais exata, a Erik Vandenburg e à escova de dentes do sargento.

Naquela manhã em particular, não muito antes de eles saírem, o sargento Stephan Schneider entrou no dormitório e pôs todos em posição de sentido. Era benquisto entre os soldados, por seu senso de humor e pelas peças que pregava, mas principalmente pelo fato de nunca ir atrás de ninguém para a linha de fogo. Sempre ia na frente.

Em certos dias, ele tendia a entrar no cômodo em que os homens descansavam e dizer alguma coisa do tipo "Quem é de Pasing?", ou "Quem é bom em matemática?", ou, então, no caso fatídico de Hans Hubermann, "Quem tem a letra bonita?".

Ninguém jamais se oferecia como voluntário, não depois da primeira vez em que o sargento fez isso. Nesse dia, um jovem soldado ansioso, de nome Philipp Schlink, levantou-se orgulhosamente e disse:

— Sim, senhor, eu sou de Pasing.

Recebeu na mesma hora uma escova de dentes e a ordem de limpar as latrinas.

Quando o sargento perguntou quem tinha a melhor caligrafia, você, com certeza, há de entender por que ninguém fez questão de se apresentar. Cada um achou que poderia ser o primeiro a receber uma inspeção higiênica completa, ou a lustrar as botas sujas de cocô de um tenente excêntrico, antes de sair.

— Ora, vamos! — Schneider brincou. Colado à cabeça, de tão oleoso, seu cabelo brilhava, embora uma pequena mecha ficasse sempre em pé e vigilante no cocuruto. — Pelo menos *um* de vocês, seus cretinos inúteis, deve saber escrever direito.

* * *

À distância, ouvia-se o tiroteio.

Aquilo desencadeou uma reação.

— Olhem — disse Schneider —, desta vez não é como das outras. Levará a manhã inteira, talvez mais. — E não pôde resistir a um sorriso. — O Schlink ficou polindo aquela latrina enquanto o resto de vocês jogava cartas, mas desta vez vocês estarão *lá* fora.

A vida ou o orgulho.

Ele claramente esperava que um de seus homens tivesse a inteligência de escolher a vida.

Erik Vandenburg e Hans Hubermann se entreolharam. Se alguém desse um passo à frente naquele momento, o pelotão lhe transformaria a vida num inferno pelo resto do tempo que passassem juntos. Ninguém gosta de covardes. Por outro lado, se alguém fosse indicado...

Nada ainda de voluntários, mas uma voz saiu agachada e se encaminhou a furta-passo para o sargento. Sentou-se a seus pés, à espera de um bom chute. A voz disse:

— Hubermann, senhor.

A voz pertencia a Erik Vandenburg. Obviamente, ele achou que esse dia não era o momento apropriado para seu amigo morrer.

O sargento andou de um lado para outro pelo corredor entre os soldados.

— Quem disse isso?

Era soberbo para andar, esse Stephan Schneider — um homem miúdo, que falava, se deslocava e agia às pressas. Enquanto ele percorria as duas fileiras, para lá e para cá, Hans observou, à espera da notícia. Talvez uma das enfermeiras estivesse doente e eles precisassem de alguém para cortar e substituir ataduras nos membros infeccionados dos soldados feridos. Talvez fosse preciso lamber e selar mil envelopes, e mandá-los para casa com notícias de falecimento.

Nesse momento, a voz se manifestou de novo, levando algumas outras a se fazerem ouvir.

— Hubermann — disseram em eco. Erik chegou até a dizer: — Uma caligrafia impecável, senhor, *impecável*.

— Então, está resolvido — disse o sargento. Houve um sorriso circular na boca pequena. — Hubermann, é você.

O soldado jovem e desengonçado deu um passo à frente e perguntou qual seria sua tarefa.

O sargento suspirou.

— O capitão precisa que umas doze cartas sejam escritas por ele. Está com um reumatismo terrível nos dedos. Ou artrite. Você as escreverá para ele.

Não era hora de discutir, principalmente quando Schlink tivera ordens de limpar as privadas e o outro, Pflegger, quase se matara de tanto lamber envelopes. Sua língua ficara azul-infecção.

— Sim, senhor — assentiu Hans, e acabou-se a história. Sua capacidade de redação era dúbia, para dizer o mínimo, mas ele se considerou afortunado. Escreveu as cartas o melhor que pôde, enquanto o resto dos homens entrava em combate.

Nenhum deles voltou.

Essa foi a primeira vez que Hans escapou de mim. Na Grande Guerra.
Uma segunda fuga ainda estava por vir, em 1943, em Essen.
Duas guerras para duas fugas.
Uma vez jovem, outra na meia-idade.
Não são muitos os homens que têm a sorte de me tapear duas vezes.

Ele carregou consigo o acordeão durante toda a guerra.

Quando localizou a família de Erik Vandenburg em Stuttgart, ao regressar, a viúva lhe informou que ele podia ficar com o instrumento. Seu apartamento estava cheio deles, e a mulher ficava perturbada demais ao olhar especificamente para aquele. Os outros já eram um lembrete suficiente, assim como sua profissão, antes compartilhada com o marido, de ensiná-lo.

— Ele me ensinou a tocar — informou-lhe Hans, como se isso ajudasse.

Talvez tenha ajudado, porque a mulher arrasada perguntou se ele tocaria para ela, e chorou em silêncio enquanto Hans apertava os botões e as teclas de uma desajeitada "Valsa do Danúbio Azul". Era a favorita de seu marido.

— Sabe — explicou-lhe Hans —, ele salvou minha vida.

A luz do cômodo era fraca e o ar, restrito.

— Ele... se algum dia houver alguma coisa de que a senhora precise... — E fez deslizar pela mesa um pedaço de papel com seu nome e endereço. — Sou pintor profissional. Pinto o seu apartamento de graça, quando a senhora quiser.

Sabia que era uma compensação inútil, mas ofereceu, assim mesmo.

A mulher pegou o papel, e não muito depois um garotinho entrou e se sentou em seu colo.

— Este é o Max — fez ela, mas o menino era pequeno e tímido demais para dizer alguma coisa. Era magrelo, de cabelo macio, e seus olhos densos e escuros observaram enquanto o estranho tocava mais uma canção na sala pesada. De um rosto para outro, ficou olhando enquanto o homem tocava e a mulher chorava. As diferentes notas mexiam com os olhos dela. Muita tristeza.

Hans se foi.

— Você nunca me contou — censurou ele, dirigindo-se a um Erik Vandenburg morto e à silhueta dos prédios de Stuttgart. — Nunca me disse que tinha um filho.

Depois de uma parada momentânea, com a cabeça abalada, Hans regressou a Munique, esperando nunca mais ouvir falar daquelas pessoas. O que não sabia é que sua ajuda seria definitivamente necessária, mas não pela pintura, e não por mais uns vinte anos.

• • •

Passaram-se algumas semanas antes de ele começar a pintar. Nos meses de bom tempo, trabalhava com vigor, e mesmo no inverno, muitas vezes, dizia a Rosa que talvez não chovesse trabalho, mas pelo menos haveria uma garoa de vez em quando.

Durante mais de uma década tudo funcionou.

Nasceram Hans Júnior e Trudy. Que cresceram fazendo visitas ao pai no trabalho, jogando tinta nas paredes e limpando pincéis.

Quando Hitler chegou ao poder, no entanto, em 1933, o trabalho de pintura deu ligeiramente errado. Hans não se filiou ao NSDAP, como fez a maioria das pessoas. Pensou muito nessa decisão.

· O PROCESSO DE RACIOCÍNIO ·
DE HANS HUBERMANN
Ele não era muito instruído nem politizado,
porém, que mais não fosse, era um homem
que apreciava a justiça. Um judeu salvara sua
vida, uma vez, e ele não podia esquecer isso.
Não podia filiar-se a um partido que antagonizava
as pessoas daquele jeito. Além disso, tal como
Alex Steiner, alguns de seus fregueses mais fiéis
eram judeus. Como muitos judeus acreditavam,
Hans achava que o ódio não podia durar, e a
decisão de não seguir Hitler foi consciente.
Em muitos níveis, foi desastrosa.

Uma vez iniciada a perseguição, seu trabalho escasseou aos poucos. No começo não foi muito ruim, mas ele logo começou a perder clientela. Punhados de pedidos de orçamento pareceram desaparecer na crescente atmosfera nazista.

Hans abordou um antigo cliente fiel, chamado Herbert Bollinger — um homem de cintura hemisférica que falava *Hochdeutsch* (era de Hamburgo) —, ao vê-lo na rua Munique. A princípio, o homem olhou para baixo, para o chão, passando pela barriga, mas quando seus olhos voltaram ao pintor, a pergunta claramente o constrangeu. Não havia razão para Hans perguntar, mas ele perguntou.

— Que está havendo, Herbert? Tenho perdido fregueses mais depressa do que consigo contar.

Bollinger não tornou a se encolher. Empertigando-se, expôs o fato como uma pergunta de sua própria lavra.

— Bem, Hans, você é membro?
— De quê?
Mas Hans Hubermann sabia exatamente de que o homem estava falando.
— Ora, vamos, Hansi — insistiu Bollinger. — Não me faça soletrar.
O pintor alto acenou-lhe um adeus e seguiu em frente.

Com o correr dos anos, os judeus passaram a ser aleatoriamente aterrorizados em todo o país, e na primavera de 1937, quase envergonhado, Hans Hubermann finalmente se submeteu. Fez umas indagações e pediu para se filiar ao Partido.

Depois de entregar seu formulário na sede do Partido Nazista, na rua Munique, viu quatro homens atirarem vários tijolos numa loja de roupas chamada Kleinmann. Era uma das poucas lojas judaicas ainda em funcionamento em Molching. Lá dentro, um homem miúdo gaguejava, esmagando vidro quebrado com os pés enquanto fazia a limpeza. Havia uma estrela cor de mostarda borrada na porta. Com letra desleixada, as palavras IMUNDÍCIE JUDAICA escorriam pelas bordas. O movimento no interior da loja minguou de apressado para melancólico, depois cessou por completo.

Hans aproximou-se e enfiou a cabeça do lado de dentro.
— Precisa de ajuda?
O Sr. Kleinmann ergueu os olhos. Uma vassoura prendia-se, impotente, a sua mão.
— Não, Hans. Por favor. Vá embora.
Hans tinha pintado a casa de Joel Kleinmann no ano anterior. Lembrava-se de seus três filhos. Via seus rostos, embora não conseguisse lembrar seus nomes.
— Eu venho amanhã — insistiu — para repintar sua porta.
Dito e feito.
Foi o segundo de dois erros.

O primeiro ocorreu imediatamente após o incidente.
Ele retornou ao local de onde viera e deu um murro na porta e, em seguida, na janela do NSDAP. A vidraça chacoalhou, mas ninguém respondeu. Todos tinham encerrado o expediente e ido para casa. Um último membro andava na direção oposta. Quando ouviu o chacoalhar do vidro, notou o pintor.
Voltou e perguntou qual era o problema.
— Não posso mais me filiar — declarou Hans.
O homem ficou chocado.
— Por que não?
Hans olhou para os nós dos dedos da mão direita e engoliu em seco. Já sentia o gosto do erro, como um comprimido de metal na boca.
— Deixe para lá.
Deu meia-volta e foi para casa.
As palavras o seguiram.
— Pense nisso, *Herr* Hubermann. E nos informe sua decisão.
Ele fingiu não ter ouvido.

• • •

Na manhã seguinte, conforme o prometido, levantou-se mais cedo que de hábito, mas não cedo o bastante. A porta da Roupas Kleinmann ainda estava úmida de orvalho. Hans secou-a. Conseguiu igualar a cor, tanto quanto era humanamente possível, e lhe aplicou uma sólida demão.

Inocuamente, um homem passou.

— *Heil* Hitler — disse.

— *Heil* Hitler — respondeu Hans.

· TRÊS FATOS PEQUENOS ·
MAS IMPORTANTES
1. *O homem que passou era Rolf Fischer,*
um dos maiores nazistas de Molching.
2. *Uma nova afronta foi pintada na porta,*
em menos de dezesseis horas.
3. *Não se concedeu a Hans Hubermann a*
filiação no Partido Nazista.
Pelo menos, ainda não.

Durante o ano seguinte, Hans teve sorte de não haver cancelado oficialmente seu pedido de filiação. Enquanto muitas pessoas eram instantaneamente aprovadas, ele foi acrescentado a uma lista de espera, visto com desconfiança. No fim de 1938, quando os judeus foram completamente expulsos, depois da Noite dos Cristais, a Gestapo fez-lhe uma visita. Revistou a casa, e quando não se encontrou nada nem ninguém suspeito, Hans Hubermann foi um dos afortunados.

Permitiram-lhe que ficasse.

Provavelmente, o que o salvou foi que as pessoas sabiam que, pelo menos, ele estava *à espera* da aprovação de seu pedido. Por isso foi tolerado, embora não endossado como o pintor competente que era.

Depois, havia seu outro salvador.

Foi o acordeão, muito provavelmente, que o salvou do ostracismo total. Pintores havia, provenientes de todas as partes de Munique, mas, depois dos breves ensinamentos de Erik Vandenburg e de quase duas décadas de sua própria prática sistemática, não havia em Molching ninguém capaz de tocar exatamente como Hans. Não era um estilo de perfeição, mas de calor humano. Até nos erros havia uma sensação agradável.

Ele dizia *"heil* Hitler" quando lhe pediam e tremulava a bandeira nos dias certos. Não havia nenhum problema visível.

Depois, no dia 16 de junho de 1939 (a data parecia cimento, àquela altura), decorridos pouco mais de seis meses desde a chegada de Liesel à rua Himmel, houve um acontecimento que alterou irreversivelmente a vida de Hans Hubermann.

Foi num dia em que ele teve trabalho.

Saiu de casa às sete da manhã, em ponto.

Foi puxando sua carroça de tintas, sem se dar conta de estar sendo seguido.

Quando chegou ao local da obra, um jovem estranho aproximou-se. Era louro, alto e sério.

O par se entreolhou.

— O senhor seria Hans Hubermann?

Hans deu-lhe um simples aceno de cabeça. Procurava uma brocha.

— Sim, seria.

— O senhor por acaso toca acordeão?

Dessa vez, Hans parou, deixando o pincel onde estava. Tornou a fazer um aceno.

O estranho esfregou o queixo, olhou em volta e disse, com grande calma, porém com toda a clareza:

— O senhor é um homem que gosta de cumprir promessas?

Hans pegou duas latas de tinta e o convidou a sentar-se numa delas. Antes de aceitar o convite, o rapaz lhe estendeu a mão e se apresentou.

— Meu nome é Kugler. Walter. Venho de Stuttgart.

Sentaram-se e passaram uns quinze minutos conversando baixinho, combinando um encontro para mais tarde, à noite.

Uma boa menina

Em novembro de 1940, quando Max Vandenburg chegou à cozinha da rua Himmel, número 33, tinha vinte e quatro anos. Sua roupa parecia vergá-lo com o peso, e seu cansaço era tamanho, que uma coceira poderia parti-lo ao meio. Ele parou no vão da porta, trêmulo e abalado.

— O senhor ainda toca acordeão?

É claro que a pergunta, na verdade, era: "O senhor ainda está disposto a me ajudar?"

O pai de Liesel andou até a porta da frente e a abriu. Com cautela, olhou para fora, de um lado e do outro, e voltou. O veredicto foi "nada".

Max Vandenburg, o judeu, fechou os olhos e se curvou um pouco mais para a segurança. A própria ideia era ridícula, mas ele a aceitou assim mesmo.

Hans certificou-se de que as cortinas estavam bem fechadas. Não poderia haver nem uma fresta. Enquanto ele o fazia, Max não aguentou mais. Agachou-se e cruzou as mãos.

A escuridão o atingiu.

Seus dedos cheiravam a mala, metal, *Mein Kampf* e sobrevivência.

Só quando ergueu a cabeça foi que a luz tênue do corredor chegou a seus olhos. Notou a menina de pijama, parada ali, plenamente à vista.

— Papai?

Max levantou-se, como um fósforo riscado. A escuridão estendendo-se a seu redor.

— Está tudo bem, Liesel — disse o pai. — Volte para a cama.

Ela se demorou um momento, antes de ser arrastada pelos pés. Quando parou e furtou uma última olhadela para o estranho na cozinha, decifrou o contorno de um livro sobre a mesa.

— Não tenha medo — ouviu o pai cochichar. — Ela é uma boa menina.

Durante a hora seguinte a boa menina ficou acordada na cama, escutando o gaguejar baixinho de frases na cozinha.

Ainda faltava jogar um curinga.

BREVE HISTÓRIA DO LUTADOR JUDEU

Max Vandenburg nasceu em 1916.
 Cresceu em Stuttgart.
 Quando era garoto, passou a gostar, mais do que tudo, de uma boa troca de socos.

Teve sua primeira briga quando era um menino de onze anos, e magro como um cabo de vassoura.
 Wenzel Gruber.
 Foi com esse que ele brigou.
 Tinha a boca suja, o tal garoto Gruber, e o cabelo encaracolado feito arame. O parquinho local exigiu que eles brigassem, e nenhum dos dois estava disposto a discutir.
 Lutaram feito campeões.
 Por um minuto.
 Justo quando ia ficando interessante, ambos foram afastados pelo colarinho. Um pai vigilante.
 Um filete de sangue pingava da boca de Max.
 Ele o provou, e o gosto era bom.

Não muita gente vinda do seu bairro era de briga, e quando era, não o fazia com os punhos. Naqueles tempos, diziam que os judeus preferiam simplesmente ficar parados e aguentar as coisas. Suportar calados as ofensas e, em seguida, trabalhar até voltar ao topo. Obviamente, nem todo judeu é igual.

* * *

Ele tinha quase dois anos quando seu pai morreu, despedaçado pelos tiros numa colina relvada.

Quando chegou aos nove, sua mãe estava completamente falida. Ela vendeu o estúdio musical que também lhes servia de apartamento, e os dois se mudaram para a casa do tio. Lá ele cresceu, com seis primos, que o surravam, chateavam e amavam. As brigas com o mais velho, Isaac, foram o campo de treinamento para suas lutas de socos. Max levava uma esfrega quase todas as noites.

Aos treze anos, a tragédia voltou a se abater, com a morte de seu tio.

Como sugeririam as percentagens, o tio não era esquentado como Max. Era o tipo de pessoa que trabalhava em silêncio, por uma recompensa muito pequena. Vivia no seu canto e sacrificava tudo pela família — e morreu de uma coisa que lhe cresceu na barriga. Uma coisa parecida com uma bola de boliche envenenada.

Como muitas vezes acontece, a família postou-se ao redor da cama e assistiu à sua capitulação.

De alguma forma, entre a tristeza e o luto, Max Vandenburg, já então um adolescente de mãos duras, olhos escuros e dor de dente, também ficou meio decepcionado. Até desgostoso. Ao ver o tio afundar lentamente na cama, decidiu que nunca se permitiria morrer daquele jeito.

O rosto do homem era resignado demais.

Muito amarelo e tranquilo, apesar da arquitetura violenta de seu crânio — do queixo interminável, que se estendia por milhas, das maçãs do rosto protuberantes e dos olhos encovados. Tão sereno, que deu no menino vontade de perguntar uma coisa.

Cadê a briga?, matutou.

Cadê a vontade de persistir?

É claro que aos treze anos ele era meio exagerado em seu rigor. Não tinha ficado cara a cara com uma coisa como *eu*. Ainda não.

Junto com os outros, ficou em volta da cama e viu o homem morrer — uma fusão sem riscos entre a vida e a morte. A luz na janela era cinza e laranja, da cor da pele do verão, e seu tio pareceu aliviado quando sua respiração desapareceu por completo.

— Quando a morte me pegar — jurou o menino —, vai sentir meu punho na cara.

Pessoalmente, gosto disso. Desse heroísmo idiota.

É.

Gosto muito disso.

Daquele momento em diante ele começou a lutar com mais regularidade. Um grupo de amigos e inimigos fanáticos juntava-se num terreninho baldio da rua

Steber e lutava ao cair da noite. Alemães arquetípicos, o judeu inusitado, os garotos da zona leste. Não tinha importância. Não havia nada como uma boa briga para livrar-se da energia adolescente. Até os inimigos ficavam a um centímetro da amizade.

Ele gostava dos círculos compactos e do desconhecido.
Da agridoçura da incerteza.
De ganhar ou perder.
Era uma sensação na barriga que se agitava até ele achar que não podia mais tolerá-la. O único remédio era dar um passo à frente e soltar murros. Max não era o tipo de menino dado a morrer pensando no assunto.

Sua briga favorita, agora que pensava nisso, fora a Luta Número 5, contra um garoto alto, durão e esguio, chamado Walter Kugler. Os dois tinham quinze anos. Walter vencera todos os quatro embates anteriores, mas, dessa vez, Max sentia uma coisa diferente. Havia nele um sangue novo — o sangue da vitória —, que tinha a capacidade de assustar e empolgar.

Como sempre, havia um círculo compacto ao redor deles. Havia o terreno sujo. Havia sorrisos, praticamente amarrados nos rostos dos espectadores. O dinheiro era segurado em dedos imundos, e os gritos e exclamações eram cheios de tamanha vitalidade, que não havia nada melhor do que aquilo.

Nossa, era tanta alegria e medo ali, tanta comoção brilhante!

Os dois contendores agarraram-se com a intensidade do momento, os rostos carregados de expressão, exagerada pela tensão da coisa. Aquela concentração de olhos arregalados.

Depois de mais ou menos um minuto testando um ao outro, começaram a se aproximar e a se arriscar mais. Afinal, era uma briga de rua, não uma luta de uma hora pelo título. Eles não tinham o dia inteiro.

— Anda, Max! — gritou um de seus amigos. Não houve respiração entre as palavras. — Anda, Máxi Táxi, agora você pegou ele, você pegou ele, judeuzinho, você pegou ele, pegou ele!

Miúdo, com mechas macias de cabelo, nariz quebrado e olhos alagadiços, Max era uma boa cabeça menor do que o adversário. Seu estilo de combate era sumamente desgracioso, todo recurvado, avançando aos bocadinhos, desferindo socos rápidos no rosto de Kugler. O outro menino, claramente mais forte e mais habilidoso, mantinha-se erecto, lançando jabes que desciam constantemente sobre as faces e o queixo de Max.

Max continuou a avançar.

Mesmo com a absorção pesada dos murros e do castigo, continuou a avançar. O sangue descoloria seus lábios. Não tardaria a secar em seus dentes.

Houve um grande rugido quando ele foi derrubado. O dinheiro quase trocou de mãos.

Max levantou-se.

Foi derrubado mais uma vez, antes de mudar de tática, atraindo Walter Kugler para um pouco mais perto do que ele queria chegar. Quando Walter ficou nessa posição, Max pôde desferir um jabe curto e contundente em seu rosto. Pegou. Exatamente no nariz.

Subitamente cego, Kugler recuou, e Max aproveitou a chance. Seguiu-o pela direita, deu-lhe outro jabe e abriu sua guarda com um soco que o atingiu nas costelas. A direita que acabou com ele aterrissou em seu queixo. Walter Kugler ficou no chão, com o cabelo louro salpicado de terra. As pernas afastaram-se num V. Lágrimas parecidas com cristal escorriam por sua pele, apesar de ele não estar chorando. As lágrimas tinham-lhe sido arrancadas a socos.

O círculo fez a contagem.
Sempre contava, pelo sim, pelo não. Vozes e números.
O costume, depois de uma luta, era o perdedor levantar a mão do vencedor. Quando Kugler finalmente se pôs de pé, dirigiu-se emburrado a Max Vandenburg e ergueu seu braço no ar.
— Obrigado — disse Max.
Kugler deu um aviso:
— Da próxima vez, eu mato você.

Ao todo, nos anos seguintes, Max Vandenburg e Walter Kugler lutaram treze vezes. Walter estava sempre procurando vingar-se daquela primeira vitória que Max lhe arrancara, e Max procurava reproduzir seu momento de glória. No fim, o escore ficou em 10 x 3 para Walter.

Os dois se enfrentaram até 1933, quando chegaram aos dezessete anos. O respeito relutante transformou-se numa amizade sincera, e a ânsia de lutar os abandonou. Os dois se empregaram na Fábrica de Máquinas Jedermann até Max ser despedido, junto com o resto dos judeus, em 1935. Isso foi pouco depois de entrarem em vigor as Leis de Nuremberg, que proibiram os judeus de ter a cidadania alemã e proibiram o casamento entre alemães e judeus.

— Nossa! — exclamou Walter, uma noite, quando os dois se encontraram no terreninho de esquina em que costumavam lutar. — Bons tempos aqueles, não é? Não havia nada disso. — E deu um tapinha com o dorso da mão na estrela da manga de Max. — Nunca poderíamos lutar daquele jeito agora.

Max discordou:
— Poderíamos, sim. Não se pode casar com um judeu, mas não há nenhuma lei contra lutar com um.

Walter sorriu.
— Provavelmente, há uma lei que *recompensa* isso... desde que você vença.

Nos anos seguintes, os dois se viram esporadicamente, se tanto. Max, com o resto dos judeus, foi sistematicamente rejeitado e repetidamente humilhado, enquanto Walter desapareceu em seu emprego. Uma gráfica.

Se você é do tipo que se interessa, sim, houve algumas garotas naqueles anos. Uma chamada Tania, a outra, Hildi. Nenhuma das duas durou. Não havia tempo, muito provavelmente por causa da insegurança e da pressão crescente. Max tinha que batalhar por trabalho. Que poderia oferecer àquelas moças? Em 1938, era difícil imaginar que a vida pudesse tornar-se mais difícil.

E então veio o dia 9 de novembro. *Kristallnacht*. A noite das vidraças quebradas.

Foi justamente esse incidente que destruiu inúmeros de seus conterrâneos judeus, mas se revelou o momento de fuga de Max Vandenburg. Ele tinha vinte e dois anos.

Muitos estabelecimentos judaicos estavam sendo cirurgicamente destroçados e saqueados quando houve um bater de nós dos dedos na porta do apartamento. Com a tia, a mãe, os primos e os filhos destes, Max estava amontoado na sala de visitas.

— *Aufmachen!*

A família se entreolhou. Houve uma grande tentação de se dispersarem pelos outros cômodos, mas a apreensão é o que existe de mais esquisito. Ninguém conseguiu se mexer.

De novo:

— Abram!

Isaac levantou-se e foi até a porta. A madeira estava viva, ainda ressoando com as pancadas que acabara de receber. Ele se virou, olhou para os rostos carregados de medo, girou a chave e abriu a porta.

Como se esperava, era um nazista. De uniforme.

— Nunca.

Foi a primeira resposta de Max.

Agarrou-se à mão da mãe e à de Sarah, a mais próxima das primas.

— Não vou embora. Se não pudermos ir todos, também não irei.

Estava mentindo.

Ao ser empurrado pelo resto da família, o alívio debatia-se dentro dele como uma obscenidade. Era algo que ele não queria sentir, mas, ainda assim, sentia-o com tanta intensidade que tinha vontade de vomitar. Como poderia? Como poderia?

Mas pôde.

— Não traga nada — disse-lhe Walter. — Só a roupa do corpo. Eu lhe dou o resto.

— Max. — Era a mãe chamando.

De uma gaveta, ela tirou um antigo pedaço de papel e o enfiou no bolso do paletó do filho.

— Se um dia... — E o segurou pela última vez, pelos cotovelos. — Essa pode ser sua última esperança.

Max olhou para o rosto envelhecido da mãe e a beijou, com muita força, nos lábios.

— Vamos — puxou-o Walter, enquanto o resto da família se despedia e lhe dava dinheiro e alguns bens de valor. — Está um caos lá fora, e é do caos que nós precisamos.

• • •

Saíram sem olhar para trás.

Aquilo o torturou.

Se ao menos tivesse olhado para trás, para ver sua família pela última vez, ao sair do apartamento. Talvez, então, a culpa não fosse tão pesada. Nem um último adeus.

Nenhum reter final dos olhos.

Nada senão a partida.

Nos dois anos seguintes, Max permaneceu escondido, num depósito vazio. Ficava num prédio em que Walter havia trabalhado anos antes. A comida era pouquíssima. Havia muita desconfiança. Os judeus endinheirados que restavam no bairro estavam emigrando. Os judeus sem dinheiro também tentavam fazê-lo, mas sem grande sucesso. A família de Max incluía-se nesta última categoria. Walter ia vê-los ocasionalmente, da maneira mais inconspícua possível. Uma tarde, quando foi visitá-los, outra pessoa abriu a porta.

Quando Max ouviu a notícia, foi como se seu corpo se enroscasse numa bola, feito uma página cheia de erros. Feito lixo.

No entanto, dia após dia, ele conseguia se desamassar e se esticar, enojado e agradecido. Arrasado, mas, de algum modo, não desfeito em pedaços.

Em meados de 1939, pouco mais de seis meses depois de iniciado seu período de escondimento, os dois resolveram que era preciso adotar outro curso de ação. Examinaram o pedaço de papel que Max havia recebido ao desertar. Isso mesmo — desertar, não apenas fugir. Era assim que ele via a coisa, em meio ao caráter grotesco de seu alívio. Já sabemos o que estava escrito no pedaço de papel:

· UM NOME, UM ENDEREÇO ·
Hans Hubermann
Rua Himmel, 33, Molching

— A coisa está piorando — disse Walter a Max. — Agora, eles podem nos descobrir a qualquer momento — completou. Havia muitos gestos encurvados na escuridão. — Não sabemos o que pode acontecer. Posso ser apanhado. Talvez você precise encontrar aquele lugar... Tenho medo demais para pedir ajuda a alguém daqui. Pode ser que me prendam — comentou Walter. Só havia uma solução. — Vou até lá procurar esse homem. Se ele tiver virado nazista, o que é muito provável, dou meia-volta e pronto. Pelo menos ficaremos sabendo, *richtig*?

Max deu-lhe até seu último fênigue para a viagem e, dias depois, quando Walter regressou, os dois se abraçaram e ele prendeu o fôlego:

— E então?

Walter fez um aceno de cabeça.

— O cara é bom. Ainda toca aquele acordeão de que sua mãe lhe falou, o do seu pai. Não é filiado ao partido. Ele me deu dinheiro.

Nessa etapa, Hans Hubermann era apenas um registro.

— Ele é bem pobre, é casado, e há uma criança.

Isso despertou ainda mais a atenção de Max.

— De quantos anos?

— Dez. Não se pode ter tudo.

— Sim. As crianças são boquirrotas.

— Já temos sorte do jeito que está.

Sentaram-se em silêncio por um tempo. Foi Max quem o quebrou.

— Ele já deve me odiar, hein?

— Acho que não. Ele me deu o dinheiro, não foi? Disse que promessa é dívida.

Uma semana depois, chegou uma carta. Hans informou a Walter Kugler que tentaria mandar coisas para ajudar, sempre que possível. Havia um mapa composto de uma página, mostrando Molching e a Grande Munique, além de uma rota direta de Pasing (a estação de trem mais confiável) até sua porta. Na carta, suas últimas palavras foram óbvias.

Tome cuidado.

Em meados de maio de 1940 chegou *Mein Kampf*, com uma chave presa com fita adesiva à parte interna da capa.

O homem é um gênio, decidiu Max, mas ainda houve um calafrio quando pensou na viagem para Munique. Claramente, junto com as outras partes implicadas, desejava que ela não tivesse que ser feita.

Nem sempre se consegue o que se deseja.

Especialmente na Alemanha nazista.

De novo, o tempo passou.

A guerra expandiu-se.

Max continuou escondido do mundo, em mais um cômodo vazio.

Até o inevitável.

Walter foi informado de que seria enviado à Polônia, para dar continuidade à afirmação da autoridade nazista, tanto sobre os poloneses quanto sobre os judeus. Um não era muito melhor do que outro. Era chegado o momento.

Max seguiu para Munique e Molching, e agora estava sentado na cozinha de um estranho, pedindo a ajuda por que ansiava e sofrendo a condenação que sentia merecer.

Hans Hubermann apertou-lhe a mão e se apresentou.

Fez café para ele no escuro.

Fazia algum tempo que a menina se fora, mas outros passos aproximaram-se da chegada. O curinga.

Na escuridão, os três estavam completamente isolados. Todos olhavam fixo. Só a mulher falou.

A IRA DE ROSA

Liesel tornara a mergulhar no sono quando a voz inconfundível de Rosa Hubermann entrou na cozinha. Acordou-a num susto.

— *Was ist los?*

Nessa hora, ela foi vencida pela curiosidade, ao imaginar uma descompostura proferida pela ira de Rosa. Houve um movimento claro e um arrastar de cadeiras.

Após dez minutos de excruciante disciplina, Liesel esgueirou-se até o corredor, e o que viu deixou-a francamente admirada, porque Rosa Hubermann estava junto ao ombro de Max Vandenburg, vendo-o engolir sua famigerada sopa de ervilha.

Mamãe tinha um ar grave.

Seu corpo gorducho luzia de preocupação.

Mas, de algum modo, havia também um ar de triunfo em seu rosto, e não era o triunfo por ter salvado outro ser humano da perseguição. Era algo mais nos moldes de "Viu só? Pelo menos, ele não está reclamando". Ela olhava da sopa para o judeu para a sopa.

Quando tornou a falar, perguntou apenas se ele queria mais.

Max declinou, preferindo, em vez disso, correr para a pia e vomitar. Com as costas convulsas e os braços bem afastados. Seus dedos agarravam o metal.

— Jesus, Maria, José! — resmungou Rosa. — Mais um.

Virando-se para ela, Max pediu desculpas. Suas palavras eram escorregadias e miúdas, subjugadas pela acidez.

— Sinto muito. Acho que comi demais. Meu estômago, sabe, faz tanto tempo que... Acho que não consigo segurar tanta...

— Saia — ordenou-lhe Rosa. E começou a limpar.

Quando terminou, ela deparou com o rapaz à mesa da cozinha, profundamente taciturno. Hans sentava-se em frente a ele, com as mãos recurvadas sobre a lâmina de madeira.

Do corredor, Liesel viu o rosto contraído do estranho e, atrás dele, a expressão inquieta que se rabiscava confusamente na mãe.

Olhou para seus pais de criação.

Quem era aquela gente?

Uma preleção para Liesel

Exatamente que tipo de gente eram Hans e Rosa Hubermann não era o problema mais simples de resolver. Gente boa? Gente ridiculamente ignorante? Gente de sanidade questionável?

O mais fácil de definir era o apuro em que estavam.

· A SITUAÇÃO DE HANS E ·
ROSA HUBERMANN
Aflitiva como o quê.
Na verdade, assustadoramente *aflitiva.*

Quando um judeu aparece no seu local de residência nas primeiras horas da madrugada, bem na pátria do nazismo, é provável que você experimente níveis extremos de incômodo. Angústia, incredulidade, paranoia. Cada uma desempenha seu papel, e cada uma leva à suspeita furtiva de que uma consequência não propriamente paradisíaca lhe está reservada no futuro. O medo reluz. Implacável, nos olhos.

O surpreendente a assinalar é que, apesar desse medo iridescente, brilhando como brilhava na escuridão, de algum modo eles resistiram à ânsia da histeria.

A mãe mandou Liesel embora.

— *Bett, Saumensch.*

A voz foi calma, porém firme. Sumamente incomum.

O pai entrou, minutos depois, e tirou as cobertas da cama vazia.

— *Alles gut*, Liesel? Tudo bem?

— Sim, papai.

— Como você pode ver, temos visita.

Ela mal conseguia discernir a silhueta de Hans Hubermann no escuro.
— Ele dormirá aqui esta noite.
— Sim, papai.
Minutos depois, Max Vandenburg estava no quarto, silencioso e opaco. O homem não respirava. Não se mexia. Mas, de algum modo, deslocou-se da porta para a cama e ficou embaixo das cobertas.
— Tudo bem?
Era o pai outra vez, agora falando com Max.
A resposta saiu flutuando de sua boca e se moldou no teto feito mancha, tamanha era sua sensação de vergonha.
— Sim. Obrigado.
Disse-o de novo, quando papai assumiu sua posição costumeira na poltrona ao lado da cama de Liesel:
— Obrigado.
Passou-se mais uma hora antes de Liesel adormecer.
Dormiu pesado, por muito tempo.

A mão a despertou pouco depois das oito e meia da manhã seguinte.
A voz na ponta da mão informou-lhe que ela não iria à escola nesse dia. Ao que parece, estava doente.
Quando despertou por completo, a menina observou o estranho na cama em frente. O cobertor mostrava só um ninho de cabelo meio inclinado no alto, e não havia nenhum som, como se ele tivesse treinado até mesmo para dormir mais silenciosamente. Com enorme cuidado, Liesel passou ao longo do corpo do homem, acompanhando o pai em direção ao corredor.
Pela primeira vez na vida a cozinha e a mãe dormiam. Era uma espécie de silêncio inaugural perplexo. Para alívio de Liesel, só durou alguns minutos.

Vieram a comida e o som da mastigação.
A mãe anunciou a prioridade do dia. Sentou-se à mesa e disse:
— Agora escute, Liesel. Hoje o papai vai lhe dizer uma coisa.
Aquilo era sério — ela nem sequer dissera *Saumensch*. Era uma façanha pessoal de abstinência.
— Ele vai falar com você e você tem que ouvir. Está claro?
A menina continuava a engolir em seco.
— Está claro, *Saumensch*?
Desse jeito era melhor.
Liesel fez que sim com a cabeça.

Quando entrou novamente no quarto para buscar a roupa, o corpo na cama em frente tinha se virado e enroscado. Já não era uma tora comprida, mas uma espécie de Z, que se estendia em diagonal de um canto ao outro. Ziguezagueando a cama.

Nessa hora ela pôde ver-lhe o rosto, sob a luz cansada. A boca estava aberta e a pele era cor de casca de ovo. Havia pelos cobrindo os maxilares e o queixo, e as orelhas eram duras e achatadas. Ele tinha o nariz pequeno, mas meio torto.

— Liesel!

Ela se virou.

— Ande logo!

Andou, em direção ao banheiro.

Depois de trocar a roupa e chegar ao corredor, ela percebeu que não iria longe. O pai estava parado em frente à porta do porão. Deu um sorriso muito leve, acendeu a lâmpada e a conduziu para baixo.

Em meio às pilhas de mantas para proteger dos respingos e do cheiro de tinta, o pai lhe disse que se pusesse à vontade. Acenderam-se nas paredes as palavras pintadas, aprendidas no passado.

— Preciso lhe dizer umas coisas.

Liesel sentou-se no topo de uma pilha de mantas de um metro de altura, e o pai, numa lata de tinta de quinze litros. Por alguns minutos, ele procurou as palavras. Quando as encontrou, levantou-se para entregá-las. Esfregou os olhos.

— Liesel — disse, baixinho —, nunca tive muita certeza de que isso viesse a acontecer, de modo que nunca lhe contei. Sobre mim. Sobre o homem que está lá em cima.

Andou de uma ponta à outra do porão, com a luz da lâmpada ampliando sua sombra. Ela o transformava num gigante na parede, andando para lá e para cá.

Quando Hans parou de andar, a sombra ficou pairando às suas costas, observando. Havia sempre alguém observando.

— Sabe o meu acordeão? — perguntou o pai, e ali começou a história.

Hans explicou a Primeira Guerra Mundial e Erik Vandenburg, e depois a visita à viúva do soldado caído.

— O menino que entrou na sala naquele dia é o homem que está lá em cima. *Verstehst?* Entendeu?

A roubadora de livros ficou sentada, ouvindo a história de Hans Hubermann. Durou uma boa hora, até o momento da verdade, que implicou uma preleção muito óbvia e necessária.

— Liesel, você precisa escutar.

O pai a fez ficar de pé e lhe segurou a mão.

Estavam de frente para a parede.

Sombras escuras e o exercício das palavras.

Com firmeza, ele segurou seus dedos.

— Lembra-se do aniversário do *Führer*, quando voltamos para casa naquela noite, depois da fogueira? Lembra-se do que você me prometeu?

A menina fez que sim. Fitando a parede, disse:

— Que eu guardaria um segredo.

— Isso mesmo.

Entre as sombras de mãos dadas, as palavras pintadas se espalhavam, empoleiradas em seus ombros, apoiadas em suas cabeças e penduradas em seus braços.

— Liesel, se você falar com alguém sobre o homem que está lá em cima, estaremos todos muito encrencados.

Hans percorreu a linha delicada entre apavorá-la a ponto de deixá-la insensível e relaxá-la o bastante para deixá-la calma. Servia-lhe as frases e observava, com seus olhos metálicos. Desespero e placidez.

— No mínimo, mamãe e eu seremos levados embora.

Ele tinha a clara preocupação de estar prestes a assustá-la em demasia, mas calculou o risco, preferindo errar pelo excesso de medo que pelo medo insuficiente. A obediência da menina tinha que ser uma realidade absoluta, imutável.

Já no final, Hans Hubermann olhou para Liesel Meminger e se certificou de que ela estava concentrada.

Deu-lhe uma lista de consequências.

— Se você falar com alguém sobre esse homem...

Com a professora.

Com Rudy.

Não importava com quem.

O importante era que todos seriam passíveis de castigo.

— Para começar, pegarei cada um dos seus livros, todos eles, e porei fogo — disse o pai. Impassível. — Vou jogá-los no fogão ou na lareira — continuou. Certamente, agia como um tirano, mas era necessário. — Entendeu?

O susto cavou um buraco em Liesel, muito nítido, muito preciso.

Os olhos encheram-se de lágrimas.

— Sim, papai.

— Próxima. — Ele tinha que se manter duro, e precisou se esforçar para isso. — Tirarão você de mim. Você quer isso?

Agora Liesel chorava, aflita.

— *Nein*.

— Ótimo. — E aumentou o aperto nas mãos da menina. — Eles levarão aquele homem para longe daqui, e talvez mamãe e eu também, e nunca mais, nunca mais voltaremos.

E foi quanto bastou.

A menina começou a soluçar de um modo tão incontrolável, que o pai morreu de vontade de puxá-la para si e abraçá-la apertado. Não o fez. Em vez disso, agachou-se e a fitou diretamente nos olhos. Soltou suas palavras mais mansas até então:

— *Verstehst du mich?* Está me entendendo?

A menina fez que sim. Chorou, e nessa hora, derrotado, abatido, o pai a abraçou em meio ao ar de tinta e à luz de querosene.

— Eu entendo, papai, entendo.

Sua voz foi abafada contra o corpo do pai, e os dois ficaram assim por alguns minutos, Liesel com a respiração achatada e o pai a lhe afagar as costas.

Lá em cima, ao voltarem, encontraram a mãe sentada na cozinha, só e pensativa. Ao vê-los, ela se levantou e fez sinal para que Liesel se aproximasse, notando as lágrimas secas que lhe riscavam o rosto. Puxou a menina para si e lhe plantou um abraço tipicamente rude em torno do corpo.

— *Alles gut, Saumensch?*

Não precisou de resposta.

Estava tudo bem.

Mas também era terrível.

O DORMINHOCO

Max Vandenburg dormiu três dias.

Em alguns trechos desse sono, Liesel o observou. Pode-se dizer que, no terceiro dia, tornou-se uma obsessão examiná-lo, ver se ele ainda respirava. Agora a menina já sabia interpretar seus sinais de vida, desde o movimento dos lábios até a barba crescida e os tufos de cabelo que se mexiam muito de leve, quando a cabeça estremecia no estado onírico.

Muitas vezes, quando o velava, vinha-lhe a ideia mortificante de que ele teria acabado de acordar e abriria os olhos para ela — e então a espiaria espiando. A ideia de ser flagrada a atormentava e entusiasmava ao mesmo tempo. Liesel a temia. E a convidava. Só quando a mãe a chamava é que conseguia arrastar-se dali, simultaneamente calma e decepcionada, por talvez não estar presente quando ele acordasse.

Em alguns momentos, quase no fim da maratona de sono, ele falou.

Foi um recital de nomes murmurados. Uma lista de verificação.

Isaac. Tia Ruth. Sarah. Mamãe. Walter. Hitler.

Família, amigo, inimigo.

Estavam todos embaixo das cobertas com ele, e a certa altura Max pareceu lutar consigo mesmo. "*Nein*", murmurou. Aquilo foi repetido sete vezes. "Não."

Liesel, no ato de observar, já notava as semelhanças entre esse estranho e ela. Ambos haviam chegado em estado de agitação à rua Himmel. Ambos tinham pesadelos.

Quando chegou a hora, ele acordou com o alvoroço incômodo da desorientação. Sua boca abriu-se, um instante depois dos olhos, e ele se sentou, em ângulo reto.
— Ai!
Um fio de voz escapou-lhe da boca.

Quando viu o rosto invertido de uma menina acima dele, houve o momento inquieto da falta de familiaridade e o esforço de recordar — de decodificar exatamente onde e quando ele estava sentado. Após alguns segundos, Max conseguiu coçar a cabeça (um farfalhar de gravetos) e olhou para Liesel. Seus gestos eram fragmentados, e agora que estavam abertos, os olhos eram úmidos e castanhos. Densos e pesados.

Num ato reflexo, Liesel recuou.

Foi lenta demais.

O estranho estendeu a mão quente da cama e a segurou pelo braço.
— Por favor.

A voz também a segurou, como se tivesse unhas. Ele a enfiou em sua carne.
— Papai! — Alto.
— Por favor! — Baixinho.

Era um fim de tarde cinzento e reluzente, mas só uma luz de cor suja tinha permissão de entrar no quarto. Era tudo que o tecido das cortinas permitia. Se você for otimista, pense nela como bronze.

Quando o pai entrou, parou primeiro no vão da porta e notou os dedos apertados de Max Vandenburg e seu rosto desesperado. Os dois se agarravam ao braço de Liesel.
— Vejo que vocês já se conheceram — disse.

Os dedos de Max começaram a esfriar.

A TROCA DE PESADELOS

Max Vandenburg prometeu que nunca mais dormiria no quarto de Liesel. Que é que estava pensando naquela primeira noite? A simples ideia o mortificou.

Racionalizou que, na chegada, sua perplexidade fora tanta, que ele havia permitido uma coisa dessas. O porão era o único lugar apropriado para ele, no que lhe dizia respeito. Nem pensar em frio e solidão. Ele era judeu, e se havia um lugar em que estava destinado a existir, tratava-se de um porão, ou qualquer outro desses lugares ocultos de sobrevivência.

— Sinto muito — confessou a Hans e Rosa na escada do porão. — De agora em diante, ficarei aqui embaixo. Vocês não me escutarão. Não farei o menor som.

Hans e Rosa, imbuídos do desespero da situação, não argumentaram, nem mesmo em relação ao frio. Carregaram cobertores para baixo e encheram a lamparina de querosene. Rosa admitiu que não poderia haver muita comida, ao que Max lhe pediu fervorosamente que só lhe levasse sobras, mesmo assim só quando ninguém mais as quisesse.

— *Na, na* — assegurou-lhe Rosa. — Você será alimentado da melhor maneira que eu puder.

Também levaram para baixo o colchão da cama sobressalente do quarto de Liesel, substituindo-o por mantas de proteção contra respingos de tinta — uma excelente troca.

No porão, Hans e Max puseram o colchão embaixo da escada e construíram do lado uma parede de mantas de proteção. As mantas eram tão altas, que cobriam toda a entrada triangular, e que mais não fosse, eram fáceis de mover, se Max tivesse uma necessidade aflitiva de mais ar.

O pai se desculpou.

— É mesmo lamentável, eu reconheço.

— É melhor do que nada — assegurou-lhe Max. — Melhor do que eu mereço, obrigado.

Com algumas latas de tinta bem-posicionadas, Hans teve de admitir que aquilo parecia simplesmente uma coleção de tralhas reunidas num canto, de qualquer jeito, para ficar fora do caminho. O único problema era que bastaria uma pessoa afastar algumas latas e tirar uma ou duas mantas para farejar o judeu.

— Esperemos que seja suficiente — disse Hans.

— Tem que ser — respondeu Max, rastejando para dentro. E, mais uma vez, repetiu: — Obrigado.

Obrigado.

Para Max Vandenburg, essa era a palavra mais lastimável que ele podia dizer, só encontrando rival em *Desculpe.* Havia uma ânsia constante de proferir as duas, instigada pela aflição da culpa.

Quantas vezes, nessas primeiras horas desperto, ele sentiu vontade de sair do porão e se retirar completamente da casa? Devem ter sido centenas.

A cada vez, porém, era só uma ferroada.

O que tornava a coisa ainda pior.

Ele queria sair — santo Deus, como queria (ou, pelo menos, *queria* querer)! —, mas sabia que não o faria. Era exatamente como no dia em que deixara a família em Stuttgart, sob um véu de falsa lealdade.

Viver.

Viver era ficar vivo.

O preço era a culpa, aliada à vergonha.

Nos primeiros dias no porão, Liesel não quis nada com ele. Negou sua existência. Seu cabelo farfalhante, seus dedos frios e escorregadios.

Sua presença torturada.

Mamãe e papai.

Havia um enorme peso entre os dois, e uma porção de decisões fracassadas.

Eles consideraram se poderiam mudá-lo de lugar.

— Mas para onde?

Sem resposta.

Nessa situação, estavam sem amigos e paralisados. Não havia outro lugar para onde Max Vandenburg pudesse ir. Eram eles. Hans e Rosa Hubermann. Liesel nunca os vira olharem tanto um para o outro, nem com tanta solenidade.

Eram eles que levavam a comida lá embaixo, e separaram uma lata vazia de tinta para os excrementos de Max. O conteúdo seria despejado por Hans, com toda a prudência possível. Rosa também lhe levou uns baldes de água quente para se lavar. O judeu estava imundo.

Do lado de fora, uma montanha do frio ar de novembro esperava à porta de entrada, toda vez que Liesel saía de casa.
A chuva fina caía às bateladas.
Havia folhas mortas derrubadas na rua.

Em pouco tempo chegou a vez de a roubadora de livros visitar o porão. Eles a obrigaram.
A menina desceu hesitantemente a escada, sabendo que não havia necessidade de palavras. O arrastar de seus pés era o bastante para despertá-lo.
No meio do porão, ela parou e esperou, sentindo-se mais como se estivesse no centro de um grande campo ensombrecido. O sol se punha atrás de uma safra de mantas de proteção colhidas.
Quando Max saiu, segurava o *Mein Kampf*. Na chegada, oferecera-o de volta a Hans Hubermann, mas ouvira que podia ficar com ele.
Naturalmente, enquanto segurava o jantar, Liesel não conseguia tirar os olhos do livro. Já o vira algumas vezes na BDM, mas ele não fora lido nem diretamente usado nas atividades das meninas. Houvera referências ocasionais a sua grandeza, além de promessas de que haveria uma oportunidade de estudá-lo em anos vindouros, à medida que elas avançassem para uma divisão mais velha da Juventude Hitlerista.
Max, seguindo a atenção de Liesel, também examinou o livro.
— É? — sussurrou a menina.
Havia um filamento curioso em sua voz, aplainado e enroscado em sua boca.
O judeu apenas aproximou um pouco mais a cabeça.
— *Bitte*? Como?
Liesel entregou-lhe a sopa de ervilha e voltou para cima, vermelha, apressada e boba.

— É bom esse livro?
Ficou praticando no banheiro o que queria dizer, diante do espelhinho. O cheiro de urina ainda a envolvia, visto que Max tinha acabado de usar a lata de tinta antes de ela descer. *So ein G'schtank*, pensara Liesel. Que fedor.
Nenhuma urina tem um cheiro tão bom quanto a nossa.

Os dias foram manquejando.
Toda noite, antes de cair no sono, Liesel ouvia a mãe e o pai na cozinha, discutindo o que fora feito, o que eles estavam fazendo e o que precisava acontecer a seguir.

O tempo todo, uma imagem de Max pairava junto dela. Eram sempre a expressão ferida e grata de seu rosto e os olhos alagadiços.

Só uma vez houve uma explosão na cozinha.

Papai.

— Eu sei!

Sua voz era abrasiva, mas ele a reconduziu às pressas a um sussurro abafado.

— Mas tenho que continuar a ir, pelo menos algumas vezes por semana. Não posso ficar aqui o tempo todo. Precisamos do dinheiro, e se eu parar de tocar lá, vão ficar desconfiados. Talvez se perguntem por que parei. Eu disse a eles que você estava doente, na semana passada, mas agora temos que fazer tudo como sempre fizemos.

Era aí que residia o problema.

A vida se alterara da maneira mais louca possível, porém era imperativo que eles agissem como se não tivesse acontecido absolutamente nada.

Imagine sorrir depois de levar um tapa na cara. Agora imagine fazê-lo vinte e quatro horas por dia.

Era essa a tarefa de esconder um judeu.

À medida que os dias se transformaram em semanas, passou a haver, que mais não fosse, uma aceitação sitiada do ocorrido — tudo resultante da guerra, de um cumpridor de promessas e de um acordeão. Além disso, no espaço de pouco mais de um semestre, os Hubermann tinham perdido um filho e ganhado um substituto de proporções epicamente perigosas.

O que mais chocava Liesel era a mudança em sua mamãe. Fosse na maneira calculada pela qual ela dividia a comida, fosse no considerável amordaçamento de sua boca famigerada, ou até na expressão mais delicada de seu rosto de papelão, uma coisa ia ficando clara.

· UM ATRIBUTO DE ROSA HUBERMANN ·
Ela era uma boa mulher nas horas de crise.

Mesmo quando a artrítica Helena Schmidt cancelou o serviço de lavagem e passagem de roupa, um mês depois de Max debutar na rua Himmel, ela simplesmente sentou-se à mesa e aproximou de si a tigela.

— Hoje a sopa está boa.

A sopa estava terrível.

Toda manhã, quando Liesel saía para a escola, ou nos dias em que se aventurava a jogar futebol, ou a completar o que restava da ronda da roupa lavada, Rosa lhe falava baixinho.

— E lembre-se, Liesel... — apontando para a boca, mais nada. Quando a menina acenava que sim, Rosa dizia: — Você é uma boa menina, *Saumensch*. Agora vá andando.

Fiel às palavras do pai, e até às da mãe, nesse momento ela era uma boa menina. Ficava de boca fechada em todos os lugares aonde ia. O segredo estava profundamente enterrado.

Liesel andava pela cidade com Rudy, como sempre fizera, e ouvia sua tagarelice. Vez por outra, eles comparavam observações sobre suas respectivas divisões da Juventude Hitlerista, e Rudy mencionou pela primeira vez um jovem líder sádico, chamado Franz Deutscher. Quando não falava do jeito entusiástico de Deutscher, Rudy tocava seu disco quebrado de praxe, oferecendo interpretações e recriações do último gol que havia marcado no estádio de futebol da rua Himmel.

— Eu *sei* — assegurava Liesel. — Eu estava *lá*.

— E daí?

— Daí que eu vi, *Saukerl*.

— Como é que eu vou saber? Ao que eu saiba, provavelmente você estava em algum lugar do chão, lambendo a lama que deixei pra trás quando fiz o gol.

Talvez fosse Rudy quem a mantinha sã, com a idiotice de sua falação, seu cabelo encharcado no limão e sua presunção insolente.

Ele parecia reverberar uma espécie de confiança em que a vida continuava a não passar de uma piada — uma sucessão interminável de gols e trapaças, e um repertório constante de tagarelice sem sentido.

E havia também a mulher do prefeito, e a leitura na biblioteca de seu marido. Agora fazia frio lá, mais frio a cada visita, mas Liesel continuava incapaz de se afastar. Escolhia um punhado de livros e lia pequenos trechos de cada um, até que, uma tarde, encontrou um que não conseguiu pôr de lado. Chamava-se *O Assobiador*. Originalmente, sentira-se atraída por ele por ver esporadicamente o assobiador da rua Himmel — Pfiffikus. Havia a lembrança dele, recurvado com seu casacão, e seu aparecimento na fogueira no aniversário de Hitler.

O primeiro acontecimento do livro era um assassinato. Um esfaqueamento. Uma rua de Viena. Não muito longe do Stephansdom — a catedral da praça principal.

· UM PEQUENO EXCERTO DE ·
O ASSOBIADOR
Ela ficou lá, assustada, numa poça de sangue,
com uma estranha melodia a lhe soar no ouvido.
Relembrou a faca, entrando e saindo, e um sorriso.
Como sempre, o assobiador sorrira,
ao fugir para a noite escura e homicida...

Liesel não soube ao certo se tinham sido as palavras ou a janela aberta que a fizeram tremer. Toda vez que buscava ou entregava roupa na casa do prefeito, ela lia três páginas e estremecia, mas não podia ficar lá para sempre.

Similarmente, Max Vandenburg não poderia suportar muito mais o porão. Não se queixava — não tinha esse direito —, mas, aos poucos, sentiu que deteriorava no frio. Como se veio a constatar, sua salvação deveu-se a um pouco de leitura e redação, e a um livro chamado *O Dar de Ombros*.

— Liesel — disse Hans, uma noite. — Venha.
Desde a chegada de Max tinha havido um hiato considerável nos exercícios de leitura de Liesel e seu papai. Claramente, ele achou que esse era um bom momento para recomeçar.
— *Na, komm* — disse-lhe. — Não quero que você relaxe. Vá buscar um de seus livros. Que tal *O Dar de Ombros*?
O fator inquietante nisso tudo foi que, quando ela voltou, com o livro na mão, o pai fez sinal para que o acompanhasse à antiga sala de exercícios dos dois. O porão.
— Mas, papai — tentou dizer Liesel. — A gente não pode...
— O que é? Há algum monstro lá embaixo?
Era começo de dezembro e o dia tinha sido gelado. O porão tornava-se mais inóspito a cada degrau de concreto.
— Está muito frio, papai.
— Isso nunca a incomodou antes.
— É, mas nunca ficou frio *assim*...
Quando os dois chegaram lá embaixo, o pai sussurrou para Max:
— Podemos pegar emprestada a lamparina, por favor?
Com apreensão, as mantas e latas foram afastadas e a luz foi entregue, trocando de mãos. Olhando para a chama, Hans balançou a cabeça e acompanhou o gesto com algumas palavras.
— *Es ist ja Wahnsinn, net?* Isto é maluquice, não?
Antes que a mão do lado de dentro reposicionasse as mantas, Hans a pegou.
— Venha você também. Por favor, Max.
Aos poucos, as mantas foram arrastadas para um lado e o corpo e o rosto emaciados de Max Vandenburg apareceram. À luz úmida, ele ficou imóvel, com um incômodo mágico. Estremeceu.
Hans tocou-lhe o braço, para fazê-lo aproximar-se mais.
— Jesus, Maria e José! Você não pode ficar aqui embaixo. Vai morrer congelado.
Voltou-se para a menina:
— Liesel, encha a banheira. Não muito quente. Deixe assim como quando a água começa a esfriar.
Liesel subiu correndo.
— Jesus, Maria e José.
Foi o que ela tornou a ouvir, ao chegar ao corredor.

Enquanto Max estava na banheira mínima, Liesel ficou escutando à porta do banheiro, imaginando a água morna a se transformar em vapor, ao aquecer o corpo

de *iceberg* do rapaz. Mamãe e papai estavam no auge do debate no cômodo que combinava o quarto e a sala, com suas vozes baixas aprisionadas entre as paredes do corredor.
— Ele vai morrer lá embaixo, eu juro.
— Mas e se alguém olhar cá para dentro?
— Não, não, ele sobe só à noite. De dia, deixamos tudo aberto. Nada a esconder. E usamos este cômodo, em vez da cozinha. É melhor ficar longe da porta de entrada.
Silêncio.
Depois, a mãe:
— Está bem... É, você tem razão.
— Se vamos apostar num judeu — disse o pai, logo depois —, prefiro apostar num judeu vivo.
E desse momento em diante nasceu uma nova rotina.

Toda noite, acendia-se a lareira no quarto de mamãe e papai, e Max aparecia silenciosamente. Sentava-se num canto, encolhido e perplexo, muito provavelmente com a bondade daquelas pessoas, a tortura da sobrevivência e, superando aquilo tudo, o brilho do calor.
Com as cortinas bem cerradas, ele dormia no chão, com uma almofada sob a cabeça, enquanto o fogo ia apagando e se transformava em cinzas.
De manhã, voltava para o porão.
Um ser humano sem voz.
O rato judeu, de volta a sua toca.

O Natal veio e se foi, com o cheiro de um perigo a mais. Como se esperava, Hans Júnior não apareceu em casa (uma bênção e uma ominosa decepção), mas Trudy chegou como de hábito e, felizmente, as coisas correram com serenidade.

· AS QUALIDADES DA SERENIDADE ·
Max ficou no porão.
Trudy veio e se foi sem suspeitar de nada.

Resolveu-se que, apesar de sua índole gentil, não se podia confiar em Trudy.
— Só confiamos nas pessoas em quem temos de confiar — afirmou o pai —, e isso somos nós três.
Houve comida extra e um pedido de desculpas a Max por essa não ser sua religião, mas era um ritual, de qualquer modo.
Ele não se queixou.
Que base tinha para reclamar?
Explicou que era judeu por criação e pelo sangue, mas também que o judaísmo, agora, era mais do que nunca um rótulo — um exemplo desastroso do azar mais idiota que havia.

Foi nesse momento que também aproveitou o ensejo para dizer que lamentava que o filho dos Hubermann não tivesse ido para casa. Em resposta, Hans lhe disse que essas coisas fugiam ao controle deles.

— Afinal — comentou — você mesmo deve saber: um rapaz ainda é um menino, e os meninos, às vezes, têm o direito de ser teimosos.

Deixaram o assunto nesse pé.

Nas primeiras semanas em frente à lareira, Max ficou mudo. Agora que vinha tomando um banho adequado uma vez por semana, Liesel notou que seu cabelo já não era um ninho de gravetos, mas uma coletânea de plumas que se agitavam em volta de sua cabeça. Ainda tímida diante do estranho, ela cochichou com o pai:

— O cabelo dele parece de penas.

— Como? — fez o pai.

A lareira havia distorcido as palavras.

— Eu disse — voltou ela a cochichar, chegando mais perto — que o cabelo dele parece ser de penas...

Hans Hubermann olhou e fez um aceno de cabeça, concordando. Tenho certeza de que gostaria de ter os olhos da menina. Eles não perceberam que Max tinha ouvido tudo.

Ocasionalmente, o rapaz levava o exemplar de *Mein Kampf* e o lia junto às chamas, enfurecido com o conteúdo. Na terceira vez que o levou, Liesel enfim tomou coragem para fazer sua pergunta.

— Ele é... bom?

Max ergueu os olhos das páginas, fechou os punhos e tornou a abrir os dedos. Afastando a raiva, sorriu para a menina. Levantou a franja emplumada e deixou-a cair nos olhos.

— É o melhor livro que existe — disse. Olhou para Hans, depois novamente para Liesel. — Salvou minha vida.

A menina remexeu-se um pouco e cruzou as pernas. Baixinho, perguntou:

— Como?

Assim começou uma espécie de fase de contar histórias na sala, todas as noites. Eram narradas num tom que mal se fazia ouvir. Os pedaços de um quebra-cabeça judaico de lutas foram se montando diante de todos.

Vez por outra, havia humor na voz de Max Vandenburg, embora sua qualidade física lembrasse o atrito — como uma pedra delicadamente esfregada numa rocha grande. Era profunda em alguns pontos e arranhada em outros, às vezes se interrompendo por completo. Atingia sua gravidade máxima no arrependimento e se interrompia ao final de uma pilhéria ou de uma afirmação autodepreciativa.

"Cristo crucificado!", era essa a reação mais comum às histórias de Max Vandenburg, em geral seguida por uma pergunta.

• • •

· PERGUNTAS DO TIPO ·
Quanto tempo você ficou naquele quarto?
Onde está Walter Kugler agora?
Você sabe o que aconteceu com sua família?
Para onde estava viajando a roncadora?
Um escore de derrotas de 10 x 3!
Por que você quis continuar lutando com ele?

Quando Liesel rememorou os acontecimentos de sua vida, aquelas noites na sala foram algumas de suas lembranças mais vívidas. Ela reviu a luz ardente no rosto de casca de ovo de Max e chegou até a provar o sabor humano de suas palavras. O curso da sobrevivência do rapaz foi relatado aos bocadinhos, como se ele recortasse de si cada pedaço e o oferecesse numa bandeja.

— Sou muito egoísta.
Ao dizê-lo, ele usou o braço para proteger o rosto.
— Deixar as pessoas para trás. Vir para cá. Pôr todos vocês em perigo...
Foi tudo saindo dele, e o rapaz começou a lhes fazer súplicas. O arrependimento e a desolação esbofeteavam-lhe o rosto.
— Eu lamento. Acreditam em mim? Eu sinto muito, sinto muito, sinto...
Seu braço encostou no fogo e ele o afastou num reflexo.
Todos o fitaram, em silêncio, até que o pai se levantou e se aproximou. Sentou-se ao lado de Max.
— Queimou o cotovelo?

Uma noite, Hans, Max e Liesel sentavam-se diante da lareira. A mãe estava na cozinha. Max lia *Mein Kampf* outra vez.
— Sabe de uma coisa? — disse Hans. Inclinou-se para o fogo. — A Liesel aqui é mesmo uma boa leitorinha. — Ao que Max baixou o livro. — E tem mais coisas em comum com você do que se poderia supor. E — certificou-se de que Rosa não estava chegando — ela também gosta de uma boa briga.
— Papai!
Liesel, quase chegando aos doze anos e ainda magra feito um ancinho, encostada na parede, sentiu-se arrasada.
— Nunca entrei numa briga!
— Psssiu! — riu o pai. Fez sinal para que ela falasse baixo e tornou a se inclinar, dessa vez em direção à menina. — Bem, que tal a surra que você deu no Ludwig Schmeikl, hein?
— Eu nunca... — Mas ela fora apanhada. Continuar negando seria inútil. — Como foi que você descobriu isso?

— Estive com o pai dele no Knoller.

Liesel cobriu o rosto com as mãos. Quando o descobriu, foi para fazer a pergunta crucial:

— Contou à mamãe?

— Está brincando? — fez Hans. Piscou para Max e segredou para a menina: — Você ainda está viva, não é?

Aquela noite também foi a primeira vez em meses que o pai tocou seu acordeão em casa. Durou mais ou menos meia hora, até ele fazer uma pergunta a Max:

— Você o estudou?

O rosto no canto observava as chamas.

— Estudei. — E fez uma pausa considerável. — Até os nove anos. Nessa idade, mamãe vendeu o estúdio de música e parou de lecionar. Só guardou um instrumento, mas desistiu de mim, não muito depois de eu resistir a estudar. Foi uma bobagem.

— Não — disse Hans. — Você era menino.

Durante as madrugadas, Liesel Meminger e Max Vandenburg lidavam com sua outra semelhança. Em cômodos separados, tinham seus pesadelos e acordavam, uma com um grito em meio a lençóis sufocantes, outro com a respiração ofegante junto a uma lareira fumarenta.

Às vezes, quando Liesel lia com o pai, perto das três horas da manhã, os dois ouviam o momento de despertar de Max. "Ele sonha como você", dizia o pai, e numa ocasião, agitada com o som da angústia de Max, Liesel resolveu sair da cama. Por ter ouvido a história dele, a menina fazia uma boa ideia do que o rapaz via naqueles sonhos, se não a parte exata da história que o visitava a cada noite.

Andou em silêncio pelo corredor e entrou na sala-e-quarto.

— Max?

O murmúrio foi baixinho, envolto pela garganta do sono.

No começo, não houve som de resposta, mas ele logo se sentou e perscrutou a escuridão.

Com o pai ainda na cama, Liesel sentou-se do outro lado da lareira, em frente a Max. Atrás deles, Rosa dormia ruidosamente. Superava de longe a roncadora do trem.

Agora o fogo já não passava de um funeral de fumaça, a um tempo morto e agonizante. Nessa madrugada específica, também houve vozes.

· A TROCA DE PESADELOS ·
A menina: Diga, o que você vê quando sonha assim?
O judeu:... Eu me vejo virando as costas e dando adeus.
A menina: Também tenho pesadelos.
O judeu: O que você vê?
A menina: Um trem, e meu irmão morto.

O judeu: Seu irmão?
A menina: Ele morreu quando eu me mudei para cá, no caminho.
A menina e o judeu, juntos: Ja — sim.

Seria bom dizer que depois desse pequeno avanço nem Liesel nem Max voltaram a sonhar com suas visões ruins. Seria bom, mas falso. Os pesadelos continuaram a chegar como sempre, como faz o melhor jogador do time adversário, quando a gente ouve boatos de que estaria machucado ou doente — mas lá está ele, fazendo o aquecimento com todos os demais, pronto para entrar em campo. Ou como um trem de hora marcada que chega toda noite a uma plataforma, rebocando as lembranças numa corda. Muito arrastar. Muitos rebotes desajeitados.

A única coisa a mudar foi que Liesel disse ao pai que agora já devia ter idade suficiente para enfrentar os sonhos sozinha. Por um momento, ele pareceu meio magoado, mas, como sempre acontecia com o pai, fez o melhor possível para dizer a coisa certa.

— Bem, graças a Deus.— Com um meio sorriso. — Pelo menos agora posso dormir direito. Aquela cadeira estava me matando.

Pôs o braço nos ombros da menina e os dois foram para a cozinha.

Com o correr do tempo, desenvolveu-se uma clara distinção entre dois mundos — o mundo no interior do número 33 da rua Himmel e o que residia e girava em torno deste. O xis da questão era mantê-los separados.

No mundo externo, Liesel vinha aprendendo a descobrir mais algumas utilidades. Uma tarde, quando voltava para casa com um saco de roupas vazio, notou um jornal que ressaía de uma lata de lixo. A edição semanal do *Expresso de Molching*. Tirou-o da lata e o levou para casa, onde o deu de presente a Max.

— Achei que você gostaria de fazer as palavras cruzadas para passar o tempo — disse.

Max agradeceu o gesto, e para justificar o fato de Liesel o ter levado para casa, leu o jornal de ponta a ponta e, horas depois, mostrou-lhe as palavras cruzadas completas, faltando só uma palavra.

— Miserável esse dezessete vertical — disse.

Em fevereiro de 1941, em seu décimo segundo aniversário, Liesel ganhou outro livro usado, e ficou grata. Chamava-se *Os Homens de Lama*, e era sobre um pai e um filho muito estranhos. Ela abraçou a mãe e o pai, enquanto Max ficava constrangido num canto.

— *Alles gute zum Geburtstag* — sorriu ele, timidamente. "Tudo de bom no seu aniversário." Estava com as mãos nos bolsos. — Eu não sabia, senão teria dado alguma coisa a você.

Era uma mentira flagrante — Max não tinha nada para dar, exceto, talvez, o *Mein Kampf*, e de jeito nenhum daria aquela propaganda a uma menininha alemã. Seria como o cordeiro entregando uma faca ao açougueiro.

Houve um silêncio incômodo.
Ela havia abraçado mamãe e papai.
Max parecia muito sozinho.

Liesel engoliu em seco.

E foi até ele e o abraçou pela primeira vez.
— Obrigada, Max.
A princípio, ele apenas ficou parado, mas, enquanto ela o abraçava, aos poucos levantou as mãos e as pressionou delicadamente sobre as omoplatas da menina.
Só depois ela descobriria o sentido da expressão de desamparo no rosto de Max Vandenburg. Descobriria também que, naquele momento, ele havia decidido retribuir-lhe alguma coisa. Muitas vezes o imagino deitado, acordado durante aquela noite inteira, ponderando sobre o que poderia oferecer.
Como se constatou, o presente foi entregue em papel, pouco mais de uma semana depois.
Max o levaria à menina nas primeiras horas da manhã, antes de tornar a descer a escada de concreto para o que agora gostava de chamar de sua casa.

PÁGINAS DO PORÃO

Durante uma semana Liesel foi impedida a todo o custo de descer ao porão. Mamãe e papai é que se certificavam de levar a comida de Max.
— Não, *Saumensch* — dizia a mãe, toda vez que ela se oferecia. Havia sempre um novo pretexto. — Que tal você fazer alguma coisa de útil *aqui*, para variar, como acabar de passar a roupa? Você acha que carregá-la pela cidade é muito especial? Experimente passá-la!
Pode-se fazer toda sorte de coisas boas disfarçadas, quando se tem uma reputação cáustica. Funcionou.

Nessa semana, Max recortou algumas páginas de *Mein Kampf* e as pintou de branco. Depois, pendurou-as com pregadores numa corda, de uma ponta à outra do porão. Quando estavam todas secas, começou a parte difícil. Ele tinha instrução suficiente para se arranjar, mas, com certeza, não era escritor nem pintor de quadros. Apesar disso, formulou as palavras na cabeça até conseguir contá-las sem erro. Só então, no papel empolado e arqueado pela pressão da tinta ao secar, começou a escrever a história. O que fez com um pincelzinho preto.

O Vigiador.

Max calculou que precisaria de treze páginas, e por isso pintou quarenta, na expectativa de pelo menos duas vezes mais erros que acertos. Houve versões de exercício nas páginas do *Expresso de Molching*, até ele aperfeiçoar seu trabalho artístico elementar e desajeitado num nível que lhe parecesse aceitável. Enquanto trabalhava, ele ouvia as palavras sussurradas de uma menina. "O cabelo dele", dissera Liesel, "parece ser de penas."

Ao terminar, Max usou uma faca para furar as páginas e amarrá-las com barbante. O resultado foi um livreto de treze páginas, que dizia assim:

Toda a minha vida, tive medo

de homens velando sobre mim.

Suponho que o primeiro homem a velar por mim tenha sido meu pai, mas ele sumiu antes que eu pudesse recordá-lo.

Por alguma razão, quando eu era menino, gostava de brigar. Grande parte das vezes, eu perdia. Outro menino, às vezes com sangue pingando do nariz, erguia-se acima de mim.

Muitos anos depois, precisei me esconder. Procurava não dormir, porque tinha medo de quem estaria lá quando eu acordasse.

Mas tive sorte. Era sempre meu amigo.

Quando estava escondido, eu sonhava com um certo homem. O mais difícil foi quando viajei para ir ao encontro dele.

Por pura sorte e depois de muitas passadas, consegui.

Fiquei dormindo lá por muito tempo.
Três dias, disseram-me...
E o que encontrei ao acordar?
Não um homem, mas uma
outra pessoa a me vigiar.

Com o passar do tempo, a menina e eu descobrimos que tínhamos coisas em comum.

TREM
SONHOS
PUNHOS

Mas há uma coisa estranha.

A menina diz que eu pareço outra coisa.

Agora moro num porão.
Os sonhos ruins ainda vivem no meu sono.

Uma noite, após meu pesadelo habitual, uma sombra ergueu-se sobre mim. Ela disse: — Conte-me o que você sonha. E eu contei.

Em troca, ela me explicou de que eram feitos seus próprios sonhos.

Agora, acho que somos amigos, essa menina e eu. Em seu aniversário, foi ela quem deu um presente — a mim.

Isso me fez compreender que o melhor vigiador que eu conheci não é um homem...

VALIOSO
VALIOSO
~~VALOS~~
VALIOS
LUZ DO DIA
MOVIMENTO
DA ÁGUA
LUZ DO DIA
LUZ DO DIA

MINHA LUTA

No fim de fevereiro, quando Liesel acordou nas primeiras horas da manhã, uma figura entrou em seu quarto. Como era típico de Max, foi o mais próximo possível de uma sombra sem som.

Perscrutando a escuridão, Liesel só pôde sentir vagamente o homem que se aproximava.

— Olá?

Nenhuma resposta.

Nada além do quase silêncio de seus pés, quando ele chegou mais perto da cama e pôs as páginas no chão, junto às meias da menina. As páginas estalaram. Só um pouquinho. Uma de suas bordas recurvou-se no chão.

— Olá?

Dessa vez, houve uma resposta.

Liesel não soube dizer exatamente de onde vinham as palavras. O importante foi que chegaram até ela. Chegaram e se ajoelharam junto à cama.

— Um presente de aniversário atrasado. Olhe de manhã. Boa noite.

Por algum tempo ela vagou para dentro e para fora do sono, já não sabendo ao certo se havia sonhado com a entrada de Max.

De manhã, ao acordar e virar-se na cama, viu as páginas descansando no chão. Estendeu a mão e pegou-as, escutando o papel encrespar-se em suas mãos de manhãzinha.

Toda a minha vida tive medo de homens que me vigiavam...

Ao virá-las, as páginas eram barulhentas, como estática em volta da história escrita.

Três dias, disseram-me... E o que encontrei ao acordar?

Lá estavam as páginas apagadas de *Mein Kampf*, amordaçadas, sufocando sob a tinta enquanto eram viradas.

Isso me fez compreender que o melhor vigiador que eu conheci...

Liesel leu e examinou o presente de Max Vandenburg três vezes, notando um traço ou uma palavra diferente do pincel a cada uma. Terminada a terceira leitura, saiu da cama, da maneira mais silenciosa que pôde, e foi ao quarto de papai e mamãe. O espaço reservado junto à lareira estava vazio.

Pensando bem, ela se deu conta de que seria mesmo apropriado — ou, melhor até, perfeito — que lhe agradecesse onde as páginas tinham sido produzidas.

Desceu a escada do porão. Viu uma fotografia emoldurada imaginária infiltrar-se na parede — um segredo silenciosamente risonho.

Embora não passasse de alguns metros, foi uma longa caminhada até as mantas de proteção contra respingos e o sortimento de latas de tinta que escudavam Max Vandenburg. Ela afastou as mantas mais próximas da parede, até haver um pequeno corredor por onde olhar.

A primeira parte que viu dele foi o ombro, e pela fenda estreita, devagarzinho, dolorosamente, enfiou a mão até apoiá-la nele. A roupa estava fria. Max não acordou.

A menina sentiu a respiração e o ombro dele, movendo-se bem de leve, para cima e para baixo. Observou-o por algum tempo. Depois, sentou-se e se reclinou.

O ar sonolento parecia tê-la seguido.

As palavras rabiscadas dos exercícios expunham-se magnificamente na parede ao lado da escada, irregulares, infantis e doces. Ficaram olhando enquanto os dois dormiam, o judeu escondido e a menina, mão no ombro.

Os dois respiravam.

Pulmões alemães e judeus.

Junto à parede ficou *O Vigiador*, entorpecido e satisfeito, como um belo anseio aos pés de Liesel Meminger.

PARTE CINCO

O Assobiador

APRESENTANDO:

um livro flutuante
os jogadores
um fantasminha
dois cortes de cabelo
a juventude de rudy
azarados e desenhos
um assobiador e alguns sapatos
três atos de estupidez
e um garoto assustado de pernas geladas

O LIVRO FLUTUANTE (Parte I)

Um livro desceu flutuando pelo rio Amper.
Um menino pulou na água, alcançou-o e o segurou com a mão direita. Sorriu.
Estava afundado até a cintura na gélida água dezembrina.
— Que tal um beijo, *Saumensch*? — disse.
O ar em volta era de um frio encantador, fantástico, nauseante, para não falar na dor concreta da água, que o endurecia dos pés aos quadris.
Que tal um beijo?
Que tal um beijo?
Pobre Rudy.

· PEQUENO AVISO ·
SOBRE RUDY STEINER
Ele não merecia morrer como morreu.

Em suas visões, você vê as bordas empapadas do papel, ainda grudadas em seus dedos. Vê uma franja loura tremendo. E conclui antecipadamente, como faria eu, que Rudy morreu nesse mesmo dia, de hipotermia. Pois não morreu. Esse tipo de recordação só me faz lembrar que ele não merecia o destino que teve, pouco menos de dois anos depois.
Em muitos sentidos, levar um menino como Rudy foi um roubo — tanta vida, tanta coisa por que viver —, mas, de algum modo, tenho certeza de que ele teria adorado ver os escombros assustadores e a inchação do céu na noite em que se foi. Teria gritado, rodopiado

e sorrido, se ao menos pudesse ver a roubadora de livros apoiada nas mãos e nos joelhos, junto a seu corpo dizimado. Teria ficado contente em vê-la beijar seus lábios poeirentos, atingidos pela bomba.
É, eu sei.
Na escuridão de meu coração tenebroso, eu sei. Ele teria adorado, com certeza.
Viu?
Até a morte tem coração.

Os jogadores
(um dado de sete lados)

É claro que estou sendo grosseira. Estragando o fim não apenas do livro inteiro, mas desse seu pedaço em particular. Dei a você dois acontecimentos de antemão porque não tenho muito interesse em construir mistérios. O mistério me entedia. Dá trabalho. Sei o que acontece, e você também. As maquinações que nos levam até lá é que me irritam, me deixam perplexa, me interessam e me estarrecem.

Há muitas coisas em que pensar.

Muitas histórias.

Há, com certeza, um livro chamado *O Assobiador*, que realmente precisamos discutir, além de saber exatamente como ele veio a flutuar rio abaixo no Amper, no período que conduziu ao Natal de 1941. Devemos lidar com tudo isso primeiro, não acha?

Então, está resolvido.

Lidaremos.

Começou com um jogo. Role um dado, escondendo um judeu, e é assim que você vive. É desse jeito.

O CORTE DE CABELO: MEADOS DE ABRIL DE 1941

A vida ao menos começava a imitar a normalidade com mais força:

Hans e Rosa Hubermann discutiam na sala, ainda que a briga fosse muito mais sussurrada do que costumava ser. Liesel, como era típico, era espectadora.

A briga se originara na noite anterior, no porão, onde Hans e Max sentavam-se com latas de tinta, palavras e mantas de proteção contra respingos. Max havia perguntado se em algum momento Rosa poderia cortar-lhe o cabelo. "Está entrando em meus olhos", dissera, ao que Hans tinha respondido: "Verei o que posso fazer."

Agora, Rosa vasculhava as gavetas. Suas palavras eram jogadas no marido, junto com o resto da tralha.

— Onde está aquela maldita tesoura?
— Não está na gaveta de baixo?
— Essa eu já examinei.
— Talvez você não a tenha visto.
— Eu tenho cara de cega? — disse Rosa, que levantou a cabeça e gritou: — Liesel!
— Estou bem aqui.

Hans se encolheu.

— Droga, mulher, por que não me deixa logo surdo?
— Calado, *Saukerl*. — E Rosa continuou a vasculhar, dirigindo-se à menina: — Liesel, onde está a tesoura?

Mas Liesel também não fazia ideia.

— *Saumensch*, você é mesmo uma inútil, não?
— Deixe-a fora disso.

Mais palavras foram trocadas de um lado para outro, da mulher de cabelos de elástico para o homem de olhos prateados, até Rosa bater a gaveta com força.

— O provável é que eu faça mesmo tudo errado com ele.
— Errado?

O pai, àquela altura, parecia prestes a arrancar os próprios cabelos, mas manteve a voz num sussurro quase inaudível.

— E quem é que vai *vê-lo*?

Ele fez que ia falar de novo, mas foi distraído pelo aparecimento plumoso de Max Vandenburg, que, constrangido, parou educadamente no vão da porta. Trazia sua própria tesoura e se aproximou, entregando-a não a Hans nem a Rosa, mas à menina de doze anos. Ela era a opção mais calma. Sua boca tremeu por um instante, antes de ele dizer:

— Você pode?

Liesel pegou a tesoura e a abriu. Estava enferrujada e brilhosa em áreas diferentes. Ela se virou para o pai, e quando este acenou que sim, acompanhou Max até o porão.

O judeu sentou-se numa lata de tinta. Pôs-se uma pequena manta de proteção contra respingos em seu ombro.

— Cometa quantos erros quiser — disse ele.

O pai acomodou-se na escada.

Liesel levantou os primeiros tufos do cabelo de Max Vandenburg.

Enquanto ia cortando os fios plumosos, estranhou o som da tesoura. Não o barulho do corte, mas o rangido de cada lâmina de metal ao desbastar cada grupo de fibras.

Terminado o trabalho, meio drástico nuns pontos, meio torto em outros, ela subiu com o cabelo nas mãos e o jogou no fogão. Riscou um fósforo e observou o montinho encolher-se e afundar, laranja e vermelho.

Max estava de novo à porta, dessa vez no alto da escada do porão.

— Obrigado, Liesel.

Sua voz soou alta e rouca, trazendo como que embutido um sorriso oculto.

Mal falou, ele tornou a desaparecer, de volta ao subterrâneo.

O JORNAL: INÍCIO DE MAIO

— Há um judeu no meu porão.
— Há um judeu. No meu porão.

Sentada no piso da sala repleta de livros do prefeito, Liesel Meminger ouviu essas palavras. A seu lado havia um saco de roupa para lavar, e a figura fantasmagórica da mulher do prefeito sentava-se à escrivaninha, recurvada como um bêbado. À sua frente, Liesel lia *O assobiador*, páginas vinte e dois e vinte e três. Olhou para cima. Imaginou-se andando até lá, afastando delicadamente para o lado o cabelo fofo e murmurando no ouvido da mulher:

— Há um judeu no meu porão.

Enquanto o livro tremia em seu colo, o segredo sentou-se em sua boca. Acomodou-se. Cruzou as pernas.

— Está na hora de eu ir para casa.

Dessa vez, ela falou de verdade. Suas mãos tremiam. Apesar de um vestígio de sol ao longe, uma brisa suave soprava pela janela aberta, aliada à chuva, que entrava feito serragem.

Quando Liesel repôs o livro em seu lugar, a cadeira da mulher arranhou o chão e ela se aproximou. Era sempre assim, no final. Os anéis delicados de rugas pesarosas alargaram-se por um instante, quando ela estendeu a mão e tornou a pegar o livro.

Ofereceu-o à menina.

Liesel recuou, tímida.

— Não, obrigada — disse. — Tenho livros que cheguem em casa. Talvez noutra ocasião. Estou relendo uma coisa com meu pai. A senhora sabe, o que roubei da fogueira naquela noite.

A mulher do prefeito assentiu com a cabeça. Se havia uma coisa a dizer sobre Liesel Meminger, era que seus roubos não eram gratuitos. Ela só furtava livros com base no que sentia ser uma necessidade de tê-los. Nessa ocasião, tinha um número suficiente. Já lera quatro vezes *Os Homens de Lama* e vinha desfrutando seu reencontro com *O Dar de Ombros*. Além disso, toda noite, antes de dormir, abria um guia infalível para a escavação de sepulturas. Enterrado em suas profundezas residia

O Vigiador. Liesel enunciava as palavras em silêncio e tocava nos pássaros. Virava as páginas barulhentas, devagar.

— Até logo, *Frau* Hermann.

Saiu da biblioteca, percorreu o corredor de tábuas e cruzou a monstruosa porta de entrada. Como era seu hábito, deteve-se por alguns momentos nos degraus, olhando para Molching, lá embaixo. Nessa tarde, a cidade estava coberta de uma neblina amarela, que afagava os telhados como se fossem animais de estimação e enchia as ruas feito um banho.

Ao chegar à rua Munique, a menina que roubava livros desviou-se dos homens e mulheres de guarda-chuvas — uma garota de capa de chuva que abria caminho de uma lata de lixo para outra, sem a menor vergonha. Com a regularidade de um relógio.

— Achei!

Riu para as nuvens acobreadas, comemorando, antes de estender a mão e pegar o jornal mutilado. Embora a primeira e a última páginas estivessem riscadas de negras lágrimas de tinta, ela o dobrou ao meio com cuidado e o enfiou embaixo do braço. Tinha sido assim toda quinta-feira, nos últimos meses.

Agora, a quinta-feira era o único dia de entrega que restava a Liesel Meminger e, em geral, ele fornecia algum tipo de dividendo. Ela não conseguia empanar a sensação de vitória, toda vez que encontrava um *Expresso de Molching*, ou qualquer outra publicação. Achar um jornal era um bom dia. Se era um jornal em que não tinham feito as palavras cruzadas, era um grande dia. A menina voltava para casa, fechava a porta e o levava lá embaixo para Max Vandenburg.

— E as palavras cruzadas? — perguntava ele.

— Vazias.

— Excelente.

O judeu sorria ao aceitar o pacote de papel e começava a lê-lo, à luz racionada do porão. Muitas vezes, Liesel o observava concentrado na leitura do jornal, fazendo as palavras cruzadas e começando a relê-lo, de trás para a frente.

Com o tempo mais quente, Max ficava no subsolo o tempo todo. Durante o dia, a porta do porão ficava aberta, para que a pequena réstia de luz do corredor pudesse alcançá-lo. O corredor em si não era exatamente ensolarado, mas, em certas situações, a gente aceita o que consegue. A luz tristonha era melhor do que nenhuma, e eles precisavam ser frugais. O querosene ainda não se aproximara de um nível perigosamente baixo, mas era melhor reduzir seu uso ao mínimo.

Liesel costumava sentar-se em mantas de proteção. Ficava lendo enquanto Max terminava as palavras cruzadas. Sentavam-se a poucos metros de distância, falando muito raramente, e só havia mesmo o barulho das páginas virando. Muitas vezes, ela também deixava seus livros para Max ler, no horário em que ia à escola. Enquanto, em última instância, Hans Hubermann e Erik Vandenburg tinham-se unido pela música, Max e Liesel eram unidos pela reunião silenciosa de palavras.

— Oi, Max.

— Oi, Liesel.

Eles sentavam e liam.

Vez por outra, ela o observava. Decidiu que a melhor maneira de resumi-lo era como uma imagem de pálida concentração. Pele de tom bege. Um pântano em cada olho. E respirava feito um fugitivo. Desesperado, mas mudo. Só o peito é que o denunciava como um ser vivo.

Cada vez mais, Liesel fechava os olhos e pedia a Max que lhe fizesse perguntas sobre as palavras que ela errava continuamente, e xingava quando estas ainda lhe escapavam. Depois, punha-se de pé e pintava essas palavras na parede, em qualquer lugar, até doze vezes. Juntos, Max Vandenburg e Liesel Meminger aspiravam o odor de tinta e cimento.

— Tchau, Max.
— Tchau, Liesel.

Na cama, ela ficava acordada, a imaginá-lo lá embaixo no porão. Em suas visões noturnas, ele sempre estava inteiramente vestido, inclusive de sapatos, para o caso de precisar fugir de novo. Dormia com um olho aberto.

A METEOROLOGISTA: MEADOS DE MAIO

Liesel abriu a porta e a boca, simultaneamente.

Na rua Himmel, seu time havia arrasado o de Rudy por 6 x 1 e, triunfante, ela irrompeu na cozinha, contando tudo à mãe e ao pai sobre o gol que havia marcado. Em seguida, desceu correndo ao porão para descrevê-lo passe a passe a Max, que baixou o jornal, ouviu atentamente e riu com a menina.

Concluída a história do gol, fez-se silêncio por uns bons minutos, até Max levantar lentamente os olhos.

— Quer fazer uma coisa para mim, Liesel?

Ainda empolgada com seu gol na rua Himmel, a menina pulou das mantas de proteção. Não o disse, mas seu movimento deixou clara sua intenção de fornecer exatamente o que ele quisesse.

— Você me contou tudo sobre o gol — disse Max —, mas não sei que tipo de dia está fazendo lá em cima. Não sei se você fez o gol ao sol ou se as nuvens cobriam tudo.

Passou a mão pelo cabelo à escovinha, e seus olhos alagadiços imploraram a mais simples das coisas:

— Você pode subir e me dizer como está o tempo?

Naturalmente, Liesel subiu a escada correndo. Parou perto da porta manchada de cuspe e se virou ali mesmo, observando o céu.

Ao voltar para o porão, contou-lhe:

— Hoje o céu está azul, Max, e tem uma nuvem grande e comprida, espichada feito uma corda. Na ponta dela, o sol parece um buraco amarelo...

Naquele momento, Max soube que só uma criança seria capaz de lhe fornecer um boletim meteorológico desses. Na parede, pintou uma corda comprida e cheia de nós, com um sol amarelo e gotejante na ponta, como se fosse possível mergulhar dentro dele. Na nuvem encordoada, desenhou duas figuras — uma menina magra e um judeu murcho —, e os dois caminhavam, equilibrando os braços, em direção ao sol gotejante. Sob o desenho, Max escreveu esta frase:

· AS PALAVRAS DE MAX VANDENBURG ·
ESCRITAS NA PAREDE
*Era segunda-feira, e eles andavam
na corda bamba em direção ao sol.*

O BOXEADOR: FIM DE MAIO

Para Max Vandenburg havia o cimento frio e muito tempo para passar com ele.
Os minutos eram cruéis.
As horas eram um castigo.
Erguendo-se sobre ele, em todos os momentos de vigília, havia a mão do tempo, que não hesitava em atormentá-lo. Sorria, apertava e o deixava viver. Que grande maldade podia haver em se deixar uma coisa viva!
Pelo menos uma vez por dia Hans Hubermann descia a escada do porão e partilhava uma conversa. Vez por outra, Rosa levava uma sobra de crosta de pão. Mas era na hora que Liesel descia que Max tornava a se descobrir mais interessado na vida. A princípio, tentou resistir, mas foi ficando mais difícil a cada dia que a menina aparecia, sempre com um novo boletim meteorológico, fosse de céu azul puro e nuvens de papelão, fosse de um sol que havia irrompido como Deus empanzinado, sentando-se depois de ter comido demais no jantar.
Quando Max ficava só, sua sensação mais clara era a de estar desaparecendo. Todas as suas roupas eram cinzentas — houvessem ou não começado assim —, desde as calças até o suéter de lã e o paletó, que agora escorria dele feito água. O rapaz verificava com frequência se sua pele estava escamando, pois era como se ele estivesse em processo de dissolução.
O que precisava era de uma série de projetos novos. O primeiro foi o exercício. Ele começou pelas flexões, deitando de bruços no piso frio do porão e içando o corpo para cima. Seus braços pareciam estalar em cada cotovelo, e ele imaginou o coração a lhe escoar do corpo e cair pateticamente no chão. Quando adolescente, em Stuttgart, Max era capaz de fazer cinquenta flexões de cada vez. Agora, aos vinte e quatro anos e talvez uns sete quilos abaixo de seu peso normal, mal conseguia chegar a dez. Passada uma semana, já completava três conjuntos de dezesseis flexões e vinte e duas abdominais. Ao terminar, sentava-se encostado na parede do porão, com seus amigos feitos de latas de tinta, sentindo a pulsação nos dentes. Seus músculos pareciam uma crosta.

Às vezes, ele se perguntava se valia mesmo a pena forçar-se daquela maneira. Noutras, porém, quando seus batimentos cardíacos se normalizavam e seu corpo voltava a ser funcional, ele apagava a lamparina e ficava de pé nas brumas do porão.

Max tinha vinte e quatro anos, mas ainda era capaz de fantasiar.

— No canto azul — comentava baixinho — temos o campeão do mundo, a obra-prima ariana: o *Führer*.

Respirava fundo e se virava.

— E no canto vermelho temos o desafiante judeu com cara de rato: Max Vandenburg.

À sua volta, tudo se materializava.

A luz branca baixava sobre o ringue de boxe e a multidão se punha a murmurar — aquele som mágico de muitas pessoas, todas falando ao mesmo tempo. Como podiam as pessoas ter tanto a dizer ao mesmo tempo? O ringue em si era perfeito. Lona perfeita, cordas encantadoras. Até os fios soltos de cada corda grossa eram impecáveis, cintilando à luz branca e dura. O salão cheirava a cigarros e cerveja.

Na diagonal, Adolf Hitler postou-se num canto com seus auxiliares. Suas pernas protuberavam de um roupão vermelho e branco, com uma suástica negra gravada nas costas. O bigode era bordado em seu rosto. Algumas palavras lhe foram murmuradas por seu treinador, Goebbels. Ele saltitou de um pé para o outro e sorriu. Sorriu ainda mais quando o locutor do ringue listou suas muitas realizações, todas vociferantemente aplaudidas pela multidão adoradora.

— Invicto! — proclamou o mestre de cerimônias no ringue. — Contra muitos judeus e contra qualquer outra ameaça ao ideal alemão! *Herr Führer*, nós o saudamos! — concluiu.

Na multidão: tumulto.

Em seguida, quando todos se haviam acalmado, veio o desafiante.

O apresentador virou-se para Max, sozinho no canto do desafiante. Nada de roupão. Nada de auxiliares. Apenas um jovem judeu solitário de respiração maculada, peito nu, pés e mãos cansados. Naturalmente, seu calção era cinza. Também ele se mexeu de um pé para o outro, mas o mínimo possível, para conservar a energia. Havia suado muito no ginásio para chegar ao peso certo.

— O desafiante! — disse o mestre de cerimônias. — De — e fez uma pausa, para dar mais efeito — sangue *judaico*.

A multidão apupou, como vampiros humanos.

— Pesando...

O resto da fala não se fez ouvir. Foi abafado pelos insultos da plateia, e Max viu seu adversário tirar o roupão e se encaminhar para o centro do ringue, para ouvir as regras e trocar um aperto de mãos.

— *Guten Tag, Herr* Hitler — disse Max, com um aceno de cabeça, mas o *Führer* apenas lhe mostrou os dentes amarelos, depois tornou a cobri-los com os lábios.

— Senhores — começou um árbitro robusto, de calças pretas e camisa azul. Uma gravata-borboleta grudava-se em sua garganta. — Em primeiro lugar, queremos uma luta boa e limpa. — E se dirigiu ao *Führer*. — A menos, é claro, *Herr* Hitler, que o

senhor comece a perder. Caso isso ocorra, estarei perfeitamente disposto a fechar os olhos para qualquer tática inescrupulosa que o senhor queira empregar para triturar na lona esse fedor e imundície judaicos. — E baixou a cabeça, com grande cortesia.
— Está claro?
O *Führer* disse então sua primeira palavra.
— Cristalino.
A Max o árbitro fez uma advertência:
— Quanto a você, meu amiguinho judeu, eu agiria com muita cautela, no seu lugar. Muita cautela mesmo. — E os dois foram mandados de volta para seus respectivos cantos.
Seguiu-se um breve silêncio.
O gongo.
O primeiro a avançar foi o *Führer*, de pernas desajeitadas e ossudo, correndo para Max e dando-lhe um jabe firme no rosto. A multidão vibrou, com o gongo ainda soando em seus ouvidos, e seus sorrisos satisfeitos pularam as cordas. O hálito enfumaçado de Hitler saiu em vapor de sua boca, enquanto suas mãos esmurravam o rosto de Max, atingindo-o várias vezes, na boca, no nariz, no queixo — e Max ainda nem se arriscara a sair de seu canto. Para absorver o castigo, ele levantou as mãos, mas, então, o *Führer* mirou em suas costelas, seus rins, seus pulmões. Ah!, os olhos, os olhos do *Führer*. Eram tão deliciosamente castanhos — como olhos de judeus — e tão determinados, que até Max ficou hipnotizado por um instante, ao avistá-los por entre o borrão saudável das luvas que batiam.
Houve apenas um assalto, que durou horas, e em sua maior parte nada mudou.
O *Führer* foi esmurrando o judeu-saco-de-pancada.
Havia sangue judaico em toda parte.
Como nuvens vermelhas de chuva sobre a lona branco-celeste a seus pés.
Por fim, os joelhos de Max começaram a dobrar-se, suas maçãs do rosto gemeram em silêncio e o rosto encantado do *Führer* continuou a triturar, triturar, até que, esgotado, surrado e alquebrado, o judeu desabou no chão.
Primeiro, um bramido.
Depois, silêncio.
O árbitro contou. Tinha um dente de ouro e uma pletora de pelos no nariz.
Aos poucos, Max Vandenburg, o judeu, pôs-se de pé e ficou ereto. Sua voz vacilou. Um convite.
— Venha, *Führer* — disse, e dessa vez, quando Adolf Hitler partiu para seu adversário judaico, Max se esquivou e o fez mergulhar no canto. Esmurrou-o várias vezes, sempre visando uma coisa só.
O bigode.
No sétimo soco, errou. Foi o queixo do *Führer* que recebeu o golpe. No mesmo instante, Hitler bateu nas cordas e vergou o corpo, arriando de joelhos. Dessa vez não houve contagem. O árbitro encolheu-se num canto. A plateia desanimou, voltando para sua cerveja. De joelhos, o *Führer* verificou se estava sangrando e endireitou o

cabelo, da direita para a esquerda. Quando se repôs de pé, para grande aprovação da multidão de milhares de pessoas, deu um passinho à frente e fez uma coisa muito estranha. Virou de costas para o judeu e tirou as luvas dos punhos.

O público ficou perplexo.

— Ele desistiu — murmurou alguém, mas, momentos depois, Adolf Hitler estava em pé nas cordas, dirigindo-se à plateia.

— Meus compatriotas — chamou —, vocês estão vendo algo aqui esta noite, não é? De peito à mostra e vitória no olhar, apontou para Max.

— Estão vendo que enfrentamos algo muito mais sinistro e poderoso do que jamais imaginamos. Vocês enxergam isso?

— Sim, *Führer* — veio a resposta.

— Percebem que esse inimigo encontrou maneiras, suas maneiras desprezíveis, de penetrar em nossa couraça, e que obviamente não posso ficar aqui e combatê-lo sozinho?

As palavras eram visíveis. Caíam de sua boca feito pedras preciosas.

— Olhem para ele! Deem uma boa olhada! — E todos olharam. Para o ensanguentado Max Vandenburg. — Enquanto falamos, ele arquiteta planos para entrar em seu bairro. Muda-se para a casa ao lado. Infesta vocês com a família dele e está prestes a dominá-los. Ele — e Hitler o fitou por um instante, enojado —, ele logo será dono de vocês, até ser ele a ficar não no balcão de sua mercearia, mas sentado nos fundos, fumando seu cachimbo. Quando menos esperarem, vocês estarão trabalhando para ele pelo salário mínimo, enquanto ele mal conseguirá andar, por causa do peso nos bolsos. Vocês vão ficar parados aí, simplesmente, e deixar que ele faça isso? Ficarão olhando, como fizeram seus líderes no passado, quando deram as terras de vocês a todo o mundo, quando venderam seu país por um punhado de assinaturas? Vocês vão ficar aí, impotentes? Ou — e nesse momento subiu para uma corda mais alta — entrarão aqui neste ringue comigo?

Max estremeceu. O horror gaguejou em seu estômago.

Adolf acabou com ele.

— Vão subir aqui, para podermos derrotar juntos esse inimigo?

No porão do número 33 da rua Himmel, Max Vandenburg sentiu os punhos de uma nação inteira. Um por um, eles subiram no ringue e o espancaram. Fizeram-no sangrar. Deixaram que sofresse. Milhões deles — até que, pela última vez, quando juntou forças para ficar de pé...

Viu a pessoa seguinte atravessar as cordas. Era uma menina, e quando ela cruzou devagar a lona, Max notou uma lágrima a lhe rasgar a face esquerda. Na mão direita havia um jornal.

— As palavras cruzadas — disse ela, delicadamente: — estão em branco — e estendeu o jornal a Max.

Escuridão.

Agora, nada além de escuridão.

Apenas porão. Apenas judeu.

O NOVO SONHO: ALGUMAS NOITES DEPOIS

Era de tarde. Liesel desceu a escada do porão. Max já fizera metade de suas flexões.

Ela observou um pouco, sem que ele soubesse, e quando se aproximou e sentou a seu lado, o rapaz se levantou e se encostou na parede.

— Já lhe contei — perguntou ele — que tenho tido um novo sonho, ultimamente?

Liesel mudou um pouco de posição, para ver o rosto de Max.

— Mas esse eu sonho quando estou acordado — e fez sinal para a lamparina de querosene sem brilho. — Às vezes, apago a luz. E então fico aqui e espero.

— O quê?

Max a corrigiu.

— Não o quê. Quem.

Por alguns instantes, Liesel ficou calada. Era uma daquelas conversas que precisam que um tempo se escoe entre um dito e outro.

— Quem você espera?

Max não se mexeu.

— O *Führer* — disse, em tom muito displicente. — É para isso que estou treinando.

— As flexões?

— Isso mesmo.

Andou até a escada de concreto.

— Toda noite, espero no escuro e o *Führer* desce essa escada. Vem até aqui, e ele e eu lutamos por horas.

Agora Liesel estava de pé.

— Quem ganha?

Primeiro, ele ia dizer que ninguém ganhava, mas então notou as latas de tinta, as mantas de proteção contra respingos e a pilha crescente de jornais na periferia de sua visão. Observou as palavras, a nuvem comprida e os desenhos na parede.

— Sou eu — disse.

Foi como se lhe tivesse aberto a palma da mão, posto as palavras dentro dela e tornado a fechá-la.

No subsolo, em Molching, na Alemanha, duas pessoas paradas conversavam num porão. Parece o começo de uma piada:

— Um judeu e uma alemã estão parados num porão, certo?...

Mas aquilo não era piada.

OS PINTORES: COMEÇO DE JUNHO

Outro projeto de Max era o restante de *Mein Kampf*. Cada página era delicadamente arrancada do livro e estendida no chão, para receber uma camada de tinta. Depois, era pendurada para secar e reposta entre a primeira e a última capas. Um dia, quando desceu ao voltar da escola, Liesel encontrou Max, Rosa e o pai, todos pintando várias páginas. Muitas delas já estavam penduradas numa corda esticada, presas por pregadores, como devia ter acontecido com O *Vigiador*.

Os três levantaram os olhos e falaram.

— Oi, Liesel.

— Tome um pincel, Liesel.

— Já estava na hora, *Saumensch*. Onde foi que demorou tanto?

Ao começar a pintar, Liesel pensou em Max Vandenburg lutando com o *Führer*, exatamente como ele havia explicado.

· VISÕES DO PORÃO, JUNHO DE 1941 ·
Desferem-se socos, a multidão salta das paredes.
Max e o Führer *lutam pela vida, ambos recuando da escada.*
Há sangue no bigode do Führer, *assim como*
no repartido do cabelo, do lado direito da cabeça.
— Venha, Führer *— diz o judeu.*
Faz sinal para que ele avance. — Venha, Führer.

Quando as visões se dissiparam e ela terminou a primeira página, o pai deu-lhe uma piscadela. A mãe a repreendeu por ter exagerado na tinta. Max examinou cada uma das páginas, talvez observando o que planejava produzir nelas. Passados muitos meses, também pintaria a capa do livro e lhe daria um novo título, baseado numa das histórias que escreveria e ilustraria nele.

Nessa tarde, no piso secreto abaixo do número 33 da rua Himmel, os Hubermann, Liesel Meminger e Max Vandenburg prepararam as páginas de *A Sacudidora de Palavras*.

Era bom ser pintor.

A HORA DA VERDADE: 24 DE JUNHO

Então veio a sétima face do dado. Dois dias depois de a Alemanha invadir a Rússia. Três dias antes de a Grã-Bretanha e os soviéticos unirem forças.

Sete.

Você o joga e o vê chegando, e percebe com clareza que não se trata de um dado comum. Diz que foi azar, mas sabia o tempo todo que ele teria que vir. Você o introduziu na sala. A mesa farejou-o em seu hálito. O judeu projetava-se de seu bolso desde o começo. Sujou sua lapela, e no momento de jogar você sabe que é um sete — a única coisa que, de algum modo, encontra um jeito de feri-lo. O dado cai. Fita você nos dois olhos, miraculoso e repugnante, e você desvia o olhar enquanto ele lhe devora o peito.

Um simples azar.

É o que você diz.
Sem a menor importância.
É nisso que você se faz acreditar — porque, no fundo, sabe que essa pequena mudança da sorte é um sinal das coisas que estão por vir. Você esconde um judeu. Você paga. De um modo ou de outro, tem que pagar.

Olhando para trás, Liesel disse a si mesma que não foi tão importante assim. Talvez tenha sido porque aconteceram muitas outras coisas na época em que ela escreveu sua história no porão. No esquema geral das coisas, ela ponderou que o fato de Rosa ser despedida pelo prefeito e sua mulher não teve nada de azar. Não teve nada a ver com esconder judeus. Teve tudo a ver com o contexto maior da guerra. Na época, entretanto, decididamente, houve uma sensação de castigo.

O começo, na verdade, foi cerca de uma semana antes de 24 de junho. Liesel catou um jornal para Max Vandenburg, como sempre fazia. Vasculhou uma lata de lixo pertinho da rua Munique e o enfiou embaixo do braço. Depois que o entregou a Max e ele iniciou sua primeira leitura, o rapaz a olhou e apontou para uma fotografia na primeira página.

— Não é para esse que você entrega a roupa lavada e passada?
Liesel afastou-se da parede. Estivera escrevendo seis vezes a palavra *argumento*, ao lado do desenho que Max fizera da nuvem encordoada e do sol gotejante. Max entregou-lhe o jornal e a menina confirmou.
— É ele.
Quando ela leu o artigo, o texto informava que Heinz Hermann, o prefeito, tinha dito que, embora a guerra estivesse progredindo esplendidamente, o povo de Molching, como todos os alemães responsáveis, devia tomar providências adequadas e se preparar para a possibilidade de tempos mais difíceis. "Nunca se sabe", declarou ele, "o que nossos inimigos estão pensando, ou como tentarão nos debilitar."
Uma semana depois, as palavras do prefeito frutificaram de forma execrável. Como sempre fazia, Liesel apareceu na Grande Strasse e leu O *Assobiador* no chão da biblioteca do prefeito. A mulher do prefeito não deu nenhum sinal de anormalidade (ou, sejamos francos, nenhum sinal *a mais*), até a hora da partida.
Dessa vez, ao oferecer O *Assobiador* a Liesel, insistiu em que a menina o aceitasse.
— Por favor.
Quase implorou. O livro era segurado por um punho apertado, comedido.
— Leve-o. Por favor, leve-o.
Comovida pela estranheza da mulher, Liesel não suportou decepcioná-la mais uma vez. O livro de capa cinza e páginas amareladas passou para sua mão, e ela começou a percorrer o corredor. Quando estava prestes a perguntar pela roupa suja, a mulher do prefeito deu-lhe um último olhar de arrependimento envolto em roupão. Abriu uma gaveta da cômoda e tirou um envelope. Sua voz, encaroçada pela falta de uso, tossiu as palavras.

— Sinto muito. É para sua mamãe.

Liesel parou de respirar.

Súbito, percebeu a sensação de vazio em seus pés, dentro das meias. Alguma coisa expôs sua garganta ao ridículo. Ela tremeu. Quando enfim estendeu a mão e se apossou da carta, notou o som do relógio da biblioteca. Sombriamente, apercebeu-se de que os relógios nem de longe produziam um som que se assemelhasse a um tique-taque. Era mais um som de martelo invertido, batendo metodicamente na terra. Um som de sepultura. Ah, se a minha estivesse pronta agora!, pensou — porque, nesse momento, Liesel Meminger teve vontade de morrer. Quando os outros haviam cancelado o serviço, não tinha doído tanto. Ainda restavam o prefeito, sua biblioteca e a ligação de Liesel com a mulher dele. Além disso, esse era o último freguês, a última esperança, acabada. Dessa vez, a sensação foi a da pior das traições.

Como é que ela iria enfrentar a mãe?

Para Rosa, aqueles poucos retalhos de dinheiro ainda haviam ajudado em vários apertos. Um punhado a mais de farinha. Um pedaço de gordura.

Agora, a própria Ilsa Hermann morria... de vontade de se livrar dela. Liesel sentiu isso em algum lugar, no modo como a mulher apertou um pouco mais o roupão. O acanhamento do pesar ainda a mantinha a uma pequena distância, mas estava claro que ela queria acabar com aquilo.

— Diga a sua mamãe — tornou a falar. Agora sua voz se adaptava, à medida que uma frase se transformava em duas. — que nós lamentamos.

E começou a conduzir a menina até a porta.

Foi quando Liesel a sentiu nos ombros. A dor, o impacto da rejeição final.

É assim?, perguntou-se, internamente. A senhora só me dá um pontapé?

Com vagar, pegou o saco vazio e andou lentamente para a porta. Do lado de fora, virou-se e fitou a mulher do prefeito pela penúltima vez naquele dia. Olhou-a nos olhos, com um jeito quase selvagem de orgulho.

— *Danke schön* — disse, e Ilsa Hermann deu-lhe um sorriso inútil, desolado.

— Se um dia você quiser vir aqui só para ler — mentiu a mulher (ou, pelo menos, em seu estado de choque e tristeza, a menina o percebeu como uma mentira) —, será muito bem-vinda.

Nesse momento, Liesel admirou-se com a largura do vão da porta. Um espaço enorme. Por que as pessoas precisavam de tanto espaço para cruzar uma porta? Se Rudy estivesse ali, tê-la-ia chamado de idiota — era para levar todas as coisas deles para dentro.

— Adeus — disse a menina, e devagar, com grande tristeza, a porta se fechou.

Liesel não foi embora.

Durante muito tempo se sentou num degrau da escada e observou Molching. Não fazia calor nem frio, e a cidade estava límpida e imóvel. Molching jazia dentro de um frasco.

A menina abriu a carta. Nela, o prefeito Heinz Hermann resumia, em termos diplomáticos, a razão exata por que tinha de dispensar os serviços de Rosa Hubermann. Basicamente, explicou que ele seria hipócrita se mantivesse seus próprios pequenos luxos, enquanto aconselhava os outros a se *prepararem para tempos mais difíceis*.

Quando enfim Liesel se levantou e foi andando para casa, seu momento de reação veio mais uma vez, ao ver a tabuleta STEINER – SCHNEIDERMEISTER na rua Munique. A tristeza a abandonou e ela foi tomada de raiva.

— Aquele prefeito patife — resmungou. — Aquela mulher *patética*.

A aproximação de tempos difíceis era, com certeza, a melhor razão para manter Rosa empregada, mas não, eles a haviam despedido. De qualquer modo, decidiu Liesel, eles que lavassem e passassem a porcaria da sua roupa, feito as pessoas normais. Feito os pobres.

Em sua mão, *O Assobiador* ficou mais apertado.

— Quer dizer que a senhora me dá o livro — disse a menina — por pena, para se sentir melhor...

O fato de o livro também ter-lhe sido oferecido antes tinha pouca importância.

Ela fez meia-volta, como já acontecera uma vez, e marchou para o número 8 da Grande Strasse. A tentação de correr era imensa, mas Liesel se conteve, para ter bastante fôlego de reserva para as palavras.

Quando chegou, decepcionou-se com o fato de o próprio prefeito não estar em casa. Não havia um carro cuidadosamente estacionado no acostamento, o que talvez tenha sido bom. Se estivesse ali, não há como dizer o que Liesel teria feito com ele, nesse momento de ricos contra pobres.

Dois degraus de cada vez, ela chegou à porta e bateu com tanta força que chegou a doer. E gostou dos pequenos fragmentos de dor.

É evidente que a mulher do prefeito ficou chocada ao revê-la. Seu cabelo fofo estava ligeiramente molhado e suas rugas se alargaram, quando ela notou a fúria óbvia no rosto comumente pálido de Liesel. Ilsa Hermann abriu a boca, porém não saiu nada, o que foi conveniente, na verdade, porque a fala era de Liesel.

— A senhora acha que pode me comprar com este livro? — disse a menina. Sua voz, embora abalada, agarrou-se ao pescoço da mulher. A raiva cintilante era espessa e desanimadora, mas Liesel batalhou. Agitou-se ainda mais, a ponto de precisar enxugar as lágrimas dos olhos.

— A senhora me dá essa *Saumensch* de livro e acha que ficará tudo bem, quando eu disser a minha mãe que acabamos de perder nossa última freguesa? Enquanto a senhora fica aqui sentada na sua mansão?

Os braços da mulher do prefeito.

Eles penderam.

Seu rosto despencou.

Mas Liesel não se curvou. Borrifou as palavras diretamente nos olhos da mulher.

— A senhora e seu marido. Sentados aqui no alto.

Nessa hora, tornou-se vingativa. Mais vingativa e perversa do que se imaginava capaz. A ofensa das palavras.

Sim, a brutalidade das palavras.

Ela as pegou de algum lugar que só nesse momento reconheceu e atirou-as em Ilsa Hermann.

— Já está mesmo na hora — informou-a — de a senhora lavar a porcaria da sua roupa. Está na hora de enfrentar o fato de que seu filho está morto. Ele morreu! Foi estrangulado e retalhado há mais de vinte anos! Ou será que morreu congelado? De qualquer jeito, ele está morto! Está morto e é ridículo a senhora ficar aqui sentada, tremendo dentro de casa, para sofrer por causa disso. A senhora pensa que é a única?

Imediatamente.

O irmão postou-se ao lado dela.

Sussurrou para que Liesel parasse, mas também ele estava morto, e não valia a pena dar-lhe ouvidos.

Ele morreu num trem.

Foi enterrado na neve.

Liesel deu-lhe uma olhadela, mas não conseguiu fazer-se parar. Ainda não.

— Este livro — continuou. Empurrou o menino escada abaixo, fazendo-o cair.

— Não o quero.

As palavras estavam mais baixas, mas ainda acaloradas como antes. Liesel atirou *O Assobiador* nos pés da mulher, metidos em chinelas, e ouviu seu baque quando ele bateu no cimento.

— Não quero o infeliz do seu livro...

E então conseguiu. Calou-se.

Agora, tinha a garganta estéril. Sem nenhuma palavra em quilômetros.

Seu irmão, segurando o joelho, desapareceu.

Após uma pausa abortada, a mulher do prefeito deu um passinho à frente e apanhou o livro. Estava machucada e abatida, e não por sorrir, dessa vez. Liesel pôde vê-lo em seu rosto. Havia sangue a lhe escorrer do nariz e lhe empastar os lábios. Seus olhos tinham-se arroxeado. Cortes se abriram e uma série de ferimentos aflorou à superfície da pele. Tudo por causa das palavras. Das palavras de Liesel.

De livro na mão e levantando do agachamento para uma postura encurvada, Ilsa Hermann reiniciou o processo de pedir desculpas, mas a frase não conseguiu sair.

Bata-me, pensou Liesel. Ande, me dê uma bofetada.

Ilsa Hermann não a esbofeteou. Meramente recuou para o ar pesado de sua linda casa, e Liesel, mais uma vez, ficou sozinha, agarrada aos degraus. Sentiu medo de se virar, porque sabia que, quando o fizesse, a redoma de Molching estaria estilhaçada, e ela se alegraria com isso.

• • •

   Como sua última tarefa, ela leu a carta mais uma vez, e ao chegar perto do portão amassou-a com toda a força que tinha e a atirou na porta, como se fosse uma pedra. Não faço ideia do que esperava a menina que roubava livros, mas a bola de papel atingiu a sólida folha de madeira e voltou tremelicando escada abaixo. Parou a seus pés.
   — É típico — disse Liesel, chutando-a na grama. — Inútil.
   A caminho de casa, dessa vez, imaginou o destino daquele papel na próxima chuva, quando a estufa remendada de Molching virasse de pernas para o ar. Já podia ver as palavras se dissolvendo, letra a letra, até não sobrar mais nada. Só papel. Apenas terra.

   Em casa, quis a sorte que quando Liesel cruzou a porta Rosa estivesse na cozinha.
   — E então? — perguntou. — Onde está a roupa?
   — Hoje não tem roupa — disse Liesel.
   Rosa foi sentar-se à mesa da cozinha. Ela sabia. De repente, pareceu muito mais velha. Liesel imaginou que aparência teria se soltasse o coque e deixasse o cabelo cair sobre os ombros. Uma toalha cinzenta de cabelo elástico.
   — Que foi que você fez lá, sua *Saumenschzinha*?
   A frase soou desanimada. Rosa não conseguiu temperá-la com o veneno habitual.
   — Foi minha culpa — respondeu Liesel. — Completamente. Insultei a mulher do prefeito e mandei-a parar de chorar o filho morto. Chamei-a de ridícula. Foi nessa hora que eles despediram você. Tome — acrescentou. Dirigiu-se às colheres de pau, pegou um punhado delas e as colocou diante de Rosa. — É só escolher.
   Rosa pegou uma delas, mas não a brandiu.
   — Não acredito em você.
   Liesel sentiu-se dilacerar entre a aflição e a completa perplexidade. Na única vez em que queria desesperadamente uma *Watschen*, não a conseguia!
   — A culpa é minha.
   — Não é sua culpa — disse a mãe, que até se levantou e afagou o cabelo lustroso e sem lavar de Liesel. — Sei que você não diria essas coisas.
   — Mas eu disse!
   — Está bem, você disse.
   Ao sair da cozinha, Liesel ouviu as colheres de pau clicarem de volta no lugar, no pote de metal que as guardava. Quando chegou ao quarto, o lote inteiro, inclusive o pote, foi atirado no chão.

   Mais tarde, ela desceu ao porão, onde Max estava de pé no escuro, provavelmente boxeando com o *Führer*.
   — Max?
   A luz aumentou um pouco — uma moeda vermelha flutuando no canto.

— Pode me ensinar a fazer flexões?

Max mostrou-lhe como era e em alguns momentos levantou o tronco de Liesel para ajudar, mas, apesar da aparência ossuda, ela era forte e sustentava bem o peso do corpo. Não contou quantas conseguiu fazer, mas, naquela noite, na luz pálida do porão, a roubadora de livros fez flexões suficientes para ficar dolorida por vários dias. Mesmo quando Max lhe avisou que ela já fizera demais, a menina continuou.

Na cama, leu com o pai, que percebeu haver algo errado. Era a primeira vez que se sentava com ela em um mês, e isso a consolou, nem que fosse um tantinho. De algum modo, Hans Hubermann sempre sabia o que dizer, quando ficar e quando deixá-la sozinha. Talvez Liesel fosse a única coisa em que ele era realmente perito.

— Foi a roupa para lavar? — perguntou Hans.

Liesel balançou a cabeça.

Fazia alguns dias que o pai não se barbeava, e a cada dois ou três minutos esfregava os pelos prurientes. Seus olhos de prata estavam foscos e calmos, levemente calorosos, como sempre ficavam quando se tratava de Liesel.

Terminada a leitura, o pai adormeceu. Foi então que Liesel falou o que tivera vontade de dizer o tempo todo.

— Papai — murmurou —, acho que eu vou para o inferno.

As pernas dela estavam quentes. Os joelhos, frios.

Ela se lembrou das noites em que havia urinado na cama e o pai lavara os lençóis e lhe ensinara as letras do alfabeto. Agora, a respiração dele soprava o cobertor e a menina beijou-lhe o rosto que arranhava.

— Você precisa fazer a barba — disse-lhe.

— E você não vai para o inferno — respondeu o pai.

Por alguns momentos, ela observou seu rosto. Depois, tornou a se deitar, encostou-se nele e, juntos, os dois dormiram, bem nos arredores de Munique, mas em algum ponto da sétima face do dado da Alemanha.

A JUVENTUDE DE RUDY

No fim, ela teve que dar a mão à palmatória.
Ele sabia representar.

- RETRATO DE RUDY STEINER: ·
JULHO DE 1941
Fios de lama grudam-se em seu rosto.
Sua gravata é um pêndulo, morto há muito no relógio.
Seu cabelo cor de limão, iluminado pela lamparina,
é desgrenhado, e ele exibe um absurdo sorriso tristonho.

O menino parou a alguns metros do degrau e falou com grande convicção, grande alegria.
— *Alles ist Scheisse* — anunciou.
É tudo uma merda.

No primeiro semestre de 1941, enquanto Liesel tratava de esconder Max Vandenburg, furtar jornais e desancar mulheres de prefeitos, Rudy suportava sua própria vida nova na Juventude Hitlerista. Desde o começo de fevereiro, voltava das reuniões em estado consideravelmente pior do que havia entrado. Em muitos desses trajetos de volta, Tommy Müller vinha a seu lado, nas mesmas condições. O problema tinha três componentes.

· UM PROBLEMA TRÍPLICE ·
1. Os ouvidos de Tommy Müller.
2. Franz Deutscher, o irado guia da Juventude Hitlerista.
3. A incapacidade de Rudy de ficar fora das confusões.

• • •

Ah, se Tommy Müller não tivesse sumido por sete horas num dos dias mais frios da história de Munique, seis anos antes! Suas infecções auditivas e sua lesão no nervo continuavam a deturpar o padrão de marcha da Juventude Hitlerista, o que, posso lhe assegurar, não era uma coisa positiva.

A princípio, o declínio do entusiasmo foi gradativo, mas com o correr dos meses Tommy passou a colher sistematicamente a ira dos guias da Juventude Hitlerista, especialmente quando se tratava de marchar. Lembra-se do aniversário de Hitler no ano anterior? Por algum tempo, as infecções no ouvido pioraram. Chegaram a um ponto em que Tommy ficou com autênticos problemas auditivos. Não conseguia entender os comandos gritados para o grupo, ao marchar enfileirado. Não fazia diferença se era no salão ou ao ar livre, na neve ou na lama, ou sob a fustigação da chuva.

O objetivo era sempre o de todos fazerem alto ao mesmo tempo.

— Um único clique! — diziam-lhes. — É só isso que o *Führer* quer ouvir. Todos unidos. Todos juntos, como um só!

E Tommy.

Era seu ouvido esquerdo, eu acho. Esse era o mais problemático dos dois, e quando o grito penetrante de "Alto!" feria os ouvidos de todos os demais, Tommy continuava a marchar, cômica e desatentamente. Era capaz de transformar uma fileira em marcha numa barafunda num piscar de olhos.

Em determinado sábado, no começo de julho, pouco depois das três e meia e de uma sucessão de tentativas fracassadas de marchar, inspiradas em Tommy, Franz Deutscher (o supremo sobrenome para o supremo adolescente nazista) perdeu completamente a paciência.

— Müller, *du Affe!* — gritou. Sua densa cabeleira loura massageava-lhe a cabeça, enquanto suas palavras manipulavam o rosto de Tommy. — Seu macaco, qual é o seu problema?

Tommy encurvou-se, temeroso, mas sua bochecha esquerda ainda conseguiu repuxar-se numa contorção maníaca e animada. Ele parecia não apenas rir um risinho triunfal de chacota, como aceitar o carão com alegria. E Franz Deutscher não estava disposto a nada daquilo. Seus olhos pálidos estraçalharam Tommy.

— Bem? — perguntou. — O que você tem a dizer a seu favor?

O tique de Tommy só fez aumentar, em rapidez e profundidade.

— Está zombando de mim?

— *Heil* — contorceu-se Tommy, numa tentativa desesperada de obter aprovação, mas não conseguiu chegar ao "Hitler".

Foi então que Rudy se adiantou. Enfrentou Franz Deutscher, erguendo os olhos para ele.

— Ele tem um problema, senhor...

— Isso eu estou vendo!

— ... nos ouvidos — concluiu Rudy. — Ele não...

— Está bem, já chega — fez Deutscher, esfregando as mãos. — Vocês dois: seis voltas no campo.

Eles obedeceram, mas não com rapidez suficiente.

— *Schnell!* — perseguiu-os a voz de Deutscher.

Completadas as seis voltas, os dois receberam ordens de fazer uma série de exercícios, do tipo correr, agachar, levantar e agachar de novo, e após quinze longuíssimos minutos ouviram a ordem de ir para o chão, pelo que deveria ser a última vez.

Rudy olhou para baixo.

Um círculo torto de lama lhe sorriu.

Para que é que está olhando?, parecia perguntar.

— No chão! — ordenou Franz.

Naturalmente, Rudy saltou por cima dela e caiu de bruços.

— De pé! — sorriu Franz. — Um passo atrás. — E obedeceram. — No chão!

Agora a mensagem estava clara, e Rudy a aceitou. Mergulhou na lama e prendeu a respiração, e nesse momento, com a orelha na terra encharcada, o exercício acabou.

— *Vielen Dank, meine Herren* — disse Franz Deutscher, polidamente. Muito obrigado, meus senhores.

Rudy pôs-se de joelhos, escavacou um pouco a orelha e olhou para Tommy.

Tommy fechou os olhos e careteou.

Quando os dois voltaram para a rua Himmel nesse dia, Liesel pulava amarelinha com algumas crianças menores, ainda usando seu uniforme da BDM. Pelo canto do olho, ela viu as duas figuras melancólicas andando em sua direção. Uma delas a chamou.

Encontraram-se na escada da frente da casa dos Steiner, aquela caixa de sapatos de concreto, e Rudy lhe contou tudo sobre o episódio do dia.

Após dez minutos, Liesel sentou-se.

Após onze minutos, sentado ao lado dela, Tommy disse:

— Foi tudo culpa minha. — Mas Rudy descartou-o com um gesto, num ponto qualquer entre a frase e o sorriso, cortando pela metade uma tira de lama. — Foi mi... — tentou Tommy outra vez, mas Rudy interrompeu a frase por completo e lhe apontou um dedo.

— Tommy, por favor.

Havia uma expressão peculiar de contentamento no rosto de Rudy. Liesel nunca tinha visto ninguém tão infeliz, mas tão completamente vivo.

— Fique sentadinho aí e... faça uma careta ou qualquer coisa. — E continuou a história.

Andou de um lado para outro.

Brigou com a gravata.

As palavras foram lançadas em Liesel, caindo em algum ponto do degrau de concreto.

— Aquele tal de Deutscher — resumiu, animado. — Ele nos pegou, hein, Tommy?

Tommy assentiu com a cabeça, fez outro espasmo e falou, não necessariamente nessa ordem:
— Foi por minha causa.
— Tommy, que foi que eu disse?
— Quando?
— Agora! Fique quieto.
— É claro, Rudy.

Quando Tommy voltou sorumbático para casa, um pouco depois, Rudy experimentou o que parecia ser uma nova tática magistral.
A piedade.
Na escada, investigou a lama que secara como uma crosta sobre o uniforme e lançou um olhar desamparado a Liesel.
— Que tal, *Saumensch*?
— Que tal o quê?
— Você sabe...
Liesel reagiu da maneira usual.
— *Saukerl* — riu, e percorreu o pequeno trajeto para casa. Uma mescla desconcertante de lama e piedade era uma coisa, mas beijar Rudy Steiner era outra, inteiramente diferente.
Com um sorriso tristonho na escada, ele gritou para a menina, enfiando a mão pelo cabelo:
— Um dia — alertou-a. — Um dia, Liesel!

No porão, pouco mais de dois anos depois, às vezes Liesel doía de vontade de ir à casa ao lado e vê-lo, mesmo quando escrevia nas primeiras horas da madrugada. Também se deu conta de que, provavelmente, aqueles dias encharcados na Juventude Hitlerista é que haviam alimentado o desejo de cometer crimes de Rudy e, posteriormente, o dela.
Por fim, a despeito das chuvaradas de praxe, o verão começou a chegar como convinha. As maçãs *Klar* deviam estar amadurecendo. Havia mais furtos a praticar.

OS AZARADOS

Em matéria de furto, Liesel e Rudy encasquetaram primeiro a ideia de que a segurança estava na quantidade. Andy Schmeikl os convidou para uma reunião à margem do rio. Entre outras coisas, estaria em pauta uma estratégia para roubar frutas.

— Quer dizer que, agora, é você o chefe? — perguntou Rudy, mas Andy abanou a cabeça, carregado de decepção. Estava claro que gostaria de ter cacife para isso.

— Não — disse, e sua voz fria tinha um calor inusitado. Mal pensado.
— Há outra pessoa.

· O NOVO ARTHUR BERG ·
Ele tinha cabelos esvoaçantes e olhos enevoados,
e era o tipo de delinquente que
não tinha outra razão para roubar,
exceto o fato de que gostava disso.
Seu nome era Viktor Chemmel.

Ao contrário da maioria das pessoas dedicadas às várias artes da ladroagem, Viktor Chemmel tinha tudo. Morava na melhor parte de Molching, no alto, numa mansão que fora fumigada depois de os judeus serem expulsos. Tinha dinheiro. Tinha cigarros. Porém, o que queria era mais.

— Não é crime querer um pouquinho mais — afirmava, deitado de costas na grama, com uma patota de meninos a seu redor. — Querer mais é nosso direito fundamental, como alemães. Que diz o nosso

Führer? — perguntava, e respondia sua própria retórica: — Devemos tomar o que é nosso por direito.

À primeira vista, Viktor Chemmel era, claramente, o típico adolescente cheio de conversa fiada. Infelizmente, quando se dispunha a revelá-lo, possuía também um certo carisma, uma espécie de *siga-me*.

Quando Liesel e Rudy se aproximaram do grupo à margem do rio, ela o ouviu fazer outra pergunta:

— E onde estão os dois descarados de que você anda se gabando? Já são quatro e dez.

— Não no meu relógio — respondeu Rudy.

Viktor Chemmel apoiou-se num dos cotovelos.

— Você não está de relógio.

— Eu estaria aqui se fosse rico o bastante pra ter um relógio?

O novo chefe acabou de sentar-se e sorriu, com uma fileira de dentes brancos. Em seguida, voltou seu foco displicente para a menina.

— E quem é a putinha?

Muito acostumada aos insultos verbais, Liesel apenas observou a textura nublada dos olhos de Viktor.

— Ano passado — listou ela — roubei pelo menos trezentas maçãs e dezenas de batatas. Não tenho dificuldade com cercas de arame farpado e posso ficar à altura de qualquer um aqui.

— É mesmo?

— É.

Ela não se encolheu nem se afastou.

— Só peço uma pequena parte do que pegarmos. Uma dúzia de maçãs aqui ou ali. Umas sobras para mim e meu amigo.

— Bem, acho que isso pode se arranjar — disse Viktor. Acendeu um cigarro e o levou à boca. Fez um esforço deliberado para soprar a tragada seguinte no rosto de Liesel.

Ela não tossiu.

Era o mesmo grupo do ano anterior, com a única exceção do chefe. Liesel se perguntou por que nenhum dos outros meninos havia assumido o comando, mas, olhando de um rosto para outro, percebeu que nenhum deles levava jeito. Eles não tinham escrúpulos de roubar, mas precisavam ser mandados. *Gostavam* de ser mandados, e Viktor Chemmel gostava de mandar. Era um belo microcosmo.

Por um momento, Liesel ansiou pelo ressurgimento de Arthur Berg. Ou será que também ele se submeteria à liderança de Chemmel? Não tinha importância. Liesel só sabia é que não havia um único osso tirânico no corpo de Arthur Berg, ao passo que o novo chefe tinha centenas deles. No ano anterior, ela soubera que se ficasse presa numa árvore Arthur voltaria para buscá-la, mesmo dizendo que não. Nesse ano, em comparação, soube instantaneamente que Viktor Chemmel nem se incomodaria em olhar para trás.

Chemmel ficou ali, olhando para o menino desengonçado e a menina de aparência desnutrida.

— Quer dizer que vocês querem roubar comigo?

Que tinham a perder? Fizeram que sim.

Ele chegou mais perto e segurou o cabelo de Rudy:

— Eu quero ouvir.

— Decididamente — disse Rudy, antes de ser empurrado de volta pela franja.

— E você?

— É claro.

Liesel foi rápida o bastante para evitar o mesmo tratamento.

Viktor sorriu. Pisoteou o cigarro, respirou fundo e coçou o peito.

— Meus senhores, minha cadela, parece que é hora de irmos às compras.

Quando o grupo saiu andando, Liesel e Rudy ficaram para trás, como sempre tinham feito no passado.

— Você gostou dele? — murmurou Rudy.

— E você?

Rudy fez uma breve pausa.

— Acho que ele é um perfeito cretino.

— Eu também.

O grupo já se afastava.

— Vamos — disse Rudy. — Estamos ficando para trás.

Após alguns quilômetros, chegaram à primeira fazenda. O que os recebeu foi um choque. As árvores, que eles haviam imaginado carregadas de frutas, eram frágeis e tinham uma aparência machucada, apenas com um punhadinho de maçãs miseráveis pendendo de cada galho. A fazenda seguinte foi a mesma coisa. Talvez fosse uma estação ruim, ou eles não tivessem acertado o momento.

No fim da tarde, ao ser distribuído o produto do roubo, Liesel e Rudy receberam uma maçã diminuta para dividir. Com toda a justiça, os lucros tinham sido incrivelmente precários, mas Viktor Chemmel também tinha a mão mais fechada.

— Que nome eu dou a isso? — perguntou Rudy, com a maçã pousada na palma da mão.

Viktor nem se virou.

— O que lhe parece?

As palavras foram jogadas por cima do ombro.

— Uma porcaria de maçã?

— Tome. — E outra maçã, parcialmente comida, também foi jogada na direção deles, caindo na terra com a parte comida para baixo. — Vocês também podem ficar com essa.

Rudy enfureceu-se.

— Pro diabo com isso! Não andamos quinze quilômetros por uma maçã esquelética e meia, não é, Liesel?

Liesel não respondeu.

Não teve tempo, porque Viktor Chemmel montou em Rudy antes que ela conseguisse proferir uma palavra. Seus joelhos imobilizaram os braços do menino e ele lhe pôs as mãos no pescoço. As maçãs foram catadas por ninguém menos do que Andy Schmeikl, a pedido de Viktor.

— Você está machucando ele — disse Liesel.

— Estou? — E Viktor voltou a sorrir. Ela odiava aquele sorriso.

— Ele *não está* me machucando — precipitaram-se as palavras de Rudy, cujo rosto se avermelhava com o esforço. Seu nariz começou a sangrar.

Após um ou dois instantes de aumento da pressão, Viktor o soltou e saiu de cima dele, dando alguns passos descuidados.

— Levante, garoto — disse, e Rudy, fazendo a opção sensata, obedeceu.

Viktor aproximou-se de novo, com displicência, e o encarou. Deu-lhe uma esfregada de leve no braço. E um sussurro:

— A não ser que queira que eu transforme esse sangue numa fonte, sugiro que você vá embora, garotinho.

Olhou para Liesel:

— E leve a putinha com você.

Ninguém se mexeu.

— Bom, o que estão esperando?

Liesel pegou a mão de Rudy e os dois se foram, não sem que Rudy se virasse pela última vez e cuspisse sangue e saliva nos pés de Viktor Chemmel. O que provocou um último comentário.

· UMA PEQUENA AMEAÇA DE ·
VIKTOR CHEMMEL A RUDY STEINER
— Você pagará por isso depois, meu amigo.

Digam o que disserem de Viktor Chemmel, ele, com certeza, tinha paciência e boa memória. Levou aproximadamente cinco meses para transformar sua afirmação em realidade.

DESENHOS

Se o verão de 1941 estava erigindo muros ao redor de gente como Rudy e Liesel, ele se escreveu e se pintou na vida de Max Vandenburg. Em seus momentos mais solitários no porão, as palavras começaram a se amontoar a seu redor. As visões começaram a jorrar e cair e, vez por outra, a sair coxeando de suas mãos.

Max dispunha do que chamava de apenas uma raçãozinha de instrumentos:

Um livro pintado.
Um punhado de lápis.
Uma cabeça cheia de ideias.
Como um simples quebra-cabeça, juntou-as.

Originalmente, Max havia pretendido escrever sua história.

A ideia era escrever sobre tudo o que lhe acontecera — tudo o que o tinha levado a um porão na rua Himmel —, mas não foi isso que saiu. O exílio de Max produziu algo inteiramente diverso. Era uma coleção de ideias ao acaso, e ele escolheu abraçá-las. Soavam *verdadeiras*. Eram mais reais do que as cartas que ele escrevia aos familiares e a seu amigo Walter Kugler, sabendo perfeitamente que nunca poderia enviá-las. As páginas profanadas de *Mein Kampf* foram-se transformando numa série de desenhos, página após página, que resumiam, para ele, os acontecimentos que haviam trocado sua vida anterior por outra. Alguns levaram minutos. Outros, horas. Ele resolveu que quando terminasse o livro iria dá-lo a Liesel, quando ela tivesse idade suficiente e quando, ao que Max esperava, todo aquele absurdo tivesse acabado.

A partir do momento em que testou os lápis na primeira página pintada, o judeu manteve o livro permanentemente fechado. Muitas vezes, ele ficava junto de Max, ou, ainda, em suas mãos, quando o rapaz dormia.

Uma tarde, depois das flexões e abdominais, ele adormeceu, encostado na parede do porão. Quando Liesel desceu, encontrou o livro pousado ao lado dele, inclinado sobre sua coxa esquerda, e foi vencida pela curiosidade. Inclinou-se e o pegou, esperando que Max se mexesse. Não se mexeu. Estava sentado com a cabeça e os ombros encostados na parede. Liesel mal pôde discernir o som de sua respiração, deslizando para dentro e para fora dele, quando abriu o livro e vislumbrou algumas páginas ao acaso...

Não o Führer — o maestro!

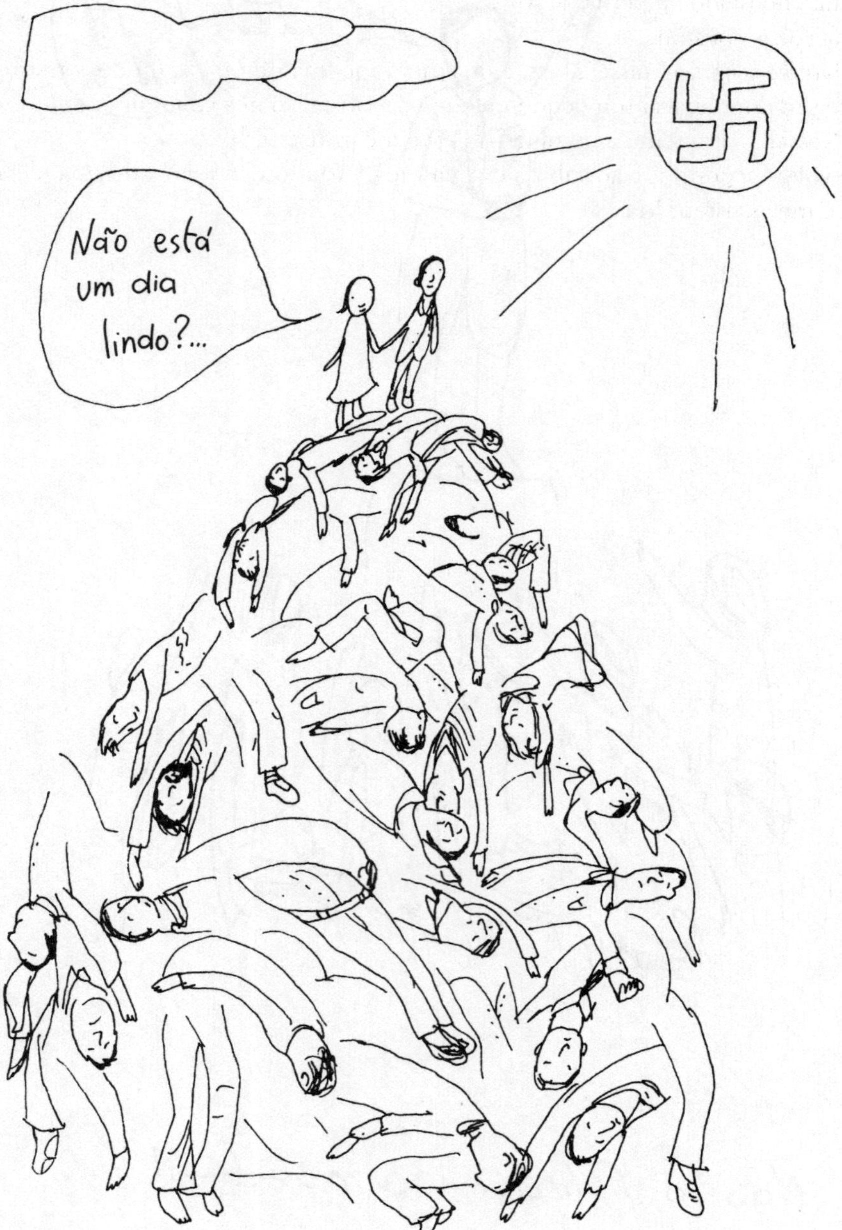
Não está um dia lindo?...

· · ·

Assustada com o que viu, Liesel repôs o livro no lugar, exatamente como o encontrara, encostado na perna de Max.

Uma voz a assustou.

— *Danke schön* — disse a voz, e quando a menina olhou, seguindo o rastro do som até seu dono, havia um pequeno toque de satisfação nos lábios do judeu.

— Nossa! — arquejou a menina. — Você me assustou, Max.

Ele voltou a dormir, e ao subir a escada Liesel arrastou consigo a mesma ideia.

Você me assustou, Max.

O Assobiador e os sapatos

O mesmo padrão se manteve até o fim do verão e em boa parte do outono. Rudy fez o melhor que pôde para sobreviver à Juventude Hitlerista. Max fez flexões e desenhos. Liesel encontrou jornais e escreveu palavras na parede do porão.

Também vale a pena mencionar que todo padrão tem ao menos um pequeno viés, que um dia se inclina ou cai de uma página para outra. Nesse caso, o fator dominante foi Rudy. Ou, pelo menos, Rudy e um campo de esportes recém-adubado.

No fim de outubro, tudo parecia o de praxe. Um menino imundo descia a rua Himmel. Em poucos minutos, a família aguardaria sua chegada e ele mentiria, dizendo que todos em sua divisão da Juventude Hitlerista tinham feito exercícios extras no campo. Seus pais até esperariam algumas risadas. Que não viriam.

Nesse dia, Rudy havia esgotado inteiramente os risos e as mentiras.

Nessa exata quarta-feira, ao olhar mais de perto, Liesel percebeu que Rudy Steiner estava sem camisa. E furioso.

— Que aconteceu? — perguntou-lhe, quando ele passou se arrastando.

Rudy retrocedeu e lhe estendeu a camisa.

— Cheire — disse.

— O quê?

— Você está surda? Eu disse para cheirar.

Relutante, Liesel se inclinou e captou um bafejo pavoroso da camisa parda.

— Jesus, Maria e José! Isso é...?

O menino acenou que sim.

— Também está no meu queixo. No meu queixo! Foi sorte eu não tê-lo engolido!
— Jesus, Maria e José.
— O campo da Juventude Hitlerista acabou de ser adubado.
Rudy fez outra avaliação desanimada e enojada da camisa:
— É estrume de boi, eu acho.
— Aquele tal de, como se chama, Deutscher, sabia do estrume?
— Disse que não. Mas estava rindo.
— Jesus, Maria e...
— Quer parar de dizer isso?!

O que Rudy precisava, àquela altura, era de uma vitória. Saíra perdendo no trato com Viktor Chemmel. Suportara um problema após outro na Juventude Hitlerista. Tudo que queria era uma nesguinha de triunfo, e estava determinado a consegui-la.
Continuou a andar para casa, mas ao chegar ao degrau de concreto mudou de ideia e voltou para a menina, devagar e deliberadamente.
Com cuidado e baixinho, falou:
— Sabe o que me animaria?
Liesel encolheu-se.
— Se está pensando que eu vou... nesse estado...
Rudy pareceu desapontado com ela.
— Não, não é isso — suspirou, chegando mais perto. — É outra coisa.
Após um momento de reflexão, levantou a cabeça, só um tantinho.
— Olhe para mim. Estou imundo. Fedendo a cocô de boi, ou cocô de cachorro, conforme a sua opinião, e, como de praxe, estou absolutamente morto de fome. — E fez uma pausa. — Preciso de uma vitória, Liesel. Sinceramente.
Liesel sabia.
Teria chegado mais perto, não fosse o cheiro dele.
Roubar.
Eles tinham que roubar alguma coisa.
Não.
Tinham que roubar *de volta* alguma coisa. Não importava o quê. Mas precisava ser logo.
— Só você e eu, desta vez — sugeriu Rudy. — Nada de Chemmels nem Schmeikls. Só você e eu.
A menina não pôde resistir.
Suas mãos comichavam, seu pulso disparou e sua boca sorriu, tudo ao mesmo tempo.
— Boa ideia.
— Então, está combinado. — E embora tentasse evitar, Rudy não conseguiu esconder o sorriso adubado que se alargou em seu rosto. — Amanhã?
Liesel fez que sim.
— Amanhã.

• • •

O plano era perfeito, exceto por um detalhe:
Eles não tinham ideia de onde começar.
As frutas estavam fora de questão. Rudy torceu o nariz para as cebolas e as batatas, e os dois barraram a ideia de outro assalto a Otto Sturm e sua bicicleta de mantimentos. Uma vez era imoral. Duas eram uma completa canalhice.
— Então, pra onde diabos nós vamos? — perguntou Rudy.
— Como é que eu vou saber? A ideia foi sua, não foi?
— Isso não significa que você também não deva pensar um pouquinho. Não posso pensar em tudo.
— Você mal consegue pensar em *alguma coisa...*
Os dois continuaram a discutir enquanto percorriam a cidade. Nos arredores, observaram a primeira fazenda e as árvores que pareciam estátuas emaciadas. Os galhos eram cinzentos, e quando eles olharam para cima, não havia nada além de membros esfarrapados e um céu vazio.
Rudy cuspiu.

Tornaram a cruzar Molching, fazendo sugestões:
— Que tal *Frau* Diller?
— O que tem ela?
— Talvez, se dissermos "*heil* Hitler" e *aí* roubarmos alguma coisa, dê tudo certo.
Depois de vagarem pela rua Munique durante cerca de uma hora, a luz do dia começou a esmaecer e eles estavam prestes a desistir.
— Não adianta — disse Rudy —, e estou com mais fome que nunca. Estou morrendo de fome, pelo amor de Deus.
Deu mais doze passos antes de parar e virar para trás.
— Que há com você?
É que Liesel estava completamente imóvel, e havia um instante de reconhecimento amarrado em seu rosto.
Por que não havia pensado nisso antes?
— O que foi? — insistiu Rudy, impacientando-se. — *Saumensch*, que está havendo?
Nesse exato momento Liesel viu-se diante de uma decisão. Poderia de fato levar a cabo aquilo em que estava pensando? Seria mesmo capaz de se vingar de uma pessoa desse jeito? Era possível que desprezasse alguém *tanto assim*?
Começou a andar na direção oposta. Quando Rudy a alcançou, ela diminuiu um pouco o passo, na vã esperança de enxergar com um pouco mais de clareza. Afinal, a culpa já estava presente. Era úmida. A semente já desabrochava numa flor de folhas escuras. Ela ponderou se realmente conseguiria levar aquilo a cabo. Num cruzamento, parou.
— Sei de um lugar.

Encaminharam-se para o rio e subiram a colina.

Na Grande Strasse, absorveram o esplendor das casas. As portas de entrada reluziam, polidas, e as telhas nos telhados acomodavam-se feito perucas, penteadas à perfeição. As paredes e janelas eram manicuradas, e as chaminés quase exalavam anéis de fumaça.

Rudy fincou os pés.

— A casa do prefeito?

Liesel acenou com a cabeça, a sério. Pausa.

— Eles despediram minha mãe.

Ao dobrarem a esquina em direção à casa, Rudy perguntou como iriam entrar, em nome de Deus, mas Liesel sabia.

— Conhecimento do local — respondeu ela. — Conhec...

Mas, então, conseguiram enxergar a janela da biblioteca, no extremo oposto da casa, e Liesel foi saudada por um choque. A janela estava fechada.

— E aí? — perguntou Rudy.

Liesel fez meia-volta devagar e saiu correndo.

— Hoje não — disse.

Rudy riu.

— Eu sabia — comentou, alcançando-a. — Eu sabia, sua *Saumensch* nojenta. Você não conseguiria entrar lá nem que tivesse a chave.

— Quer dar licença? — disse ela. Apertou ainda mais o passo e descartou o comentário de Rudy. — Só temos que esperar a oportunidade certa.

Internamente, procurou livrar-se de uma espécie de alegria pelo fato de a janela estar fechada. Censurou-se com aspereza. Por quê, Liesel?, perguntou a si mesma. Por que você tinha que explodir quando despediram mamãe? Por que não podia ficar com essa sua matraca fechada? Ao que você saiba, agora a mulher do prefeito está completamente reformada, depois de você gritar e berrar com ela. Talvez se tenha aprumado, recuperado. Pode ser que nunca mais se permita ficar tremendo naquela casa e que a janela permaneça fechada para sempre... Sua *Saumensch* idiota!

Uma semana depois, entretanto, na quinta visita à parte alta de Molching, lá estava ela.

A janela aberta, inspirando uma fatia de ar fresco.

Era o quanto bastava.

Foi Rudy quem parou primeiro. Cutucou Liesel nas costelas, com o dorso da mão.

— Aquela janela está aberta? — murmurou. A ansiedade em sua voz pendeu-lhe da boca, como um braço no ombro de Liesel.

— *Jawohl* — respondeu. Com certeza.

E como seu coração começou a esquentar!

Em cada uma das ocasiões anteriores, ao depararem com a janela firmemente trancada, a decepção aparente de Liesel havia mascarado um alívio feroz. Teria mesmo peito para entrar? E para quem e por que entraria, na verdade? Para Rudy? Para procurar comida?

Não. A verdade repugnante era esta:

Liesel não se incomodava com a comida. Rudy, por mais que ela tentasse resistir à ideia, era secundário em seu plano. Era o livro que ela queria. *O Assobiador*. Não suportaria que ele lhe fosse dado por uma velha solitária e patética. Roubá-lo, por outro lado, parecia um pouco mais aceitável. Roubá-lo, em certo sentido doentio, era como merecê-lo.

A luz ia mudando em blocos de sombras.

O par se aproximou da casa maciça e imaculada. Sussurrou seus pensamentos.

— Está com fome? — perguntou Rudy.

— Faminta — fez Liesel. Por um livro.

— Olhe, acabou de acender uma luz lá em cima.

— Estou vendo.

— Continua faminta, *Saumensch*?

Deram uma risada nervosa por um instante, antes de entrarem na discussão sobre quem deveria entrar e quem deveria vigiar. Como homem da operação, Rudy claramente achava que devia ser ele o agressor, mas era óbvio que Liesel conhecia o lugar. Ela é que entraria. Sabia o que havia do outro lado da janela.

E foi o que disse.

— Tem que ser eu.

Liesel fechou os olhos. Com força.

Obrigou-se a lembrar, a visualizar o prefeito e sua mulher. Fitou a amizade feita com Ilsa Hermann e se certificou de lhe dar um chute nas canelas e deixá-la à beira da estrada. Funcionou. Ela detestava os dois.

Eles examinaram a rua e atravessaram o pátio em silêncio.

Agacharam-se embaixo da fresta da janela do térreo. O som de sua respiração aumentou.

— Dê seus sapatos aqui — disse Rudy. — Você fará menos barulho.

Sem reclamar, Liesel desatou os surrados cadarços pretos e deixou os sapatos no chão. Levantou-se e Rudy abriu suavemente a janela, apenas o bastante para que a menina a pulasse. O barulho passou sobre suas cabeças como um avião voando baixo.

Liesel soergueu-se no parapeito e pelejou até conseguir entrar. Tirar os sapatos, percebeu, tinha sido uma ideia brilhante, já que ela aterrissou no piso de madeira com muito mais peso que o previsto. As solas dos pés expandiram-se dolorosamente, pressionando as bordas internas das meias.

A sala em si estava como sempre fora.

Na penumbra empoeirada, Liesel pôs de lado o sentimento de saudade. Avançou furtivamente e deixou seus olhos se adaptarem.

— Que está havendo? — veio o sussurro forte de Rudy do lado de fora, mas ela o descartou com um gesto que significava *Halt's Maul*. Cale a boca.

— A comida — lembrou-lhe o menino. — Ache a *comida*. E cigarros, se puder.

Mas esses dois artigos eram as últimas coisas na cabeça de Liesel. Ela estava à vontade, entre os livros de toda cor e descrição pertencentes ao prefeito, com suas letras prateadas e douradas. Sentia o cheiro das páginas. Quase conseguia provar as palavras empilhadas a seu redor. Seus pés a levaram à parede da direita. Ela sabia qual livro queria — sua posição exata —, mas ao chegar ao lugar costumeiro do *Assobiador* na prateleira ele não estava lá. Em seu lugar havia um espaço estreito.

Lá em cima, Liesel ouviu passos.

— A luz! — sussurrou Rudy. As palavras foram atiradas pela janela aberta. — Apagou!

— *Scheisse*.

— Estão descendo.

Veio então a duração gigantesca de um momento, a eternidade de uma decisão em fração de segundo. Os olhos da menina vasculharam a sala e ela viu O *Assobiador*, descansando pacientemente na escrivaninha do prefeito.

— Depressa! — alertou Rudy. Com muita calma e precisão, no entanto, Liesel foi até a escrivaninha, pegou o livro e se encaminhou com cautela para a saída. Pondo a cabeça para fora, pulou a janela e conseguiu novamente aterrissar de pé, voltando a sentir a pontada de dor, dessa vez nos tornozelos.

— Ande — implorou Rudy. — Corra, corra. *Schnell!*

Uma vez dobrada a esquina, na estrada que descia em direção ao rio e à rua Munique, ela parou para se curvar e recobrar o fôlego. Ficou com o corpo dobrado ao meio, o ar semicongelado na boca e o coração badalando nos ouvidos.

Foi o mesmo com Rudy.

Ao olhá-la, ele viu o livro embaixo do braço de Liesel. Esforçou-se para falar.

— Qual é — perguntou, lutando com as palavras — a do livro?

Agora a escuridão se adensava de verdade. Liesel arfou, enquanto o ar em sua garganta descongelava.

— Foi só o que eu consegui achar.

Infelizmente, Rudy farejou tudo. A mentira. Inclinou a cabeça e declarou o que julgava ser a realidade.

— Você não entrou para pegar comida, não foi? Conseguiu o que queria...

Liesel endireitou o corpo e se sentiu tomada pelo mal-estar de outra descoberta.

Os sapatos.

Olhou para os pés de Rudy, depois para suas mãos e para o chão em volta dele.

— O quê? — perguntou ele. — O que foi?

— *Saukerl* — acusou-o Liesel. — Cadê meus sapatos?

O rosto de Rudy empalideceu, o que não lhe deixou nenhuma dúvida.

— Ficaram na casa — sugeriu a menina —, não foi?

Rudy procurou desesperadamente a seu redor, implorando, contra toda a realidade, que os tivesse carregado. Imaginou-se apanhando-os, torcendo para que fosse verdade — mas os sapatos não estavam lá. Descansavam inutilmente — ou, o que era muito pior, incriminadoramente — junto à parede do número 8 da Grande Strasse.

— *Dummkopf!* — repreendeu-se o menino, dando um tapa no ouvido. Baixou os olhos, envergonhado, à visão soturna das meias de Liesel. — Idiota! — E não levou muito tempo para tomar a decisão de consertar as coisas. Compenetrado, disse: — Espere aí. — E voltou correndo, dobrando a esquina.

— Não se deixe apanhar! — gritou Liesel, mas ele não ouviu.

Foram pesados os minutos de sua ausência.

A escuridão já era completa e Liesel teve certeza da grande probabilidade de uma *Watschen*, reservada para quando chegasse em casa.

— Depressa — murmurou, mas nada ainda de Rudy. Imaginou o som de uma sirene da polícia lançando-se no ar e se puxando de volta. Recolhendo-se.

E nada.

Só quando ela voltou para o cruzamento das duas ruas, com suas meias úmidas e sujas, foi que o viu. O rosto triunfante de Rudy estava bem erguido, enquanto ele avançava com passos saltitantes em sua direção. Os dentes rangiam num sorriso e os sapatos lhe pendiam da mão.

— Quase me mataram — disse Rudy —, mas consegui.

Depois que os dois atravessaram o rio, entregou os sapatos a Liesel, que os deixou cair. Sentando-se no chão, ergueu os olhos para seu melhor amigo.

— *Danke* — disse. Obrigada.

Rudy fez uma mesura.

— O prazer é meu. — E arriscou um pouco mais: — Nem adianta perguntar se ganho um beijo por isso, não é?

— Por buscar meus sapatos, que *você* largou lá?

— É justo — assentiu ele. Levantou as mãos e continuou a falar enquanto caminhavam, e Liesel fez um esforço deliberado para ignorá-lo. Só ouviu a última parte.

— Provavelmente, eu não ia mesmo querer beijar você, não se o seu hálito for parecido com os seus sapatos.

— Você me enoja — informou-lhe a menina, e torceu para que ele não visse os primórdios fugidios de um sorriso que lhe caía da boca.

Na rua Himmel, Rudy pegou o livro. Sob um poste de luz, leu o título em voz alta e perguntou sobre que seria.

Com ar sonhador, Liesel respondeu.

— É só um assassino.

— Só isso?

— Tem também um policial que tenta pegá-lo.

Rudy devolveu o livro.

— Por falar nisso, acho que nós dois estamos meio fritos quando chegarmos em casa. Especialmente você.

— Por que eu?

— Você sabe... a sua mãe.

— Que é que tem ela?

Liesel exercia o direito flagrante da pessoa que um dia fez parte de uma família. Está muito bem que essa pessoa resmungue e se lamurie e critique seus familiares, mas não permite que *ninguém mais* o faça. É nessa hora que você empertiga a coluna e demonstra lealdade.

— Por acaso tem alguma coisa errada com ela?

Rudy recuou.

— Desculpe, *Saumensch*. Não tive a intenção de ofender.

Mesmo à noite, Liesel podia perceber que Rudy estava crescendo. O rosto ia ficando mais comprido. A cabeleira loura escurecia só um tantinho e as feições pareciam estar mudando de forma. Porém havia uma coisa que nunca mudaria. Era impossível ficar zangada com ele por muito tempo.

— Alguma coisa boa pra comer na sua casa, hoje? — perguntou Rudy.

— Duvido.

— Eu também. É uma pena a gente não poder comer livros. O Arthur Berg disse uma coisa assim daquela vez. Lembra-se?

Os dois rememoraram os bons tempos no resto do caminho, e Liesel olhou várias vezes para O *Assobiador*, com sua capa cinza e o título impresso em tinta preta.

Antes que entrassem em suas respectivas casas, Rudy parou por um instante e disse:

— Até logo, *Saumensch* — e riu. — Boa noite, roubadora de livros.

Era a primeira vez que Liesel se via marcada por seu título, e não pôde esconder que isso lhe agradou muito. Como nós dois sabemos, ela já tinha furtado livros, mas no fim de outubro de 1941 a coisa se tornou oficial. Nessa noite, Liesel Meminger transformou-se verdadeiramente na menina que roubava livros.

Três atos de estupidez de Rudy Steiner

· RUDY STEINER, PURO GÊNIO ·
1. Roubou a maior batata da loja
de Mamer, o merceeiro local.
2. Enfrentou Franz Deutscher
na rua Munique.
3. Faltou a todas as reuniões
da Juventude Hitlerista.

O problema do primeiro ato de Rudy foi a gula. Era uma tarde tipicamente enfadonha de meados de novembro de 1941.

Mais cedo, ele havia costurado brilhantemente por entre as mulheres com seus cupons, eu quase diria que com um toque de genialidade criminal. Por pouco não passou inteiramente despercebido.

Por mais inconspícuo que fosse, no entanto, conseguiu apoderar-se da maior batata do lote — a mesmíssima que várias pessoas na fila andavam vigiando. Todas viram quando um punho de treze anos se ergueu e a agarrou. Um coro de Helgas pesadonas apontou para ele, e Thomas Mamer partiu esbaforido em direção ao fruto maculado.

— *Meine Erdäpfel* — disse ele. Minhas batatas.

A batata ainda estava nas mãos de Rudy (que não conseguia segurá-la com uma só) e as mulheres juntaram-se em volta dele como um bando de lutadores. Fazia-se necessária uma fala rápida.

— Minha família — explicou Rudy. Um fluxo conveniente de líquido transparente começou a lhe escorrer do nariz. Ele fez questão de não secá-lo. — Estamos todos passando fome. Minha irmã precisa de um casaco novo. O último foi roubado.

Mamer não era bobo. Ainda segurando Rudy pelo colarinho, perguntou:

— E você está planejando vesti-la com uma batata?

— Não, senhor — disse o menino, olhando em diagonal para o olho que conseguia ver de seu captor. Mamer era uma pipa de gordo, com dois buraquinhos de bala por onde enxergar. Tinha os dentes feito uma plateia de futebol, apinhados na boca. — Nós trocamos todos os cupons que tínhamos pelo casaco, há três semanas, e agora não temos nada para comer.

O merceeiro segurava Rudy com uma das mãos e a batata com a outra. Disse a palavra temida à sua mulher:

— *Polizei*.

— Não, por favor — implorou Rudy. Mais tarde diria a Liesel que não sentira o menor medo, mas, naquele momento, tenho certeza de que seu coração estava prestes a explodir. — A polícia, não. Por favor, a polícia, não.

— *Polizei* — repetiu Mamer, sem se deixar comover, enquanto o menino se debatia e dava socos no ar.

Quem também estava na fila nessa tarde era um professor, *Herr* Link. Fazia parte da percentagem de professores da escola que não eram padres nem freiras. Rudy o localizou e o abordou com o olhar.

— *Herr* Link — chamou. Era sua última chance. — *Herr* Link, conte a ele, por favor. Diga a ele como sou pobre.

O merceeiro olhou para o professor com ar indagativo.

Herr Link aproximou-se e disse:

— Sim, *Herr* Mamer. Esse menino é pobre. É da rua Himmel.

Nesse momento, a multidão, predominantemente composta de mulheres, conferenciou, ciente de que a rua Himmel não era exatamente o epítome da vida idílica em Molching. Era bem conhecida como de um bairro relativamente pobre.

— Ele tem oito irmãos.

Oito!

Rudy teve que prender o riso, embora ainda não estivesse livre. Pelo menos, agora fizera o professor mentir. De algum modo, *Herr* Link havia conseguido acrescentar mais três filhos à família Steiner.

— Muitas vezes, ele chega à escola sem o café da manhã — prosseguiu. E a multidão de mulheres voltou a conferenciar. Parecia uma demão de tinta sobre a situação, acrescentando um pouquinho mais de potência e clima.

— E isso significa que ele deve ter permissão para roubar minhas batatas?

— A maior de todas! — exclamou uma das mulheres.

— Fique quieta, *Frau* Metzing — alertou-a Mamer, e ela se acalmou rapidamente.

• • •

No começo, todas as atenções concentraram-se em Rudy e seu cangote. Em seguida, deslocaram-se de um lado para outro, do menino para a batata e para Mamer — da aparência melhor para a pior —, e exatamente o que foi que levou o merceeiro a decidir a favor de Rudy ficaria para sempre sem resposta.

Teria sido a natureza patética do menino?

A dignidade de *Herr* Link?

A chatice de *Frau* Metzing?

Fosse o que fosse, Mamer repôs a batata na pilha e arrastou Rudy para fora de sua loja. Deu-lhe um bom pontapé com a bota direita e disse:

— Não volte aqui.

De fora, Rudy ficou observando Mamer voltar ao balcão e servir mantimentos e sarcasmo a sua freguesa seguinte:

— Eu me pergunto que batata *a senhora* vai pedir — disse ele, ainda com um olho no menino.

Para Rudy, foi mais um fracasso.

O segundo ato de estupidez foi igualmente perigoso, mas por razões diferentes.

Rudy terminaria essa altercação específica com um olho roxo, umas costelas quebradas e um corte de cabelo.

Mais uma vez, nas reuniões da Juventude Hitlerista, Tommy Müller vinha tendo seus problemas, e Franz Deutscher só estava à espera de que Rudy se metesse. Não demorou muito.

Rudy e Tommy receberam outra sessão completa de exercícios, enquanto os demais entravam para aprender tática. Ao correrem na friagem, eles viam pelas janelas as cabeças e ombros aquecidos. Mesmo quando se juntaram ao resto do grupo, os exercícios não acabaram propriamente. Assim que Rudy desabou num canto e salpicou lama de sua manga na janela, Franz disparou-lhe a pergunta predileta da Juventude Hitlerista.

— Em que dia nasceu o nosso *Führer*, Adolf Hitler?

Rudy ergueu os olhos:

— Perdão?

A pergunta foi repetida e o estupidíssimo Rudy Steiner, que sabia perfeitamente que tinha sido em 20 de abril de 1889, respondeu com a data de nascimento de Cristo. Incluiu até Belém, de quebra, como uma informação adicional.

Franz esfregou as mãos.

Péssimo sinal.

Aproximou-se de Rudy e o mandou de volta para fora, para mais algumas voltas ao redor do campo.

Rudy as deu sozinho, e após cada volta foi-lhe indagada novamente a data de aniversário do *Führer*. Ele deu sete voltas antes de acertar a resposta.

• • •

O problema principal ocorreu dias depois da reunião.

Na rua Munique, Rudy avistou Deutscher andando pela calçada com uns amigos e sentiu necessidade de lhe atirar uma pedra. Você pode muito bem perguntar que diabo ele estava pensando. A resposta é: provavelmente, nada. Provavelmente, ele diria que estava exercendo seu sagrado direito à estupidez. Ou isso, ou a simples visão de Franz Deutscher provocou-lhe uma ânsia de se destruir.

A pedra atingiu o alvo na espinha, embora não com tanta força quanto Rudy teria esperado. Franz Deutscher girou nos calcanhares e fez uma expressão satisfeita ao vê-lo parado lá, com Liesel, Tommy e a irmãzinha de Tommy, Kristina.

— Vamos correr — recomendou Liesel, com insistência, mas Rudy não arredou pé.

— Não estamos na Juventude Hitlerista — informou-lhe.

Os meninos maiores já tinham chegado. Liesel ficou parada ao lado do amigo, assim como o careteiro Tommy e a delicada Kristina.

— Sr. Steiner — declarou Franz, antes de levantá-lo e atirá-lo na calçada.

Quando Rudy se levantou, isso só serviu para enfurecer Deutscher ainda mais. Ele o derrubou no chão pela segunda vez, acompanhando o gesto com uma joelhada na caixa torácica.

Mais uma vez, Rudy levantou-se, e nessa hora o grupo de meninos mais velhos riu para o amigo. Aquilo não era a melhor notícia para Rudy.

— Você não consegue fazê-lo sentir nada? — perguntou o mais alto. Seus olhos eram azuis e frios como o céu, e as palavras foram todo o incentivo de que Franz precisava. Ele estava determinado a derrubar Rudy no chão e fazê-lo ficar lá.

Uma multidão maior os cercou quando Rudy desferiu um murro na barriga de Deutscher, errando completamente o alvo. No mesmo instante, experimentou a sensação ardente de um punho em seu olho esquerdo. Ela chegou acompanhada de faíscas, e o menino prostrou-se no chão antes mesmo que se desse conta disso. Tornou a levar um murro no mesmo lugar e sentiu o machucado ficar amarelo, azul e roxo, tudo ao mesmo tempo. Três camadas de dor revigorante.

A multidão que crescia aproximou-se e espiou, para ver se Rudy se levantaria de novo. Não se levantou. Dessa vez, permaneceu no chão frio e úmido, sentindo-o subir por sua roupa e se espalhar.

As fagulhas continuavam em seus olhos e era tarde demais quando Rudy notou que agora Franz se erguia sobre ele, com um canivete novo em folha, prestes a se abaixar e cortá-lo.

— Não! — protestou Liesel, mas o garoto alto a segurou. No ouvido da menina, as palavras dele foram graves e antigas.

— Não se preocupe — garantiu o garoto. — Ele não vai fazer isso. Não tem peito.

Estava errado.

• • •

Franz pôs-se de joelhos, inclinou-se mais para Rudy e sussurrou:
— Em que dia nasceu o nosso *Führer*?
Cada palavra foi cuidadosamente fabricada e introduzida no ouvido do menino.
— Vamos, Rudy, em que dia ele nasceu? Você pode me dizer, está tudo bem, não tenha medo.
E Rudy?
Que resposta deu ele?
Será que respondeu com prudência, ou deixou sua estupidez afundá-lo ainda mais na lama?
Ele fitou alegremente os pálidos olhos azuis de Franz Deutscher e murmurou:
— Na segunda-feira de Páscoa.
Em poucos segundos o canivete foi aplicado a seu cabelo. Foi o corte de cabelo número dois nesse trecho da vida de Liesel. O cabelo de um judeu fora cortado com uma tesoura enferrujada. O de seu melhor amigo foi ceifado com uma lâmina reluzente. Ela não conhecia ninguém que realmente pagasse por um corte de cabelo.
Quanto a Rudy, até ali, nesse ano, ele havia engolido lama, tomado banho de fertilizante, sido parcialmente estrangulado por um criminoso em desenvolvimento e, agora, recebia algo que pelo menos se aproximava da chave de ouro — a humilhação pública na rua Munique.
Em sua maior parte, a franja foi livremente fatiada, mas, a cada golpe, sempre havia uns fios de cabelo que lutavam pela vida e eram completamente arrancados. Ao arrancar de cada um deles, Rudy estremecia, com o olho roxo latejando e as costelas dando fisgadas de dor.
— Vinte de abril de mil oitocentos e oitenta e nove! — ensinou-lhe Franz, e quando se afastou, liderando seus comandados, a plateia se dispersou, deixando apenas Liesel, Tommy e Kristina com o amigo.
Rudy ficou no chão, em silêncio, num abatimento crescente.

Isso nos deixa apenas o ato de estupidez número três — faltar às reuniões da Juventude Hitlerista.
Rudy não parou de frequentá-las de imediato, só para mostrar a Deutscher que não tinha medo dele, mas, passadas algumas semanas, abandonou por completo seu envolvimento.
Orgulhosamente trajado com seu uniforme, ele saía da rua Himmel e ia andando, tendo ao lado seu súdito leal, Tommy.
Em vez de irem para a Juventude Hitlerista, os dois saíam da cidade e margeavam o rio Amper, saltando pedras, atirando outras enormes na água e, de um modo geral, não fazendo nada que prestasse. Rudy certificava-se de sujar bastante o uniforme,

para enganar a mãe, pelo menos até a chegada da primeira carta. Foi quando ele ouviu o chamado temível da cozinha.

Primeiro, os pais o ameaçaram. Ele não compareceu.

Imploraram-lhe que fosse. Ele se recusou.

No fim, foi a oportunidade de se ligar a uma divisão diferente que pôs Rudy no caminho certo. E foi sorte, porque, se ele demorasse a dar as caras, os Steiner seriam multados por seu não comparecimento. Seu irmão mais velho, Kurt, fez indagações para saber se Rudy poderia entrar na Divisão Flieger, que se especializava no ensino sobre aeronaves e pilotagem. Basicamente, os meninos construíam aeromodelos, e não havia nenhum Franz Deutscher. Rudy aceitou e Tommy também se inscreveu. Foi a única vez na vida em que seu comportamento idiota lhe trouxe resultados benéficos.

Na nova divisão, toda vez que lhe faziam a famosa pergunta sobre o *Führer*, ele sorria e respondia "20 de abril de 1889", e depois, dirigindo-se a Tommy, murmurava uma data diferente, como o aniversário de Beethoven, Mozart ou Strauss. Os dois estavam estudando os compositores na escola, onde, apesar de sua evidente burrice, Rudy se destacava.

O LIVRO FLUTUANTE (Parte II)

No início de dezembro, a vitória finalmente chegou para Rudy Steiner, embora não de maneira típica.

Era um dia frio, mas muito sereno. Quase havia nevado.

Depois da escola, Rudy e Liesel pararam na loja de Alex Steiner, e quando andavam para casa, viram o velho amigo de Rudy, Franz Deutscher, dobrando a esquina. Liesel, como era seu hábito nesses dias, carregava *O Assobiador*. Gostava de senti-lo em suas mãos. Ou a lombada macia, ou as bordas ásperas do papel. Foi ela a primeira a ver Franz.

— Olhe — apontou.

Deutscher marchava pomposamente na direção deles, em companhia de outro guia da Juventude Hitlerista.

Rudy encolheu-se. Apalpou o olho cicatrizado.

— Dessa vez, não — disse. Vasculhou as ruas. — Se passarmos pela igreja, podemos seguir o rio e voltar por lá.

Sem outras palavras, Liesel o acompanhou e os dois evitaram com êxito o torturador de Rudy — para cair direto no caminho de outro.

No começo, eles não deram importância.

O grupo que atravessava a ponte e fumava cigarros podia ser qualquer um, e foi tarde demais para dar meia-volta quando os dois se reconheceram.

— Ah, não, eles nos viram.

Viktor Chemmel sorriu.

Falou com muita amabilidade. O que só podia significar que estava no auge de sua periculosidade.

— Ora, ora, se não são Rudy Steiner e sua putinha. — E, muito afável, aproximou-se e arrancou O Assobiador da mão de Liesel. — Que é que você está lendo?

— Isto é entre nós dois — tentou ponderar Rudy. — Não tem nada a ver com ela. Ande, devolva o livro.

— O Assobiador — dirigiu-se Viktor a Liesel. — É bom?

Ela pigarreou.

— Nada mau.

Infelizmente, a menina se entregou. Pelos olhos. Eles estavam agitados. Liesel percebeu o momento exato em que Viktor Chemmel determinou que o livro era um bem precioso.

— É o seguinte — disse ele: — por cinquenta marcos você pode tê-lo de volta.

— Cinquenta marcos! — foi a exclamação de Andy Schmeikl. — Ora, Viktor, você pode comprar mil livros com isso!

— Eu lhe pedi que falasse?

Andy calou-se. Sua boca pareceu trancar-se de repente.

Liesel tentou fazer uma expressão de pôquer.

— Então, pode ficar com ele. Eu já li.

— E o que acontece no fim?

Droga!

Ela ainda não havia chegado a esse pedaço.

Hesitou, e Viktor Chemmel decifrou o blefe no mesmo instante.

Nessa hora, Rudy precipitou-se para ele.

— Ande, Viktor, não faça isso com ela. É atrás de mim que você está. Eu faço o que você quiser.

O garoto mais velho apenas o afastou com um tapa, segurando o livro no alto. E o corrigiu.

— Não — disse. — *Eu* é que farei o que *eu* quiser. — E se encaminhou para o rio. Todos o seguiram, acelerando para alcançá-lo. Meio andando, meio correndo. Alguns protestaram. Outros o instigaram a ir em frente.

Foi muito rápido e tranquilo. Houve uma pergunta e uma voz amistosa e zombeteira.

— Digam-me — disse Viktor. — Quem foi o último campeão olímpico do disco em Berlim? — E se virou para encará-los. Aqueceu o braço. — Quem *foi*? Droga, estou com o nome na ponta da língua. Foi aquele americano, não foi? Carpenter, ou coisa parecida...

— Por favor! — fez Rudy.

A água foi abaixo.

Viktor Chemmel fez *o arremesso*.

O livro soltou-se gloriosamente de sua mão. Abriu-se e esvoaçou, com as páginas chacoalhando enquanto ele perfazia a distância no ar. Mais abruptamente do que seria esperável, parou e pareceu ser sugado pela água. Fechou-se ao bater na superfície e começou a flutuar correnteza abaixo.

Viktor abanou a cabeça.

— Sem altura suficiente. Um arremesso ruim. — E tornou a sorrir. — Mas ainda foi bom o bastante para ganhar, hein?

Liesel e Rudy não ficaram por perto para ouvir as risadas.

Rudy, em particular, havia partido pela margem do rio, tentando localizar o livro.

— Você consegue vê-lo? — gritou Liesel.

Rudy correu.

Continuou descendo à beira da água, mostrando a localização do livro.

— Está ali!

Parou, apontou e correu mais, para ultrapassá-lo. Logo em seguida, tirou o casaco e pulou na água, chapinhando até o meio do rio.

Liesel, que reduzira a velocidade à marcha, sentia a dor de cada passo. O frio doloroso.

Quando se aproximou o bastante, viu o livro passar por Rudy, mas ele logo o alcançou. Sua mão se esticou e pegou o que era, àquela altura, um bloco encharcado de papelão e papel.

— O *Assobiador*! — gritou o menino. Era o único livro flutuando no rio Amper naquele dia, mas, mesmo assim, ele sentiu necessidade de anunciá-lo.

Outra nota interessante é que Rudy não tentou sair da água, devastadoramente fria, assim que pegou o livro. Por um bom minuto, mais ou menos, ficou lá dentro. Nunca explicou isso a Liesel, mas acho que ela soube muito bem que as razões eram duas.

· OS MOTIVOS CONGELADOS ·
DE RUDY STEINER

1. Após meses de fracasso, esse momento era
sua única chance de comprazer-se com uma vitória.
2. Essa postura de desprendimento era uma
boa ocasião para pedir a Liesel o favor habitual.
Como é que ela poderia recusá-lo?

— Que tal um beijo, *Saumensch*?

Ficou parado mais alguns instantes, com água pela cintura, antes de sair do rio e lhe entregar o livro. Tinha as calças grudadas no corpo e não parou de andar. Na verdade, acho que ele sentiu medo. Rudy Steiner ficou com medo do beijo da menina que roubava livros. Devia ter ansiado muito por ele. Devia amá-la com uma intensidade incrível. Tanto que nunca mais tornaria a lhe pedir seus lábios, e iria para sua sepultura sem eles.

PARTE SEIS

O Carregador de Sonhos

APRESENTANDO:

o diário da morte

o boneco de neve

treze presentes

o livro seguinte

o pesadelo de um cadáver judeu

céu de jornal

uma visita

um schmunzeler

e um último beijo em faces envenenadas

Diário da Morte: 1942

Foi um ano para ficar na história, como 79 ou 1346, para citar apenas alguns. Esqueça a foice, diabos, eu precisava era de uma vassoura ou um rodo. E precisava de umas férias.

· UMA VERDADEZINHA ·
Eu não carrego gadanha nem foice.
Só uso um manto preto com capuz quando faz frio.
E não tenho aquelas feições de caveira que vocês
parecem gostar de me atribuir a distância.
Quer saber a minha verdadeira aparência?
Eu ajudo. Procure um espelho enquanto eu continuo.

Na verdade, sinto-me muito complacente comigo mesma neste momento, a lhe contar tudo a respeito de mim, mim, mim. Minhas viagens, o que *eu* vi em 42. Por outro lado, você é um ser humano — deve entender dessa obsessão consigo mesmo. A questão é que há uma razão para eu explicar o que vi naquela época. Muito daquilo teria repercussões para Liesel Meminger. Fez a guerra chegar mais perto da rua Himmel, e *me* arrastou de carona.

Certamente, houve muitas rondas a fazer naquele ano, da Polônia à Rússia, à África, ida e volta. Talvez você argumente que eu faço a ronda em qualquer ano, mas algumas vezes a raça humana gosta de acelerar um pouquinho as coisas. Aumenta a produção de corpos e das almas que escapam. Umas tantas bombas costumam resolver a questão. Ou umas câmaras de gás, ou a conversinha de canhões distantes. Quando nada disso conclui os procedimentos, pelo menos despoja as pessoas de seus meios de subsistência, e passo a ver gente sem teto por toda parte. É comum eles virem atrás de mim quando vago pelas ruas das cidades violentadas. Imploram que eu os leve, sem perceber que já estou atarefada demais. "A sua hora chegará", eu os convenço, e procuro não olhar para trás. Vez por outra, gostaria de dizer algo como "Não vê que já estou com as mãos cheias?", mas nunca o faço. Reclamo internamente enquanto vou fazendo meu trabalho, e há anos em que as almas e os corpos não se somam, multiplicam-se.

· CHAMADA ABREVIADA DE 1942 ·
1. Os judeus desesperados — seus espíritos no meu colo,
ao nos sentarmos no telhado, junto às chaminés fumegantes.
2. Os soldados russos — que só carregam pequenas quantidades
de munição, contando com os tombados para arranjar o resto.
3. Os corpos encharcados de um litoral francês
— encalhados nos seixos e na areia.

Eu poderia prosseguir, mas resolvi que, por ora, esses três exemplos bastam. Três exemplos, que mais não seja, deixarão em sua boca o gosto de cinza que definiu minha existência durante aquele ano.

Muitos seres humanos.
Muitas cores.

São disparadores dentro de mim. Torturam minha memória. Vejo-os em suas pilhas altas, todos trepados uns por cima dos outros. O ar parece feito de plástico, um horizonte como cola poente. Existem céus fabricados pelas pessoas, perfurados e vazantes, e há nuvens macias, cor de carvão, que pulsam como corações negros.
E depois.
Vem a morte.
Abrindo caminho por aquilo tudo.
Na superfície, imperturbável, resoluta.
Por baixo, abatida, desatada, desfeita.

Com toda a franqueza (e sei que agora estou reclamando demais), eu ainda estava me refazendo de Stalin, na Rússia. Da chamada *segunda revolução* — o assassinato de seu próprio povo.
E então veio Hitler.
Dizem que a guerra é a melhor amiga da morte, mas devo oferecer-lhe um ponto de vista diferente a esse respeito. Para mim, a guerra é como aquele novo chefe que espera o impossível. Olha por cima do ombro da gente e repete sem parar a mesma coisa: "Apronte logo isso, apronte logo isso." E aí a gente aumenta o trabalho. Faz o que tem que ser feito. Mas o chefe não agradece. Pede mais.

• • •

Muitas vezes, tento lembrar-me dos retalhos de beleza que também vi naqueles tempos. Revolvo minha biblioteca de histórias.

Na verdade, estou pegando uma agora.

Creio que você já sabe metade dela, e se vier comigo, eu lhe mostro o restante. Mostro-lhe a segunda metade de uma menina que roubava livros.

Sem saber, ela aguarda inúmeras coisas a que aludi há pouco, mas também espera por você.

Está carregando neve para um porão, imagine só.

Punhados de neve congelada são capazes de fazer quase qualquer um sorrir, mas não nos podem fazer esquecer.

Lá vem ela.

O BONECO DE NEVE

Para Liesel Meminger, os primeiros estágios de 1942 poderiam ser resumidos assim:
Ela completou treze anos. Ainda tinha o peito chato. Não havia menstruado. O rapaz do porão estava agora em sua cama.

· PERGUNTA/RESPOSTA ·
*Como é que Max Vandenburg
foi parar na cama de Liesel?
Ele caiu.*

As opiniões variaram, mas Rosa Hubermann afirmou que as sementes tinham sido plantadas no Natal do ano anterior.
O dia 24 de dezembro fora de fome e frio, mas houve uma grande vantagem — nada de visitas prolongadas. Hans Júnior estava simultaneamente atirando nos russos e dando continuidade a sua greve de interações familiares. Trudy só poderia dar uma passada no fim de semana anterior ao Natal, por algumas horas. Ia viajar com a família para a qual trabalhava. Férias para uma classe muito diferente da Alemanha.
Na noite de Natal, Liesel levou de presente para Max um punhado duplo de neve.
— Feche os olhos — disse. — Estenda as mãos.
Assim que a neve foi transferida, Max estremeceu e riu, mas continuou sem abrir os olhos. Só fez dar uma provadinha rápida na neve, deixando-a derreter em seus lábios.
— Este é o boletim meteorológico de hoje?

Liesel parou a seu lado.
Tocou-lhe delicadamente o braço.
Ele tornou a levar a neve à boca.
— Obrigado, Liesel.
Foi o começo do melhor de todos os Natais. Pouca comida. Nenhum presente. Mas houve um boneco de neve no porão.

Depois de entregar os primeiros punhados de neve, Liesel se certificou de que não havia ninguém do lado de fora e tratou de levar para lá todos os baldes e panelas que pôde. Encheu-os com os montes de neve e gelo que cobriam a pequena tira de mundo que era a rua Himmel. Depois de cheios, levou-os para dentro e os carregou para o porão.

A bem da justiça, primeiro ela jogou uma bola de neve em Max, e recebeu o troco na barriga. Max chegou até a atirar uma em Hans Hubermann quando ele descia a escada do porão.

— *Arschloch!* — gritou o pai. — Liesel, me dê um bocado dessa neve. Um balde inteiro!

Durante alguns minutos, todos se esqueceram. Não houve mais gritos nem nomes sendo chamados, mas eles não puderam conter os pequenos frouxos de riso. Eram apenas humanos, brincando na neve dentro de casa.

O pai olhou para as panelas cheias de neve.
— Que vamos fazer com o resto?
— Um boneco de neve — respondeu Liesel. — Temos que fazer um boneco de neve.

O pai chamou Rosa.
A voz distante de praxe arremessou-se de volta.
— O que é agora, *Saukerl*?
— Venha aqui embaixo, sim?

Quando sua mulher apareceu, Hans Hubermann pôs a vida em risco, atirando-lhe uma esplêndida bolada de neve. Errando por pouco, a bola desintegrou-se ao bater na parede, e a mãe teve uma desculpa para xingar por um longo tempo, sem nem parar para respirar. Depois que se recuperou, desceu para ajudá-los. Foi inclusive buscar botões para os olhos e o nariz e um pedaço de barbante para fazer um sorriso de boneco de neve. E até um cachecol e um chapéu foram providenciados para o que era, na verdade, apenas um homem de neve de sessenta centímetros.

— Um anão — disse Max.
— O que a gente faz quando ele derreter? — perguntou Liesel.
Rosa tinha a resposta.
— Você seca com o esfregão, *Saumensch*, e depressa.
O pai discordou.
— Não vai derreter. — E esfregou as mãos, soprando-as. — Está de enregelar aqui embaixo.

Derreter, derreteu, mas em algum lugar dentro deles aquele homem de neve continuou de pé. Deve ter sido a última coisa que eles viram naquela véspera de Natal, quando enfim adormeceram. Tinham um acordeão nos ouvidos, um boneco de neve nos olhos e, para Liesel, a lembrança das últimas palavras de Max, antes de ela o deixar junto à lareira.

· AS SAUDAÇÕES NATALINAS DE ·
MAX VANDENBURG
— Muitas vezes, Liesel, eu gostaria que isso tudo
acabasse, mas aí, de algum modo, você faz uma coisa
como descer ao porão carregando um boneco de neve.

Infelizmente, essa noite assinalou um severo declínio da saúde de Max. Os primeiros sinais foram bastante inofensivos — e típicos. O frio constante. As mãos nadando em suor. O aumento das visões do boxe com o *Führer*. Só quando ele não conseguiu mais se aquecer, depois das flexões e das abdominais, foi que a coisa começou realmente a preocupá-lo. Por mais perto do fogo que se sentasse, ele não conseguia elevar-se a nenhum grau de saúde relativa. Dia após dia, o peso começou a lhe despencar do corpo. Seu regime de exercícios cambaleou e se desfez, com o rosto encostado no piso áspero do porão.

Durante todo o mês de janeiro ele conseguiu se aguentar, mas no começo de fevereiro Max estava numa forma preocupante. Fazia força para acordar junto à lareira, mas, em vez disso, dormia boa parte da manhã, com a boca torta e as maçãs do rosto começando a inchar. Quando lhe perguntavam, dizia que estava ótimo.

Em meados de fevereiro, dias antes de Liesel fazer treze anos, ele se aproximou da lareira, à beira do colapso. Quase caiu no fogo.

— Hans — murmurou, e seu rosto pareceu contorcer-se. As pernas cederam e a cabeça bateu na caixa do acordeão.

No mesmo instante, uma colher de pau caiu na sopa e Rosa Hubermann pôs-se ao lado dele. Segurou a cabeça de Max e berrou para Liesel, do outro lado do cômodo:

— Não fique aí parada, vá buscar mais cobertores. Leve-os para sua cama. E você — era a vez do marido — me ajude a pegá-lo e a carregá-lo para o quarto de Liesel. *Schnell!*

O rosto de Hans ficou tenso de apreensão. Seus olhos cinzentos tilintaram e ele pegou Max sozinho. O rapaz era leve como uma criança.

— Não podemos deixá-lo aqui, na nossa cama?

Rosa já havia considerado a ideia.

— Não. Nós temos que deixar essas cortinas abertas de dia, senão fica parecendo suspeito.

— Bem pensado — disse Hans, e carregou o rapaz.

Com os cobertores na mão, Liesel observava.

Pés moles e cabelos pendentes no corredor. Um sapato caído do pé.
— Mexa-se.
A mãe marchou atrás deles, com seu gingado de pata.

Uma vez posto Max na cama, os cobertores foram empilhados sobre ele e presos em volta de seu corpo.
— Mamãe?
Liesel não conseguiu dizer mais nada.
— Que foi?
O coque no cabelo de Rosa Hubermann estava tão apertado que, por trás, chegava a assustar. Pareceu apertar-se ainda mais quando ela repetiu a pergunta.
— Que é, Liesel?
A menina se aproximou, com medo da resposta.
— Ele está vivo?
O coque fez que sim.
Então, Rosa virou-se e falou com grande segurança.
— Escute aqui, Liesel. Não recebi esse homem na minha casa para vê-lo morrer. Entendeu?
Liesel acenou com a cabeça.
— Agora, vá embora.

No corredor, o pai a abraçou.
Liesel precisava disso, desesperadamente.

Mais tarde, ouviu Hans e Rosa conversarem na madrugada. Rosa a fizera dormir no quarto dos dois, e ela estava ao lado da cama, no chão, no colchão que tinham trazido do porão. (Houvera uma certa preocupação de que ele pudesse estar infectado, mas os dois concluíram que essas ideias não tinham fundamento. Não era de nenhum vírus que Max estava sofrendo, de modo que eles subiram o colchão e trocaram o lençol.)
Imaginando que a menina dormia, a mãe externou sua opinião.
— Aquela droga de boneco de neve — sussurrou. — Aposto que começou com o boneco de neve... brincar com gelo e neve, naquele frio lá embaixo.
O pai foi mais filosófico.
— Rosa, começou com Adolf. — E se levantou. — Precisamos ficar de olho nele.
No decorrer daquela noite, Max recebeu sete visitas.

· A FOLHA DE VISITANTES ·
DE MAX VANDENBURG
Hans Hubermann: 2
Rosa Hubermann: 2
Liesel Meminger: 3

• • •

Pela manhã, Liesel levou-lhe o caderno de desenhos do porão e o colocou na mesa de cabeceira. Sentia-se péssima por tê-lo olhado no ano anterior, e dessa vez manteve-o firmemente fechado, por respeito.

Quando o pai entrou, ela não se virou para olhá-lo, mas dirigiu-se à parede, por cima de Max Vandenburg.

— Por que é que eu tinha que levar toda aquela neve lá para baixo? — perguntou. — Eu comecei tudo isso, não foi, papai? — E juntou as mãos, como quem rezasse. — Por que é que eu tinha de construir aquele boneco de neve?

O pai, reconheça-se seu mérito permanente, foi categórico:

— Liesel, você tinha que fazer aquilo.

Durante horas, a menina sentava-se ao lado de Max, enquanto ele tremia e dormia.

— Não morra — segredava. — Por favor, Max, não morra.

Ele era o segundo boneco de neve a derreter diante de seus olhos, só que esse era diferente. Era um paradoxo.

Quanto mais frio ficava, mais derretia.

Treze presentes

Foi a chegada de Max revisitada.
As plumas voltaram a se transformar em gravetos. O rosto liso tornou-se áspero. A prova de que Liesel precisava era aquela. Ele estava vivo.

Nos primeiros dias, ela se sentou e conversou com Max. No dia do aniversário, contou-lhe que havia um bolo enorme esperando na cozinha, se ele quisesse acordar.
Não houve acordar.
Nem havia bolo.

· UM EXCERTO DE ALTA MADRUGADA ·
Muito tempo depois, dei-me conta de que havia
realmente visitado a rua Himmel, 33, durante aquele
período. Deve ter sido num dos poucos momentos
em que a menina não estava com ele, pois só o que
vi foi um homem na cama. Preparei-me para enfiar
as mãos por dentro dos cobertores. Então, houve uma
ressurgência — uma luta imensa contra o meu peso.
Recuei, e com tanto trabalho pela frente foi bom
que me combatessem naquele quartinho escuro.
Cheguei até a conseguir uma breve pausa de serenidade,
de olhos fechados, antes de me retirar.

No quinto dia, houve um grande alvoroço quando Max abriu os olhos, mesmo por apenas alguns instantes. O que ele viu, predominantemente (e que versão assustadora deve ter sido, vista de perto), foi Rosa Hubermann, praticamente a lhe enfiar uma braçada de sopa boca adentro.

— Engula — aconselhou-o. — Não pense. Só engula.

Assim que a mãe lhe devolveu a tigela, Liesel tentou rever o rosto dele, mas lá estavam as costas de uma doadora de sopa no caminho.

— Ele ainda está acordado?

Quando se virou, Rosa não precisou responder.

Após quase uma semana, Max acordou pela segunda vez, agora com Liesel e o pai no quarto. Os dois observavam o corpo estirado na cama quando houve um pequeno grunhido. Se é que isso é possível, o pai caiu para o alto, saltando da cadeira.

— Olhe — disse Liesel, com a voz entrecortada. — Fique acordado, Max, fique acordado.

O rapaz a olhou brevemente, mas não houve reconhecimento. Os olhos a estudaram como se ela fosse um enigma. E depois se foram outra vez.

— Papai, que aconteceu?

Hans desabou, voltando à cadeira.

Mais tarde sugeriu que talvez ela devesse ler para Max.

— Vamos, Liesel, você lê tão bem hoje em dia... mesmo que seja um mistério para todos nós de onde veio aquele livro.

— Eu lhe disse, papai. Foi uma das freiras da escola que me deu.

O pai levantou as mãos, num simulacro de protesto.

— Eu sei, eu sei — disse das alturas. — Só... — E escolheu aos poucos as palavras. — Não se deixe apanhar.

Isso dito por um homem que havia roubado um judeu.

Desse dia em diante, Liesel leu O *Assobiador* para Max em voz alta, durante o tempo em que ele ocupou sua cama. A única frustração era ser forçada a pular capítulos inteiros, porque muitas páginas tinham ficado grudadas. O livro não havia secado bem. Mesmo assim, ela ia batalhando, a ponto de já ter percorrido quase três quartos do texto. O livro tinha 396 páginas.

No mundo externo, Liesel voltava apressada da escola todos os dias, na esperança de que Max tivesse melhorado.

— Ele acordou? Ele comeu?

— Volte lá para fora — implorava-lhe a mãe. — Você está cavando um buraco no meu estômago com toda essa falação. Vá. Saia e vá jogar futebol, pelo amor de Deus.

— Sim, mamãe.

Liesel estava prestes a abrir a porta:

— Mas você vai me buscar se ele acordar, não vai? Invente qualquer coisa. Grite, como se eu tivesse feito alguma coisa errada. Comece a me xingar. Todo o mundo vai acreditar, não se preocupe.

Até Rosa teve que sorrir diante disso. Pôs as mãos nas cadeiras e explicou que Liesel ainda não estava velha demais para evitar uma *Watschen*, por falar daquele jeito.

— E trate de fazer um gol — ameaçou —, senão é melhor não vir para casa.
— É claro, mamãe.
— Faça *dois* gols, *Saumensch*!
— Sim, mamãe.
— E pare de me responder!

Liesel considerou, mas saiu correndo para fora, para ser adversária de Rudy na rua enlameada e escorregadia.

— Já era hora, sua coçadora de rabo — acolheu-a Rudy, no jeito costumeiro de os dois disputarem a bola. — Onde é que você andava?

Meia hora depois, quando a bola foi esborrachada pela rara passagem de um carro na rua Himmel, Liesel descobriu seu primeiro presente para Max Vandenburg. Depois de julgá-la sem conserto, a garotada toda foi embora, desgostosa, e deixou a bola estrebuchando na rua fria e embolotada. Liesel e Rudy ficaram agachados sobre a carcaça. Havia um enorme buraco numa parte da bola, feito uma boca.

— Você quer ela? — perguntou Liesel.

Rudy encolheu os ombros.

— Pra que é que eu quero essa titica de monte esborrachado de bola? Não tem mais jeito de enchê-la de ar, tem?

— Você quer ou não quer?
— Não, obrigado.

Rudy cutucou a bola cautelosamente com o pé, como se fosse um animal morto. Ou um animal que *talvez* estivesse morto.

Quando Rudy voltou para casa, Liesel pegou a bola e a pôs embaixo do braço. Ainda o ouviu chamar.

— Ei, *Saumensch*!

Esperou.

— *Saumensch*!

Ela cedeu.

— Que é?
— Aqui também tem uma bicicleta sem rodas, se você quiser.
— Enfie a sua bicicleta...

Do lugar em que estava na rua, a última coisa que Liesel ouviu foi a risada daquele *Saukerl* do Rudy Steiner.

Em casa, ela se dirigiu ao quarto. Levou a bola para Max e a colocou na extremidade da cama.

— Desculpe — disse-lhe —, não é grande coisa. Mas quando você acordar eu lhe conto tudo sobre ela. Eu conto que foi a tarde mais cinzenta que você pode imaginar, e aí um carro com os faróis apagados passou bem em cima da bola. E aí o homem desceu e gritou com a gente. E *depois* pediu informações sobre o caminho. Que descaramento...!

Acorde!, ela queria gritar.
Ou então sacudi-lo.
Não fez uma coisa nem outra.
Tudo o que Liesel conseguiu foi ficar olhando para a bola, com sua pele pisoteada e descascada. Era o primeiro de muitos presentes.

· PRESENTES 2 A 5 ·
Uma fita, uma pinha.
Um botão, uma pedra.

A bola de futebol lhe dera uma ideia.
Agora, toda vez que ia e voltava da escola, Liesel ficava à procura de objetos descartados que pudessem ser valiosos para um homem agonizante. No começo, perguntou-se por que aquilo tinha tanta importância. Como podia uma coisa aparentemente tão insignificante consolar alguém? Uma fita na sarjeta. Uma pinha na rua. Um botão descuidadamente encostado numa parede da sala de aulas. Uma pedrinha chata e redonda do rio. Que mais não fosse, isso mostrava que ela se importava, e talvez lhes desse um assunto para conversar quando Max acordasse.
Quando se achava só, ela conduzia essas conversas.
— E o que é isso tudo? — diria Max. — Que é toda essa porcaria?
— Porcaria? — retrucaria Liesel. Mentalmente, estaria sentada ao lado da cama.
— Não é só porcaria, Max. Foi isso que fez você acordar.

· PRESENTES 6 A 9 ·
Uma pena, dois jornais.
Um invólucro de bala. Uma nuvem.

A pena era linda e estava presa na dobradiça da porta da igreja, na rua Munique. Projetava-se para fora, meio torta, e Liesel se apressou a resgatá-la. As fibras estavam achatadas do lado esquerdo, mas o direito era feito de bordas delicadas e setores de triângulos irregulares. Não havia outro jeito de descrevê-la.
Os jornais saíram das profundezas frias de uma lata de lixo (é o quanto basta dizer) e o invólucro de bala era liso e desbotado. Ela o achou perto da escola e o segurou contra a luz. Continha uma colagem de marcas de sapatos.
Depois, a nuvem.
Como se dá a alguém um pedaço de céu?
No fim de fevereiro, ela parou na rua Munique e observou uma nuvem gigantesca aproximar-se por sobre as colinas, como um monstro branco. Escalou as montanhas. O sol foi eclipsado e, no lugar dele, uma fera branca de coração cinzento vigiou a cidade.
— Olhe só para aquilo! — disse ela ao pai.
Hans inclinou a cabeça e declarou o que lhe pareceu óbvio.

— Você devia dá-la ao Max, Liesel. Veja se consegue deixá-la na mesa de cabeceira, como todas as outras coisas.
Liesel o fitou como se ele tivesse enlouquecido.
— Mas como?
Ele lhe deu um piparote de leve na cabeça.
— Decore-a. Depois, escreva-a para ele.

— ... parecia uma grande fera branca — disse a menina, em sua vigília seguinte junto ao leito —, e veio por cima das montanhas.
Quando a frase foi concluída, com vários ajustes e acréscimos diferentes, Liesel achou que havia conseguido. Imaginou a visão da nuvem passando de sua mão para ele, através dos cobertores, e a escreveu num pedaço de papel, colocando a pedrinha em cima.

· PRESENTES 10 A 13 ·
Um soldadinho de brinquedo.
Uma folha milagrosa.
Um assobiador terminado.
Uma nesga de tristeza.

O soldado estava enterrado no chão, não muito longe da casa de Tommy Müller. Estava arranhado e pisoteado, o que para Liesel era justamente o importante. Mesmo machucado, ele ainda conseguia ficar de pé.
A folha era de bordo e ela a encontrou no armário de vassouras da escola, entre os baldes e os espanadores. A porta estava entreaberta. A folha era seca e dura, feito pão torrado, e havia colinas e vales em toda a sua pele. Não se sabe como, havia percorrido o corredor da escola e entrado naquele armário. Como metade de uma estrela com um cabo. Liesel a pegou e a girou entre os dedos.
Ao contrário dos outros objetos, ela não pôs a folha na mesa de cabeceira. Prendeu-a na cortina fechada, pouco antes de ler as últimas trinta e quatro páginas de O *Assobiador*.
Nesse fim de tarde, não jantou nem foi ao banheiro. Não bebeu nada. Durante o dia inteiro, na escola, prometera a si mesma que terminaria de ler o livro nesse dia, e Max Vandenburg escutaria. Ele ia acordar.
Papai sentou-se no chão, num canto, desempregado como sempre. Por sorte, logo iria para o Knoller com seu acordeão. Com o queixo apoiado nos joelhos, ouviu a menina a quem lutara para ensinar o alfabeto. Lendo orgulhosamente, ela despejou as últimas palavras aterradoras do livro em Max Vandenburg.

· OS ÚLTIMOS RESTOS DE ·
O ASSOBIADOR
O ar vienense embaçava as janelas do trem naquela manhã e,
enquanto as pessoas seguiam distraídas para o trabalho, um

*assassino assobiava sua alegre melodia. Comprou o bilhete.
Houve trocas educadas de cumprimentos com outros passageiros
e com o condutor. Ele até ofereceu seu lugar a uma senhora
idosa, e conversou polidamente com um jogador que lhe falou de
cavalos norte-americanos. Afinal, o assobiador adorava conversar.
Conversava com as pessoas e as iludia, fazendo-as gostar dele,
confiar nele. Conversava com elas ao matá-las, enquanto as torturava
e girava a faca. Só quando não havia ninguém com quem falar é
que ele assobiava, razão por que o fazia depois dos assassinatos...
— Então, o senhor acha que a pista será boa para o número 7, é?
— É claro — sorriu o jogador. A confiança já
se fizera presente.
— Ele virá de trás e vai acabar
com todos eles! — gritou, por cima do barulho do trem.
— Se o senhor insiste...
O assobiador deu um risinho de mofa
e pensou durante muito tempo em quando encontrariam
o corpo do inspetor, naquele BMW novo em folha.*

— Jesus, Maria e José! — exclamou Hans, sem poder resistir a um tom incrédulo. — Foi uma freira que lhe deu *isso?* — E se levantou. Aproximou-se e beijou-a na testa. — Tchau, Liesel, o Knoller me espera.

— Até logo, papai.

— Liesel!

Ela ignorou o chamado.

— Venha comer alguma coisa!

Dessa vez, respondeu:

— Estou indo, mamãe.

Na verdade, dirigiu essas palavras a Max, ao chegar mais perto e pôr o livro terminado na mesa de cabeceira, com todo o resto. Ao se debruçar sobre ele, não pôde evitar.

— Anda, Max! — murmurou, e nem mesmo a chegada da mãe às suas costas impediu-a de chorar baixinho. Não a impediu de tirar um pouco de água salgada do olho e colocá-la no rosto de Max Vandenburg.

A mãe a levou.

Seus braços a engoliram.

— Eu sei — disse Rosa.

Ela sabia.

AR PURO, UM ANTIGO PESADELO E O QUE FAZER COM UM CADÁVER JUDAICO

Eles estavam à margem do Amper e Liesel acabara de dizer a Rudy que estava interessada em obter outro livro na casa do prefeito. Em vez de *O Assobiador*, lera várias vezes *O Vigiador* junto ao leito de Max. Esse só levava alguns minutos para ler. Também havia tentado *O Dar de Ombros* e até *O Manual do Coveiro,* mas nenhum deles parecia muito adequado. Quero uma coisa nova, pensara consigo mesma.
— Mas você pelo menos já leu o último?
— É claro que sim.
Rudy atirou uma pedra na água.
— E prestava?
— É claro que prestava.
— *É claro que sim, é claro que prestava* — remedou-a Rudy. Tentou arrancar outra pedra do chão, mas cortou o dedo.
— Bem feito.
— *Saumensch.*
Quando a última resposta de uma pessoa era *Saumensch, Saukerl* ou *Arschloch,* a gente sabia que a tinha derrotado.

Em termos de furto, as condições eram perfeitas. Era uma tarde sombria do início de março, poucos graus acima do congelamento — o que é sempre mais incômodo do que dez graus abaixo. Havia pouquíssima gente na rua. E chuva, feito aparas de lápis cinza.

— Nós vamos?
— Bicicletas — disse Rudy. — Você pode usar uma das nossas.

Nessa ocasião, Rudy mostrou-se consideravelmente mais entusiasmado com a ideia de ser ele o *entrante*.

— Hoje é minha vez — disse, enquanto os dedos de ambos congelavam nos guidões das bicicletas.

Liesel pensou ligeiro.

— Talvez você não deva, Rudy. Lá tem coisas espalhadas por todo canto. E é escuro. É fatal que um idiota como você tropece ou esbarre em alguma coisa.

— Muito obrigado.

Nesse estado de ânimo, Rudy era difícil de conter.

— E tem também a altura. O pulo é mais alto do que você pensa.

— Está me dizendo que acha que eu não consigo?

Liesel ficou em pé nos pedais.

— De jeito nenhum.

Os dois cruzaram a ponte e serpentearam ladeira acima até a Grande Strasse. A janela estava aberta.

Como na vez anterior, inspecionaram a casa. Conseguiam enxergar vagamente o interior, até o ponto em que havia uma luz acesa embaixo, provavelmente no que seria a cozinha. Uma sombra movia-se de um lado para outro.

— A gente vai só dar a volta no quarteirão umas vezes — disse Rudy. — Foi sorte termos vindo de bicicleta, hein?

— Só trate de se lembrar de levar a sua para casa.

— Muito engraçado, *Saumensch*. Ela é um pouquinho maior do que os seus sapatos nojentos.

Circularam por uns quinze minutos, talvez, e a mulher do prefeito continuava no térreo, meio perto demais para ser conveniente. Como é que se atrevia a ocupar a cozinha com tamanha vigilância? Para Rudy, a cozinha era, sem sombra de dúvida, a verdadeira meta. Ele entraria, roubaria tanta comida quanto fosse fisicamente possível, e se (e somente se) dispusesse de um último minuto de sobra enfiaria um livro nas calças, na saída. Qualquer livro serviria.

Mas a fraqueza de Rudy era a impaciência.

— Está ficando tarde — disse, e começou a se afastar. — Você vem?

Liesel não foi.

Não havia nada que decidir. Ela arrastara aquela bicicleta enferrujada até lá e não estava disposta a sair sem um livro. Encostou o guidom na sarjeta, olhou em volta à procura de vizinhos e se encaminhou para a janela. Foi em boa velocidade, mas sem pressa. Tirou os sapatos com os próprios pés, empurrando os saltos com os dedos.

Apertou a madeira com as mãos ao pular para dentro.

Dessa vez, nem que fosse um pouquinho, sentiu-se mais à vontade. Em poucos preciosos momentos circulou pelo cômodo, à procura de um título que a atraísse. Em três ou quatro ocasiões, quase estendeu a mão. Chegou até a pensar em levar mais de um, mas, por outro lado, não quis abusar do que era uma espécie de sistema. Por ora, apenas um livro era necessário. Ela estudou as estantes e aguardou.

Uma escuridão extra infiltrou-se pela janela, às suas costas. O cheiro de poeira e furto pairava ao fundo, e ela o viu.

O livro era vermelho, com letras pretas na lombada. *Der Traumträger. O Carregador de Sonhos*. Liesel pensou em Max Vandenburg e seus sonhos. Na culpa. Na sobrevivência. No abandono da família. Nas lutas com o *Führer*. Pensou também em seu próprio sonho — seu irmão, morto no trem, e o aparecimento dele na escada, logo na esquina desse mesmo cômodo. A menina que roubava livros viu o joelho ensanguentado do irmão na própria investida de sua mão.

Tirou o livro da prateleira, enfiou-o embaixo do braço, trepou no parapeito da janela e pulou para o lado de fora, tudo num movimento só.

Rudy segurava seus sapatos. Tinha a bicicleta pronta. Uma vez calçados os sapatos, os dois partiram.

— Jesus, Maria e José, Meminger! — E ele nunca a chamara de Meminger até então. — Você é uma lunática completa. Sabia disso?

Liesel concordou, enquanto pedalava feito louca.

— Eu sei.

Na ponte, Rudy resumiu os acontecimentos da tarde.

— Ou essa gente é completamente maluca, ou simplesmente gosta de ar puro.

· UMA PEQUENA SUGESTÃO ·
Ou talvez houvesse uma mulher na Grande Strasse
que agora mantinha aberta a janela da biblioteca
por outra razão — mas isso sou apenas eu sendo cínica,
ou esperançosa. Ou ambas as coisas.

Liesel pôs *O Carregador de Sonhos* embaixo do casaco e começou a lê-lo no minuto em que voltou para casa. Na cadeira de madeira junto à cama abriu o livro e murmurou:

— Este é novo, Max. Só para você. — E começou a ler. — Capítulo primeiro: Foi muito adequado que a cidade inteira estivesse adormecida quando o carregador de sonhos nasceu...

Todos os dias, Liesel lia dois capítulos do livro. Um de manhã, antes da aula, e um assim que voltava da escola. Em algumas noites, quando não conseguia dormir, ela também lia metade de um terceiro capítulo. Às vezes, adormecia dobrada para frente sobre a lateral da cama.

Aquilo se tornou sua missão.

Ela oferecia *O Carregador de Sonhos* a Max como se as simples palavras pudessem alimentá-lo. Numa terça-feira, achou que tinha havido um movimento. Poderia jurar que os olhos dele se abriram. Se era verdade, foi só por um instante, e o mais provável é que tenham sido apenas sua imaginação e a racionalização de seus desejos.

Em meados de março, as fissuras começaram a aparecer.

Rosa Hubermann — a que era boa nas crises — estava à beira de explodir, uma tarde, na cozinha. Elevou a voz e tornou a baixá-la depressa. Liesel parou de ler e foi em silêncio para o corredor. Por mais perto que chegasse, mal conseguia discernir as palavras da mãe. Quando conseguiu ouvi-las, desejou não tê-lo feito, pois o que ouviu foi horripilante. Foi a realidade.

· O CONTEÚDO DA VOZ DA MAMÃE ·
— E se ele não acordar?
E se ele morrer aqui, Hansi?
Diga-me, em nome de Deus, que vamos fazer com o corpo?
Não podemos deixá-lo aqui, o cheiro vai nos matar...
e também não podemos carregá-lo porta afora e
arrastá-lo pela rua. Não podemos apenas dizer:
"Você não vai adivinhar o que achamos
em nosso porão hoje de manhã..."
Vão nos mandar embora para sempre.

Tinha absoluta razão.

Um cadáver judaico era um enorme problema. Os Hubermann precisavam ressuscitar Max Vandenburg, não apenas pelo bem dele, mas também pelo seu. Até o pai, que era sempre a suprema influência tranquilizadora, sentia a pressão.

— Escute — disse em voz baixa, mas pesada. — Se isso acontecer... se ele morrer... simplesmente teremos que descobrir um jeito.

Liesel seria capaz de jurar que o ouviu engolir em seco. Uma engolida como um golpe na traqueia.

— Minha carroça de tintas, umas mantas de proteção contra respingos...

A menina entrou na cozinha.

— Agora não, Liesel.

Foi o pai quem falou, embora não a olhasse. Fitava seu próprio rosto distorcido nas costas de uma colher. Tinha os cotovelos enterrados na mesa.

A roubadora de livros não se retirou. Deu mais uns passos e sentou-se. Suas mãos frias apalparam suas mangas e uma frase lhe caiu da boca.

— Ele ainda não morreu.

As palavras pousaram na mesa e se posicionaram no meio. As três pessoas ficaram a olhá-las. As tênues esperanças não ousaram elevar-se mais do que isso. Ele ainda não morreu. Ele ainda não morreu. Foi Rosa a primeira a falar.

— Quem está com fome?

Possivelmente, a única hora em que a doença de Max não afligia era a do jantar. Não havia como negá-lo, quando os três se sentavam à mesa da cozinha com seu pão extra e sua sopa ou batatas a mais. Todos pensavam nisso, mas ninguém falava.

De madrugada, algumas horas depois, Liesel acordou e se intrigou com a altura de seu coração. (Aprendera essa expressão em O Carregador de Sonhos, que era, essencialmente, a completa antítese de O Assobiador — um livro sobre um menino abandonado que queria ser padre.) Sentou-se e inspirou fundo o ar da noite.

— Liesel? — rolou o pai na cama. — Que foi?
— Nada, papai, está tudo bem.

Mas, no momento mesmo em que terminou a frase, ela soube exatamente o que tinha acontecido em seu sonho.

· UMA IMAGENZINHA ·
Na maior parte, era tudo idêntico.
O trem se movia com a mesma velocidade.
Abundantemente, seu irmão tossia.
Dessa vez, porém, Liesel não pôde ver seu
rosto fitando o chão. Inclinou-se devagar.
Sua mão o ergueu com delicadeza, pelo queixo,
e ali, diante dela, estava o rosto
de olhos arregalados de Max Vandenburg.
Ele a fitava. Uma pena caiu no chão.
Agora o corpo era maior, combinando com
o tamanho do rosto. O trem gritou.

— Liesel?
— Eu disse que está tudo bem.

Trêmula, ela saiu do colchão. Entorpecida de medo, foi pelo corredor até Max. Após muitos minutos a seu lado, quando tudo ficou mais lento, tentou interpretar o sonho. Seria uma premonição da morte de Max? Ou uma simples reação à conversa da tarde na cozinha? Teria Max substituído seu irmão? E, se assim fosse, como poderia ela desfazer-se de sua própria carne e osso daquele jeito? Talvez fosse até um desejo profundo de que Max morresse. Afinal, se isso era suficientemente bom para Werner, seu irmão, era suficientemente bom para esse judeu.

— É isso que você acha? — murmurou ela, erguendo-se ao lado da cama. — Não.

Não conseguia acreditar. Sua resposta ficou suspensa, enquanto o torpor da escuridão se desfazia e delineava as várias formas, grandes e pequenas, na mesa de cabeceira. Os presentes.
— Acorde — disse ela.
Max não acordou.
Por mais oito dias.

Na escola, houve uma batida na porta.
— Entre — disse *Frau* Olendrich.
A porta se abriu e toda a turma de crianças olhou, surpresa, para Rosa Hubermann, parada no vão. Uma ou duas sufocaram um grito ante a visão — um armariozinho de mulher, com um sorriso escarninho de batom e olhos de cloro. Aquela. Era a lenda. Rosa usava sua melhor roupa, mas seu cabelo estava uma bagunça, e *era* uma toalha de mechas cinzentas elásticas.
A professora ficou visivelmente amedrontada.
— *Frau* Hubermann...
Seus gestos foram confusos. Ela vasculhou a turma.
— Liesel?
Liesel olhou para Rudy, levantou-se e andou depressa até a porta, para acabar com o constrangimento o mais rápido possível. Fechou-a ao sair, e então se viu a sós no corredor, com Rosa.
Rosa desviou o olhar.
— Que foi, mamãe?
Ela se virou.
— Não me venha com "Que foi, mamãe", sua *Saumenschzinha*!
Liesel foi perfurada pela velocidade das palavras.
— Minha escova de cabelo!
Um filete de risadas rolou por baixo da porta, mas foi prontamente puxado de volta.
— Mamãe?
O rosto dela era severo, mas sorria.
— Que diabo você fez com minha escova, sua *Saumensch* idiota, sua ladrazinha? Eu já lhe disse mais de cem vezes para deixá-la em paz, mas será que você escuta? É claro que não!
A espinafração prosseguiu por mais um minuto, talvez, com Liesel fazendo uma ou duas sugestões desesperadas sobre a possível localização da referida escova. E acabou de repente, quando Rosa a puxou para junto de si, apenas por alguns segundos. Seu cochicho foi quase inaudível, mesmo com toda a proximidade.
— Você me disse para gritar com você. Disse que todo o mundo acreditaria. — E olhou à esquerda e à direita, com a voz parecendo agulha e linha. — Ele acordou, Liesel. Está acordado. — E tirou do bolso o soldadinho de brinquedo, com o exterior arranhado. — Mandou eu lhe dar isso. Era o favorito dele.

Rosa o entregou, esticando bem os braços, e sorriu. Antes que Liesel tivesse chance de responder, concluiu a bronca.

— E então? Responda! Você tem alguma outra ideia de onde pode tê-la deixado?

Ele está vivo, pensou Liesel.

— ... Não, mamãe. Desculpe, mamãe, eu...

— Bom, então para que é que você serve?

Soltou a menina, fez-lhe um aceno de cabeça e foi embora.

Por alguns instantes, Liesel continuou imóvel. O corredor era imenso. Examinou o soldado na palma da mão. O instinto lhe dizia para correr imediatamente para casa, mas o bom senso não deixou. Em vez disso, ela pôs o soldado maltrapilho no bolso e voltou para a sala de aulas.

Todos esperavam.

— Vaca idiota — murmurou entre os dentes.

Mais uma vez, as crianças riram. Mas não *Frau* Olendrich.

— O que você disse?

Liesel estava tão zonza que se sentia indestrutível.

— Eu disse — sorriu, radiante — vaca idiota — e não precisou esperar nem um instante para que a mão da professora a esbofeteasse.

— Não fale assim de sua mãe — disse ela, mas surtiu pouco efeito. A menina só fez ficar parada, tentando conter o riso. Afinal, era capaz de levar uma *Watschen* dos melhores deles.

— E, agora, volte para o seu lugar.

— Sim, *Frau* Olendrich.

A seu lado, Rudy não se atreveu a falar.

— Jesus, Maria e José — murmurou —, dá para ver a mão dela no seu rosto. Uma manzorra vermelha. Cinco dedos!

— Ótimo — respondeu Liesel, porque Max estava vivo.

Quando chegou em casa, à tarde, ele estava sentado na cama, com a bola murcha de futebol no colo. A barba comichava e seus olhos alagadiços lutavam para ficar abertos. Havia uma tigela vazia de sopa ao lado dos presentes.

Não disseram olá.

Foi mais pelas beiradas.

A porta rangeu, a menina entrou e parou diante dele, olhando para a tigela.

— A mamãe está empurrando isso pela sua goela abaixo?

Max fez que sim, contente, exausto.

— Mas estava ótima.

— A sopa da mamãe? É mesmo?

Não foi um sorriso o que ele lhe deu.

— Obrigado pelos presentes.

Foi mais um ligeiro rasgo da boca.

— Obrigado pela nuvem. Essa o seu pai explicou um pouco mais.

Depois de uma hora, Liesel também fez uma tentativa de dizer a verdade.
— Não sabíamos o que fazer se você morresse, Max. Nós...
Ele não demorou:
— Quer dizer, como se livrarem de mim?
— Desculpe.
— Não — retrucou ele, sem se ofender. — Vocês tinham razão — concordou, brincando de leve com a bola. — Tinham razão em pensar assim. Na sua situação, um judeu morto é tão perigoso quanto um judeu vivo, se não for pior.
— Eu também sonhei.
Em detalhe, Liesel explicou seu sonho, agarrada ao soldadinho. Estava prestes a pedir desculpas outra vez quando Max interveio.
— Liesel. — E a fez olhar para ele. — Nunca me peça desculpas. Eu é que devo me desculpar com você. — E olhou para tudo o que a menina lhe levara. — Veja isso tudo, esses presentes — segurando o botão. — E a Rosa me disse que você lia para mim duas vezes por dia, às vezes três.

Nesse momento, fitou as cortinas, como se pudesse enxergar através delas. Sentou-se com o corpo um pouco mais ereto e fez uma pausa de umas doze frases silenciosas. A inquietação invadiu-lhe o rosto, e ele fez uma confissão à menina.
— Liesel — disse, deslocando-se ligeiramente para a direita. — Estou com medo de pegar no sono de novo.
A menina foi resoluta.
— Então, vou ler para você. E dou um tapa no seu rosto se você começar a cochilar. Fecho o livro e o sacudo até você acordar.
Nessa tarde e pela noite afora Liesel leu para Max Vandenburg. O rapaz sentou-se na cama e absorveu as palavras, agora desperto, até pouco depois das dez horas. Quando Liesel fez uma pequena pausa em O *Carregador de Sonhos*, olhou por cima do livro e Max havia adormecido. Nervosa, cutucou-o com o livro. Ele acordou.
Adormeceu mais três vezes. Em mais duas ela o despertou.
Nos quatro dias seguintes, Max acordou todas as manhãs na cama de Liesel, depois junto à lareira e, por fim, em meados de abril, no porão. Sua saúde estava melhor, a barba se fora e umas tirinhas de peso haviam voltado.
No mundo interno de Liesel, houve grande alívio dessa vez. Do lado de fora, as coisas começavam a parecer incertas. No fim de março, um lugar chamado Lübeck recebeu uma saraivada de bombas. O seguinte seria Colônia e em pouco tempo muitas outras cidades alemãs, inclusive Munique.
É, o chefe estava no meu cangote.
— Apronte logo isso, apronte logo isso.

As bombas estavam chegando — e eu também.

Diário da Morte: Colônia

As horas mortas de 30 de maio.
 Tenho certeza de que Liesel Meminger dormia a sono solto quando mais de mil bombardeiros voaram para um lugar chamado Colônia. Para mim, o resultado foram umas quinhentas pessoas, por aí. Outras cinquenta mil perambularam sem teto em volta das pilhas fantasmagóricas de escombros, tentando descobrir o que era o que e que lascas de casas destroçadas pertenciam a quem.
 Quinhentas almas.
 Carreguei-as nos dedos, feito malas. Ou então as jogava por cima do ombro. Só as crianças foi que levei no colo.

 Quando terminei, o céu estava amarelo como jornal em chamas. Se olhasse de perto, eu podia ver as palavras, as manchetes das notícias, comentando o progresso da guerra e assim por diante. Como gostaria de derrubar aquilo tudo, de amarrotar o céu de jornal e jogá-lo fora! Meus braços doíam e eu não podia me dar ao luxo de queimar os dedos. Ainda havia muito trabalho a fazer.

 Como você poderia esperar, muitas pessoas tiveram morte instantânea. Outras levaram mais tempo. Havia vários outros lugares para ir, céus com que deparar e almas a recolher, e quando voltei para Colônia, mais tarde, não muito depois dos últimos aviões, consegui notar uma coisa singularíssima.
 Eu carregava a alma chamuscada de uma adolescente quando olhei gravemente para cima, para o que já então era um céu sulfúrico. Por perto havia um grupo de meninas de dez anos. Uma delas exclamou:

— Que é aquilo?

O braço se estendeu e o dedo apontou para o objeto preto e lento que caía do alto. Começou como uma pluma negra, inclinando-se, flutuando. Ou como um pedaço de cinza. Depois, ficou maior. A mesma menina — uma ruiva com sardas em forma de pontos — tornou a falar, dessa vez com mais ênfase.

— Que é *aquilo*?

— É um corpo — sugeriu outra menina. Cabelo preto, rabo de cavalo e uma parte torta no meio.

— É outra bomba!

Era lento demais para ser uma bomba.

Com o espírito adolescente ainda ardendo de leve em meus braços, andei umas centenas de metros com o resto delas. Como as meninas, mantive-me concentrada no céu. A última coisa que eu queria era baixar os olhos para o rosto perdido de minha adolescente. Uma menina bonita. Agora, tinha toda a morte pela frente.

Como o resto delas, levei um susto quando uma voz gritou. Era um pai insatisfeito, mandando suas filhas entrarem. A ruiva reagiu. Suas sardas alongaram-se em vírgulas.

— Mas, papai, olhe!

O homem deu vários passinhos e logo descobriu do que se tratava.

— É o combustível — disse.

— Como assim?

— O combustível — repetiu ele. — O tanque.

Era um homem calvo, com a roupa de dormir rasgada.

— Eles usaram todo o combustível daquele e se livraram do tambor. Olhe, há mais um lá.

— E lá!

Como criança é criança, todas saíram numa busca frenética, a essa altura, tentando achar um tambor vazio de combustível flutuando para o chão.

O primeiro aterrissou com um baque surdo.

— Podemos ficar com ele, papai?

— Não.

Estava bombardeado e chocado esse pai, e claramente não se sentia no clima.

— Não podemos ficar com ele.

— Por que não?

— Vou perguntar ao meu pai se *eu* posso ficar com ele — disse outra menina.

— Eu também.

Logo depois dos destroços de Colônia, um grupo de crianças recolhia tambores vazios de combustível, lançados por seus inimigos. Como de praxe, recolhi seres humanos. Estava cansada. E o ano ainda nem havia chegado à metade.

A VISITA

Encontrara-se uma nova bola para o futebol da rua Himmel. Essa foi a boa notícia. A notícia meio inquietante foi que uma divisão do NSDAP estava indo para lá.

Eles tinham avançado por toda Molching, rua a rua, casa a casa, e agora estavam na loja de *Frau* Diller, fazendo uma pausa rápida para um cigarro, antes de dar continuidade a seu trabalho.

Já havia um pequeno número de abrigos antiaéreos em Molching, mas ficara decidido, pouco depois do bombardeio de Colônia, que mais alguns certamente não fariam mal. O NSDAP estava inspecionando cada uma das casas, para verificar se o porão era um candidato adequado.

De longe, a meninada observava.

Via a fumaça que se erguia do grupo.

Liesel havia acabado de sair e se aproximara de Rudy e Tommy. Harald Mollenhauer tinha ido buscar a bola.

— Que está acontecendo lá?

Rudy pôs as mãos nos bolsos.

— O partido — disse. Inspecionou o progresso do amigo com a bola, na cerca em frente à casa de *Frau* Holtzapfel. — Estão examinando todas as casas e prédios de apartamentos.

Uma secura instantânea apossou-se do interior da boca de Liesel.

— Para quê?

— Você não sabe nada, é? Diga a ela, Tommy.

Tommy ficou perplexo.

— Bom, *eu* é que não sei.

— Vocês não têm jeito, vocês dois. Eles precisam de mais abrigos antiaéreos.

— O quê: porões?
— Não, sótãos. É claro que são porões! Nossa, Liesel, você é burra mesmo, hein?
A bola estava de volta.
— Rudy!
Rudy começou a jogá-la e Liesel continuou parada. Como poderia voltar para dentro de casa sem parecer suspeita demais? A fumaça na loja de *Frau* Diller já desaparecia e o pequeno grupo de homens começava a se dispersar. Foi dessa maneira terrível que se gerou o pânico. Garganta e boca. O ar virou areia. Pense, pensou ela. Ande, Liesel, pense, pense.
Rudy fez um gol.
Vozes distantes lhe deram parabéns.
Pense, Liesel...
Descobriu.
É isso, resolveu, mas tenho que fazer com que pareça real.

Enquanto os nazistas avançavam pela rua, pintando as letras LSR em algumas portas, a bola foi lançada pelo alto para um dos meninos maiores, Klaus Behrig.

· L S R ·
Luft Schutz Raum:
Abrigo antiaéreo

O menino girou com a bola no exato momento em que Liesel chegou, e os dois se chocaram com tanta força que o jogo parou automaticamente. Enquanto a bola rolava para longe, os jogadores vieram correndo. Liesel segurava o joelho esfolado com uma das mãos e a cabeça com a outra. Klaus Behrig segurava apenas a canela direita, fazendo caretas e xingando.
— Cadê ela? — cuspiu. — Vou matar ela!
Não haveria morte nenhuma.
Foi pior.
Um membro gentil do partido vira o incidente e correu obsequiosamente para o grupo.
— Que houve aqui? — indagou.
— Ora, *essa aí* é maníaca — respondeu Klaus, apontando para Liesel, o que levou o homem a ajudá-la a se levantar. Seu hálito de tabaco formou uma duna de fumaça diante do rosto dela.
— Acho que você não tem condição de continuar jogando, minha menina — disse o homem. — Onde mora?
— Eu estou bem — retrucou ela —, estou mesmo. Posso me arranjar sozinha.
Saia de cima de mim, saia de cima de mim!
Foi nessa hora que Rudy se meteu, o eterno intrometido.

— Eu ajudo você a ir para casa.

Por que ele não podia cuidar só da sua vida, para variar?

— De verdade — disse Liesel —, continue jogando, Rudy. Eu vou sozinha.

— Não, não. — E não havia como demovê-lo. Ah, a teimosia dele! — Só vai levar um ou dois minutos.

Mais uma vez, Liesel tinha que pensar, e mais uma vez conseguiu. Com Rudy a segurá-la, fez-se desabar de novo no chão, de costas.

— Meu pai — disse. O céu, ela notou, estava profundamente azul. Nem mesmo uma sugestão de nuvem. — Pode chamá-lo, Rudy?

— Fique aqui — ordenou o menino. Virando-se para a direita, gritou: — Tommy, vigie ela, sim? Não deixe ela se mexer.

Tommy entrou em ação num estalo.

— Eu vigio, Rudy. — E se pôs a velar sobre Liesel, contorcendo o rosto e tentando não sorrir, enquanto ela ficava de olho no homem do partido.

Um minuto depois, Hans Hubermann erguia-se calmamente ao lado dela.

— Oi, papai.

Um sorriso decepcionado misturou-se com os lábios de Hans.

— Eu me perguntava quando isso ia acontecer.

Pegou-a no colo e a levou para casa. O jogo continuou, e o nazista já batia à porta de uma moradia, algumas portas adiante. Ninguém atendeu. Rudy tornou a chamar:

— Precisa de ajuda, *Herr* Hubermann?

— Não, não, continue jogando, *Herr* Steiner.

Herr Steiner. A gente só podia adorar o papai de Liesel.

Uma vez do lado de dentro, Liesel deu-lhe a informação. Tentou encontrar um meio-termo entre o silêncio e o desespero.

— Papai.

— Não fale.

— O partido — sussurrou ela. O pai parou. Lutou contra a ânsia de abrir a porta e olhar a rua. — Eles estão examinando os porões para fazer abrigos.

Hans a pôs no chão.

— Menina esperta — disse, e chamou Rosa.

Eles dispunham de um minuto para produzir um plano. Uma barafunda de ideias.

— É só a gente colocá-lo no quarto da Liesel — foi a sugestão da mãe. — Embaixo da cama.

— *Só isso*? E se eles resolverem inspecionar nossos quartos também?

— Você tem um plano melhor?

Correção: eles não dispunham de um minuto.

Uma batida em sete socos martelou a porta do número 33 da rua Himmel, e era tarde demais para transferir qualquer pessoa para qualquer lugar.

A voz.
— Abram!
As batidas de seus corações lutaram umas com as outras, numa atabalhoação de ritmos. Liesel tentou devorar as dela. O gosto de coração não era muito animador.

Rosa sussurrou:
— Jesus, Maria...

Nesse dia, foi o pai quem se mostrou à altura do problema. Precipitou-se para a porta do porão e mandou um aviso escada abaixo. Quando voltou, falou depressa e com fluência.

— Escutem, não há tempo para truques. Poderíamos distraí-lo de cem maneiras diferentes, mas só existe uma solução — e olhou para a porta, resumindo: — Nada.

Não era a resposta que Rosa queria. Seus olhos se arregalaram.
— Nada? Você está *maluco*?

As batidas recomeçaram.

O pai foi rigoroso.
— Nada. Nem vamos lá embaixo. Sem a menor preocupação no mundo.

Tudo ficou mais lento.

Rosa aceitou.

Apertada de aflição, balançou a cabeça e tratou de atender a porta.
— Liesel — cortou-a a voz do pai —, trate apenas de ficar calma, *verstehst*?
— Sim, papai.

Tentou concentrar-se na perna que sangrava.

— Ah-há!

À porta, Rosa ainda perguntava qual era o significado daquela interrupção, quando o homem gentil do partido notou Liesel.
— A jogadora de futebol maníaca! — Sorriu. — Como está o joelho?

A gente não costuma imaginar os nazistas muito alegrinhos, mas esse homem certamente o era. Entrou e foi se abaixando para examinar o machucado.

Será que ele sabe?, pensou Liesel. Será que fareja que estamos escondendo um judeu?

O pai veio da pia com uma toalha molhada e a pôs no joelho de Liesel.
— Está ardendo?

Seus olhos de prata eram atenciosos e calmos. O medo presente neles podia ser facilmente confundido com uma preocupação com o ferimento.

Rosa falou, do outro lado da cozinha.
— Não há como arder demais. Pode ser que isso a faça aprender a lição.

O homem do partido ergueu-se e riu.
— Acho que essa menina não anda aprendendo nenhuma lição, *Frau*...?
— Hubermann — contorceu-se o rosto de papelão.
— ...*Frau* Hubermann, eu acho que ela *dá* lições. — E sorriu para Liesel. — A todos aqueles meninos. Estou certo, mocinha?

O pai enfiou a toalha no arranhão e Liesel estremeceu, em vez de responder. Foi Hans quem falou. Um "desculpe" baixinho, dirigido à menina.

Veio então o incômodo do silêncio, até que o homem do partido se lembrou de seu propósito.

— Se não se importam — explicou —, preciso inspecionar seu porão, só por um ou dois minutos, para ver se ele serve de abrigo.

O pai deu uma última pancadinha no joelho de Liesel.

— Você também vai ficar com uma bela mancha roxa aí, Liesel — disse. Em tom despreocupado, respondeu ao homem que se erguia sobre eles. — É claro. Primeira porta à direita. Desculpe a bagunça, por favor.

— Eu não me preocuparia com isso... não pode ser pior do que uns outros que já vi hoje... É esta?

— É essa.

· OS TRÊS MINUTOS MAIS LONGOS ·
DA HISTÓRIA DOS HUBERMANN
O pai sentou-se à mesa. Rosa ficou rezando no canto,
enunciando as palavras em silêncio. Liesel sentia-se frita:
o joelho, o peito, os músculos dos braços. Duvido que
algum deles tenha tido a audácia de pensar no que faria
se o porão fosse designado como abrigo.
Primeiro, tinham que sobreviver à inspeção.

Ouviram os passos do nazista no porão. Veio o som da fita métrica. Liesel não pôde evitar a ideia de Max sentado embaixo da escada, encolhido com seu livro de desenhos, apertando-o junto ao peito.

O pai se levantou. Outra ideia.

Foi até o corredor e gritou:

— Tudo bem aí embaixo?

A resposta subiu a escada, por cima de Max Vandenburg.

— Só mais um minuto, talvez!

— O senhor gostaria de um café, um chá?

— Não, obrigado.

Ao voltar, Hans ordenou que Liesel pegasse um livro e Rosa começasse a cozinhar. Resolveu que a última coisa que eles deviam fazer era ficar sentados, com ar apreensivo.

— Bom, vamos lá — disse em voz alta —, ande logo, Liesel. Não me interessa se o seu joelho está doendo. Você tem que terminar aquele livro, como disse.

Liesel tentou não perder o controle.

— Sim, papai.

— Que está esperando?

Foi um esforço enorme dar-lhe uma piscadela, ela percebeu.

No corredor, a menina quase se chocou com o homem do partido.

— Problemas com o papai, hein? Não se incomode. Também sou assim com meus filhos.

Seguiram seus rumos separados, e quando chegou ao quarto Liesel fechou a porta e caiu de joelhos, apesar do aumento da dor. Primeiro ouviu a sentença de que o porão era raso demais, depois as despedidas, uma das quais foi mandada pelo corredor:

— Até logo, jogadora de futebol maníaca!

Ela se recompôs:

— *Auf Wiedersehen!* Até logo!

O Carregador de Sonhos fervia em suas mãos.

Segundo o pai, Rosa desmanchou-se junto ao fogão no instante em que o homem do partido se retirou. Os dois pegaram Liesel e desceram ao porão, afastando as mantas de proteção e as latas de tinta bem-arranjadas. Max Vandenburg estava sentado embaixo da escada, segurando como uma faca sua tesoura enferrujada. Tinha as axilas empapadas de suor, e as palavras saíram-lhe da boca como xingamentos.

— Eu não ia usá-la — disse baixinho. — Eu... — e encostou as lâminas enferrujadas na testa. — Eu sinto muito, muito, tê-los feito passar por isso.

O pai acendeu um cigarro. Rosa pegou a tesoura.

— Você está vivo — disse ela. — Todos estamos.

Era tarde demais para desculpas.

O Schmunzeler

Minutos depois, houve uma segunda batida na porta.
— Santo Deus, mais um!
A preocupação recomeçou de imediato.
Max foi escondido.
Rosa subiu com esforço a escada do porão, mas ao abrir a porta, dessa vez, não eram os nazistas. Não era ninguém menos do que Rudy Steiner. Postado ali, de cabelo amarelo e cheio de boas intenções.
— Só passei para ver como está a Liesel.
Quando ouviu sua voz, Liesel começou a subir a escada.
— Desse eu posso cuidar.
— É o namorado dela — mencionou o pai, dirigindo-se às latas de tinta. Soltou outra baforada de fumaça.
— Ele *não é* meu namorado — protestou Liesel, mas não estava irritada. Isso seria impossível, depois de uma escapada tão difícil por um triz. — Só vou lá em cima porque a mamãe vai começar a gritar a qualquer segundo.
— Liesel!
Ela estava no quinto degrau.
— Viu?

Quando chegou à porta, Rudy mexia-se num pé e no outro.
— Só vim ver... — interrompeu-se. — Que cheiro é esse? — farejou. — Você andou fumando aqui?
— Ah. Eu estava com o papai.
— Você tem cigarros? Quem sabe a gente pode vender alguns.
Liesel não estava com clima para isso. Falou bem baixo para que a mãe não a ouvisse.

— Eu não roubo do meu pai.
— Mas rouba de uns outros lugares.
— Que tal falar um pouquinho mais alto, não quer?
Rudy *schmunzelou*.
— Está vendo no que dá roubar? Você está toda preocupada.
— Como se você nunca tivesse roubado nada.
— É, mas você cheira a roubo — insistiu ele. Estava realmente esquentando as turbinas. — Vai ver que isso não é fumaça de cigarro, afinal. — E chegou mais perto, sorridente. — Estou é sentindo cheiro de uma criminosa. Você devia tomar um banho.

Voltando-se para a rua, gritou para Tommy Müller.
— Ei, Tommy, você devia vir aqui dar uma cheirada nisso!
— O que você disse? — fez Tommy. Com esse se podia contar. — Não estou ouvindo!

Rudy abanou a cabeça em direção a Liesel.
— É inútil.
Ela começou a fechar a porta.
— Suma daqui, *Saukerl*, você é a última coisa de que eu preciso agora.
Muito satisfeito consigo mesmo, Rudy foi voltando para a rua. Junto à caixa do correio, pareceu lembrar-se do que tinha querido verificar, desde o começo. Retrocedeu alguns passos.
— *Alles gut, Saumensch*? Quero dizer, o machucado.
Era junho. Era a Alemanha.
As coisas estavam à beira da decadência.
Liesel não sabia disso. Para ela, o judeu em seu porão não fora descoberto. Seus pais de criação não tinham sido levados embora e ela mesma contribuíra enormemente para essas duas façanhas.
— Está tudo bem — respondeu, e não falava de nenhum tipo de machucado conseguido no futebol.
Ela estava ótima.

Diário da Morte:
os parisienses

Veio o verão.
 Para a menina que roubava livros, tudo corria bem.
 Para mim, o céu era da cor dos judeus.

 Quando seus corpos acabavam de vasculhar a porta em busca de frestas, as almas subiam. Depois de suas unhas arranharem a madeira e, em alguns casos, ficarem cravadas nela, pela pura força do desespero, seus espíritos vinham em minha direção, para meus braços, e galgávamos as instalações daqueles chuveiros, escalávamos o telhado e subíamos para a largueza segura da eternidade. E continuavam a me alimentar. Minuto após minuto. Chuveiro após chuveiro.
 Nunca me esquecerei do primeiro dia em Auschwitz, da primeira vez em Mauthausen. Nesse segundo local, com o correr do tempo, também passei a pegá-los no fundo do grande penhasco, onde suas fugas acabavam terrivelmente mal. Havia corpos quebrados e meigos corações mortos. Ainda assim, era melhor do que o gás. Alguns deles eu apanhava ainda a meio caminho da descida. Salvei você, pensava comigo mesma, segurando suas almas no ar, enquanto o resto de seu ser — suas carcaças físicas — despencava na terra. Eram todos leves, como cascas de nozes vazias. E um céu enfumaçado nesses lugares. O cheiro fazia lembrar uma fornalha, mas ainda muito frio.
 Estremeço ao recordar — ao tentar desrealizar aquilo.
 Bafejo ar quente nas mãos, para aquecê-las.
 Mas é difícil mantê-las aquecidas quando as almas ainda tiritam.

Deus.
Sempre pronuncio esse nome, ao pensar naquilo.
Deus.
Duas vezes, eu repito.
Digo o nome Dele na vã tentativa de compreender. "Mas não é sua função compreender." Essa sou eu respondendo. Deus nunca diz nada. Você acha que é a única pessoa a quem Ele nunca responde? "Sua tarefa é..." E eu paro de me escutar, porque, para dizê-lo curto e grosso, eu canso a mim mesma. Quando começo a pensar desse jeito, fico inteiramente exausta e não me dou o luxo de me entregar à fadiga. Sou obrigada a continuar, porque, embora isso não se aplique a todas as pessoas da Terra, é verdade para a vasta maioria: a morte não espera por ninguém — e quando espera, em geral não é por muito tempo.

Em 23 de junho de 1942 havia um grupo de judeus franceses numa prisão alemã, em solo polonês. A primeira pessoa que peguei estava perto da porta, com a mente em disparada, depois reduzida a passadas, depois mais lenta, mais lenta...

Por favor, acredite quando lhe digo que, naquele dia, peguei cada alma como se fosse um recém-nascido. Cheguei até a beijar alguns rostos exaustos, envenenados. Ouvi seus últimos gritos entrecortados. Suas palavras evanescentes. Observei suas visões de amor e os libertei de seu medo.

A todos levei embora, e se houve um momento em que precisei de distração, foi esse. Em completa desolação, olhei para o mundo lá em cima. Vi o céu transformar-se de prata em cinza e em cor de chuva. Até as nuvens tentavam fugir.

Vez por outra, eu imaginava como seria tudo acima daquelas nuvens, sabendo, sem sombra de dúvida, que o Sol era louro e a atmosfera interminável era um gigantesco olho azul.

Eles eram franceses, eram judeus, e eram você.

PARTE SETE

O Dicionário e Tesauro Duden Completo

APRESENTANDO:

champanhe e acordeões

uma trilogia

algumas sirenes

um ladrão de céus

uma oferta

a longa caminhada para dachau

paz

um idiota e uns homens de sobretudo

Champanhe e acordeões

No verão de 1942 a cidade de Molching preparava-se para o inevitável. Ainda havia quem se recusasse a acreditar que essa cidadezinha dos arredores de Munique pudesse constituir um alvo, mas a maioria da população tinha plena consciência de que não se tratava de se, mas de quando. Os abrigos foram mais claramente marcados, havia janelas em processo de escurecimento para as horas noturnas, e todo o mundo sabia onde ficavam o porão ou a adega mais próximos.

Para Hans Hubermann, esse incômodo desdobramento foi, na verdade, um ligeiro alívio. Numa época desventurada, a sorte, de algum modo, descobriu o caminho para seu ofício de pintor. As pessoas que tinham venezianas ficaram tão desesperadas que contrataram seus serviços para pintá-las. O problema de Hans foi que, normalmente, a tinta preta era mais usada na composição de misturas, para escurecer outras cores, e logo se esgotou e se tornou difícil de achar. O que ele tinha era jeito para ser bom negociante, e um bom negociante tem muitos truques. Ele pegou pó de carvão e foi misturando, e cobrava barato por seu trabalho. Foram muitas as casas de todas as regiões de Molching em que ele confiscou dos olhos inimigos a luz das janelas.

Em alguns de seus dias de trabalho, Liesel o acompanhava.

Eles puxavam a carroça de tinta pela cidade, sentindo o cheiro da fome em algumas ruas e abanando a cabeça para a riqueza de outras. Muitas vezes, na volta para casa, mulheres que nada tinham além de filhos pequenos e pobreza vinham correndo implorar a Hans que pintasse suas janelas.

— *Frau* Hallah, desculpe, mas não me sobrou nenhuma tinta preta — dizia ele; logo adiante no caminho, entretanto, sempre parava.

O homem alto e a rua comprida. — Amanhã bem cedo — prometia, e no alvorecer da manhã seguinte lá estava ele, pintando as tais janelas por nada, ou por um biscoito e uma xícara de chá quente. Na noite anterior, descobria outro jeito de transformar azul, verde ou bege em preto. Nunca dizia a essas pessoas que cobrissem as janelas com seus cobertores sobressalentes, pois sabia que estes lhes seriam necessários quando chegasse o inverno. Soube-se até que ele pintou janelas por metade de um cigarro, sentando-se no degrau da frente dessa ou daquela casa e dividindo umas tragadas com seu ocupante. O riso e a fumaça erguiam-se da conversa, antes de Hans e Liesel partirem para o trabalho seguinte.

Quando chegou a hora de escrever, lembro-me com clareza do que Liesel Meminger teve a dizer sobre esse verão. Muitas palavras desbotaram no correr das décadas. O papel sofreu com o atrito do movimento em meu bolso, mas, apesar disso, muitas de suas frases foram impossíveis de esquecer.

· PEQUENA AMOSTRA DE ALGUMAS ·
PALAVRAS ESCRITAS POR UMA MENINA
Aquele verão foi um novo começo, um novo fim.
Quando olho para trás, lembro-me de
minhas mãos escorregadias de tinta e
do som dos pés de papai na rua Munique,
e sei que um pedacinho do verão de 1942
pertenceu a um homem só.
Quem mais pintaria pelo preço de meio cigarro?
Papai era assim, isso era típico, e eu o adorava.

Todos os dias em que trabalhavam juntos, ele contava a Liesel suas histórias. Havia a Grande Guerra e o modo como sua letra infame ajudara a lhe salvar a vida, e o dia em que ele conhecera Rosa. Disse Hans que um dia ela fora bonita e que, na verdade, falava muito baixinho. "É difícil de acreditar, eu sei, mas é a absoluta verdade." Todo dia havia uma história, e Liesel o perdoava quando ele contava a mesma mais de uma vez.

Em outras ocasiões, quando ela se entregava a devaneios, o pai a borrava de leve com o pincel, bem no meio dos olhos. Quando errava o cálculo e exagerava a quantidade, uma trilhazinha de tinta escorria pelo lado do nariz de Liesel. A menina ria e tentava retribuir a gentileza, mas Hans Hubermann era um homem difícil de apanhar, no trabalho. Era onde ele ficava mais vivo.

Sempre que faziam um intervalo para comer ou beber alguma coisa, ele tocava acordeão, e era disso que Liesel mais lembrava. Toda manhã, enquanto o pai empurrava ou arrastava a carroça de tintas, ela carregava o instrumento. "É melhor largarmos a tinta do que esquecermos a música", dizia-lhe Hans. Quando paravam para comer, ele cortava o pão e espalhava o restinho de geleia que houvesse do último cartão de racionamento. Ou, então, punha em cima uma fatiazinha de carne. Os dois comiam juntos, sentados nas latas de tinta, e com as últimas dentadas ainda nos estágios da mastigação o pai limpava os dedos e desafivelava a caixa do acordeão.

Vestígios de migalhas de pão escondiam-se nas dobras do macacão de Hans. As mãos salpicadas de tinta percorriam os botões e revolviam as teclas, ou sustentavam uma nota por algum tempo. Os braços moviam os foles, dando ao instrumento o ar de que ele precisava para respirar.

Liesel sentava-se todos os dias com as mãos entre os joelhos, nas pernas compridas da luz diurna. Não queria que nenhum desses dias acabasse, e era sempre com desapontamento que via avançarem as passadas da escuridão.

No que concernia à pintura em si, é provável que o aspecto mais interessante para Liesel fosse a mistura. Como a maioria das pessoas, ela presumia que seu pai simplesmente levava a carroça à loja de tintas ou à de ferragens, pedia a cor certa e ia embora. Não se dava conta de que quase toda a tinta vinha em pedaços que tinham a forma de tijolos. Em seguida, era aberta feito massa de pastel, com uma garrafa vazia de champanhe. (As garrafas de champanhe, explicou Hans, eram ideais para esse serviço porque seu vidro era ligeiramente mais grosso que o de uma garrafa comum de vinho.) Concluída essa operação, vinha o acréscimo de água, giz e cola, para não falar nas complexidades de uniformizar a cor certa.

A ciência do ofício do papai granjeava-lhe um nível ainda maior de respeito. Muito bem que eles compartilhassem o pão e a música, mas para Liesel era bom saber que Hans também era mais do que competente em sua ocupação. A competência era atraente.

Uma tarde, dias depois da explicação do pai sobre a mistura, os dois estavam trabalhando numa das casas mais abastadas, logo à direita da rua Munique. No início da tarde, o pai chamou Liesel para dentro. Estavam prestes a seguir para outro trabalho quando ela ouviu o volume inusitado da voz de Hans.

Depois de entrar, foi conduzida à cozinha, onde duas senhoras mais idosas e um homem sentavam-se em cadeiras delicadas, altamente sofisticadas. As mulheres estavam bem-vestidas. O homem tinha cabelos brancos e costeletas que pareciam sebes. Havia taças altas na mesa. Cheias de um líquido borbulhante.

— Bem — disse o homem —, aqui vamos nós.

Ergueu sua taça e exortou os outros a fazerem o mesmo.

Tinha sido uma tarde quente. Liesel ficou meio perturbada com a fria temperatura de sua taça. Olhou para o pai, em busca de aprovação. Ele sorriu e disse:

— *Prost, Mädel*. Saúde, menina.

As taças se tocaram, tilintando, e no instante em que levou a sua à boca Liesel foi mordiscada pelo gosto efervescente e enjoativamente adocicado do champanhe. Seus reflexos obrigaram-na a cuspir direto no macacão do pai, vendo-o espumar e gotejar. Seguiu-se uma gargalhada de todos, e Hans a incentivou a fazer outra tentativa. Na segunda vez, ela conseguiu engolir o líquido e desfrutar o sabor de uma gloriosa regra desrespeitada. Foi genial. As bolhas morderam-lhe a língua. Pinicaram seu estômago. Quando os dois andaram para o trabalho seguinte, ela ainda sentia o calor das alfinetadas e agulhadas dentro do corpo.

Arrastando a carroça, o pai lhe contou que aquelas pessoas haviam afirmado não ter dinheiro.

— E aí você pediu champanhe?

— Por que não? — fez Hans. Olhou-a, e seus olhos nunca tinham sido tão prateados. — Eu não queria que você achasse que só se usavam garrafas de champanhe para abrir massa de tinta — completou. — Só não conte à mamãe — advertiu-a. — De acordo?

— Posso contar ao Max?

— Claro, pode contar ao Max.

No porão, ao escrever sobre sua vida, Liesel jurou que nunca mais tomaria champanhe, pois ele nunca teria um sabor tão gostoso quanto naquela tarde quente de julho.

O mesmo se deu com os acordeões.

Muitas vezes, ela teve vontade de perguntar ao pai se ele lhe ensinaria a tocar, mas, por isto ou por aquilo, alguma coisa sempre a impedia. Talvez uma intuição desconhecida lhe dissesse que ela jamais conseguiria tocá-lo como Hans Hubermann. Com certeza, nem mesmo os maiores acordeonistas do mundo seriam comparáveis. Jamais conseguiriam equiparar-se à concentração displicente do rosto de papai. Ou, então, não haveria um cigarro trocado por um serviço de pintura pendendo dos lábios do músico. E eles nunca saberiam cometer um errinho com uma risada retrospectiva em três notas. Não do jeito que ele sabia.

Vez ou outra, naquele porão, Liesel acordava saboreando o som do acordeão nos ouvidos. Sentia a queimação doce do champanhe na língua.

De quando em quando, sentava-se encostada na parede, desejando que o dedo morno de tinta passeasse só mais uma vez pelo lado de seu nariz, ou querendo ver a textura de lixa das mãos de seu pai.

Se ao menos pudesse voltar a ser tão distraída, a sentir tanto amor sem saber, tomando-o por engano pelo riso e pelo pão com um levíssimo cheiro de geleia espalhado por cima.

Foi a melhor época de sua vida.

Mas foi a preparação de um tapete de bombas.
Não se deixe iludir.

Ousada e luminosa, a trilogia de felicidade perduraria por todo o verão e parte do outono. E, então, seria levada a um fim abrupto, porque o resplendor iluminou o caminho para o sofrimento.

Tempos difíceis estavam por vir.
Como um desfile.

· SIGNIFICADO Nº 1 DO DICIONÁRIO DUDEN ·
Zufriedenheit — *Felicidade*:
Proveniente de feliz — *que goza*
de prazer e contentamento.
Vocábulos correlatos: júbilo, alegria,
sentir-se afortunado ou próspero.

A TRILOGIA

Enquanto Liesel trabalhava, Rudy corria.
Dava voltas no Oval Hubert, corria em torno do quarteirão e disputava com quase qualquer um, da ponta da rua Himmel até a loja de *Frau* Diller, dando vantagens variáveis na partida.
Em algumas ocasiões, quando Liesel ajudava a mãe na cozinha, Rosa espiava pela janela e dizia:
— Que é que aquele *Saukerl*zinho está aprontando *desta vez*? Toda essa correria lá fora.
Liesel aproximava-se da janela.
— Pelo menos ele não se pintou de preto de novo.
— Bom, já é alguma coisa, não é?

· AS RAZÕES DE RUDY ·
Em meados de agosto haveria uma
competição da Juventude Hitlerista, e
Rudy fazia questão de vencer quatro provas:
os 1.500, os 400, os 200 e, é claro, os 100 metros.
Gostava de seus novos guias da Juventude Hitlerista
e queria agradar-lhes, e queria mostrar uma ou duas
coisinhas a seu velho amigo Franz Deutscher.

— Quatro medalhas de ouro — disse a Liesel uma tarde, quando ela o acompanhou nas voltas pela pista do Oval Hubert. — Como o Jesse Owens, em 36.
— Você não continua obcecado com ele, continua?
Os pés de Rudy rimavam com sua respiração.

— Na verdade, não, mas seria bom, não é? Para mostrar a todos aqueles cretinos que disseram que eu era maluco. Eles iam ver que eu não era tão idiota, afinal.
— Mas você pode mesmo ganhar todas as quatro provas?
Diminuíram o ritmo até parar, no fim da pista, e Rudy pôs as mãos nos quadris.
— Tenho que ganhar.

Durante seis semanas ele treinou, e quando chegou o dia da competição, em meados de agosto, o céu estava quente de sol e sem uma nuvem. O gramado fervilhava de jovens da Juventude Hitlerista, pais e uma profusão de guias de camisas pardas. Rudy Steiner estava no auge de sua forma.
— Olhe — apontou. — Lá está o Deutscher.
Por entre os aglomerados de gente, o epítome louro dos padrões da Juventude Hitlerista dava instruções a dois integrantes de sua divisão. Eles assentiam com a cabeça e se alongavam, de quando em quando. Um dos dois protegia os olhos do sol, como numa continência.
— Quer ir até lá dizer oi? — perguntou Liesel.
— Não, obrigado. Faço isso depois.
Quando eu tiver vencido.
As palavras não foram ditas, mas, decididamente, estavam lá, em algum ponto entre os olhos azuis de Rudy e as mãos aconselhadoras de Deutscher.

Houve a marcha obrigatória pelo campo.
O hino.
Heil Hitler.
Só depois eles poderiam começar.

Quando o grupo da faixa etária de Rudy foi chamado para os 1.500 metros, Liesel lhe desejou boa sorte em estilo tipicamente alemão.
— *Hals und Beinbruch, Saukerl.*
Mandou-o quebrar o pescoço e a perna.

Os meninos reuniram-se no extremo oposto do campo circular. Alguns se alongaram, outros se concentraram, e o resto ficou ali porque tinha de estar.
Ao lado de Liesel, a mãe de Rudy, Barbara, sentava-se com os filhos menores. Uma esteira fina fervilhava de crianças e de grama solta.
— Vocês estão vendo o Rudy? — perguntou a mãe. — Ele é o da extrema esquerda.
Barbara Steiner era uma mulher bondosa, cujo cabelo sempre parecia recém-penteado.
— Onde? — perguntou uma das meninas. Provavelmente Bettina, a caçula. — Não estou vendo nada dele.
— É aquele último. Não, lá não. *Lá.*
Ainda estavam no processo de identificação quando o tiro de partida soltou sua fumaça e seu som. Os Steiner miúdos correram para a cerca.

Durante a primeira volta, um grupo de sete meninos liderou a corrida. Na segunda, caiu para cinco e, na seguinte, para quatro. Rudy foi o quarto corredor em todas as voltas, até a última. Um homem à direita dizia que o menino que vinha em segundo lugar parecia o melhor. Era o mais alto.

— Espere só — disse à sua esposa intrigada. — Quando faltarem duzentos, ele arranca.

O homem estava enganado.

Um oficial gargantuesco, de camisa parda, informou ao grupo que restava uma volta. Ele, com certeza, não vinha sofrendo com o sistema de racionamento. Gritou quando a bateria da frente cruzou a linha, e não foi o segundo menino quem acelerou, mas o quarto. E partiu com duzentos metros de antecipação.

Rudy correu.

Não olhou para trás em nenhum momento.

Como uma corda elástica, espichou a vantagem até que qualquer ideia de outro menino vencer arrebentou-se por completo. Ele avançou pela pista, enquanto os três corredores às suas costas lutavam entre si pelas sobras. Na reta final, não houve nada além de cabelo louro e espaço, e quando cruzou a linha de chegada, Rudy não parou. Não levantou o braço. Não houve nem mesmo um dobrar o corpo de alívio. Ele apenas andou mais vinte metros e finalmente deu uma olhada por cima do ombro, para ver os outros cruzarem a linha.

Ao voltar para os familiares, primeiro ele se encontrou com seus guias e, em seguida, com Franz Deutscher. Ambos acenaram com a cabeça.

— Steiner.

— Deutscher.

— Parece que todas aquelas voltas que eu o fiz dar compensaram, hein?

— É o que parece.

Rudy se recusava a sorrir, enquanto não vencesse todas as quatro.

· NOTA PARA REFERÊNCIA POSTERIOR ·
*Agora Rudy era reconhecido não apenas
como um bom aluno. Era também
um atleta talentoso.*

Para Liesel, houve os 400 metros. Ela terminou em sétimo, depois em quarto, na eliminatória dos 200. Tudo que conseguia enxergar mais adiante eram os tendões e os rabos de cavalo balançantes das meninas que iam na frente. No salto, ela gostou mais da areia grudada em seus pés que de qualquer distância, e o arremesso de peso também não foi seu melhor momento. Esse dia, percebeu ela, era de Rudy.

Na final dos 400 metros, ele liderou desde a reta de largada até o fim, e venceu os 200 por uma pequena vantagem.

— Está ficando cansado? — indagou Liesel. Já era o começo da tarde.

— É claro que não — fez Rudy, com a respiração pesada e alongando as panturrilhas. — Do que você está falando, *Saumensch*? Que diabo você pode saber?

Quando veio a chamada para as eliminatórias dos 100 metros, ele se pôs de pé devagar e seguiu a fileira de adolescentes em direção à pista. Liesel foi atrás.

— Ei, Rudy — puxou-o pela manga da camisa. — Boa sorte.

— Não estou cansado — disse ele.

— Eu sei.

Rudy deu-lhe uma piscadela.

Estava cansado.

Em sua eliminatória, Rudy reduziu o ritmo e terminou em segundo, e após dez minutos de outras corridas veio a chamada para a final. Outros dois meninos tinham parecido notáveis, e Liesel teve na barriga a sensação de que Rudy não conseguiria vencer essa. Tommy Müller, que terminara em penúltimo lugar em sua eliminatória, ficou com ela junto à cerca.

— Ele vai ganhar — informou-lhe.

— Eu sei.

Não, não vai.

Quando os finalistas chegaram à largada, Rudy se pôs de joelhos e começou a escavar buracos de largada com as mãos. Um camisa-parda meio calvo não tardou a se aproximar e dizer que ele parasse com aquilo. Liesel observou o dedo adulto, apontando, e pôde ver a terra caindo no chão quando Rudy esfregou as mãos.

Quando eles receberam ordem de tomar posição, Liesel apertou a cerca com mais força. Um dos meninos queimou a largada; o revólver disparou duas vezes. Foi Rudy. De novo, o oficial lhe dirigiu algumas palavras e o menino fez um aceno de cabeça. Mais uma vez e ele estaria fora.

Preparados pela segunda vez, Liesel os observou, concentrada, e nos primeiros segundos não pôde acreditar no que via. Queimou-se de novo a largada, e foi o mesmo atleta. À sua frente, ela havia criado uma corrida perfeita, na qual Rudy ficava para trás, mas acelerava para vencer nos últimos dez metros. O que realmente viu, porém, foi a desqualificação do amigo. Ele foi conduzido à lateral da pista e obrigado a ficar lá parado, sozinho, enquanto o resto dos meninos dava um passo à frente.

Alinharam-se e correram.

Um garoto de cabelo castanho-enferrujado e passadas largas venceu por pelo menos cinco metros de vantagem.

Rudy continuou parado.

Mais tarde, concluído o dia e retirado o sol da rua Himmel, Liesel sentou-se com o amigo na calçada.

Falaram de todas as outras coisas, desde a expressão de Franz Deutscher depois dos 1.500 metros até o acesso de raiva de uma menina de onze anos, depois de perder a prova do disco.

Antes de eles seguirem para suas respectivas casas, a voz de Rudy aproximou-se e entregou a verdade a Liesel. Esta passou um tempo sentada no ombro da menina, mas, algumas ideias depois, chegou a seu ouvido.

· A VOZ DE RUDY ·
— *Eu fiz de propósito.*

Registrada a confissão, Liesel fez a única pergunta disponível:
— Mas, por quê, Rudy? Por que você fez isso?
Ele estava de pé com uma das mãos no quadril, e não respondeu. Não houve nada além de um sorriso de quem entende das coisas e um andar lento, que o levou com indolência para casa. Os dois nunca mais falaram do assunto.
Por seu lado, Liesel perguntou-se muitas vezes qual teria sido a resposta de Rudy, se ela tivesse pressionado. Talvez três medalhas tivessem mostrado o que ele queria mostrar, ou talvez ele temesse perder a última corrida. No fim, a única explicação que ela se permitiu ouvir foi uma voz adolescente interna.
— Porque ele não é o Jesse Owens.
Só quando se levantou para ir embora foi que ela notou as três medalhas de imitação de ouro paradas a seu lado. Bateu na porta dos Steiner e as estendeu a Rudy.
— Você esqueceu isto.
— Não, não esqueci.
Fechou a porta e Liesel levou as medalhas para casa. Desceu com elas ao porão e falou com Max sobre seu amigo Rudy Steiner.
— Ele é mesmo um idiota — concluiu.
— Claramente — concordou Max, mas duvido que se tenha deixado enganar.
E os dois se puseram a trabalhar, Max em seu caderno de desenho, Liesel em *O Carregador de Sonhos*. Ela estava nas etapas finais do romance no momento em que o jovem padre punha em dúvida sua fé, ao conhecer uma mulher estranha e elegante.
Quando Liesel o pôs no colo, virado para baixo, Max lhe perguntou quando ela achava que o terminaria.
— Dentro de uns dias, no máximo.
— E depois, um novo?
A menina que roubava livros olhou para o teto do porão.
— Talvez, Max — respondeu. Fechou o livro e se recostou. — Se eu tiver sorte.

· O LIVRO SEGUINTE ·
Não foi o Dicionário e Tesauro Duden, *como você poderia esperar.*

• • •

Não, o dicionário virá no fim desta pequena trilogia, e esta é só a segunda parte. É o pedaço em que Liesel termina O *Carregador de Sonhos* e rouba uma história chamada *Uma Canção no Escuro*. Como sempre, ela foi tirada da casa do prefeito. A única diferença foi que a menina se dirigiu à parte alta da cidade sozinha. Não houve Rudy nesse dia.

Era uma manhã rica em sol e nuvens espumosas.

Liesel parou na biblioteca do prefeito, com a cobiça nos dedos e títulos de livros nos lábios. Sentiu-se suficientemente à vontade, nessa ocasião, para percorrer as prateleiras com os dedos — uma pequena reprise de sua visita original àquele cômodo — e foi murmurando muitos títulos ao avançar.

Sob a Cerejeira.
O Décimo Tenente.

Como era típico, muitos títulos foram tentadores, mas depois de um bom minuto ou dois na sala ela se decidiu por *Uma Canção no Escuro*, provavelmente porque o livro era verde e ela ainda não tinha nenhum dessa cor. O texto gravado na capa era branco e havia uma pequena insígnia em forma de flauta entre o título e o nome do autor. Liesel pulou da janela com ele, agradecendo na saída.

Sem Rudy, sentiu uma boa dose de ausência, mas nessa manhã em particular, por alguma razão, a menina que roubava livros ficou mais feliz sozinha. Executou sua tarefa e foi ler o livro junto ao rio Amper, bem longe da sede ocasional de Viktor Chemmel e do bando anterior de Arthur Berg. Ninguém apareceu, ninguém interrompeu, e Liesel leu quatro dos capítulos curtíssimos de *Uma Canção no Escuro*, e ficou contente.

Foram o prazer e a satisfação.
De um bom furto.

Uma semana depois, a trilogia da felicidade completou-se.
Nos últimos dias de agosto, um presente chegou, ou, a rigor, foi notado.
Era fim de tarde. Liesel estava vendo Kristina Müller pular corda na rua Himmel. Rudy Steiner parou diante dela, derrapando na bicicleta do irmão.

— Você tem um tempo livre? — perguntou-lhe.

Liesel deu de ombros.

— Para quê?

— Acho melhor você vir.

Largou a bicicleta e foi buscar a outra em casa. À sua frente, Liesel observou o pedal girar.

Seguiram para a Grande Strasse, onde Rudy parou e esperou.

— Bem — perguntou Liesel —, o que é?

Rudy apontou.

— Olhe com mais atenção.

Aos poucos, os dois se colocaram numa posição melhor, atrás de uma pícea azul. Por entre os galhos espinhosos Liesel notou a janela fechada e, em seguida, o objeto encostado no vidro.

— Aquilo é...?

Rudy fez que sim.

Debateram o problema por vários minutos, até concordarem em que era preciso fazê-lo. Era óbvio que o objeto fora intencionalmente colocado lá, e mesmo que fosse uma armadilha, valia a pena.

Entre os galhos azuis pulverulentos, Liesel disse:

— Um ladrão de livros iria.

Largou a bicicleta, observou a rua e atravessou o jardim. As sombras das nuvens enterravam-se por entre a grama escura. Seriam buracos em que cair, ou tiras de escuridão extra em que encontrar um esconderijo? Sua imaginação a fez escorregar por um desses buracos até as garras maléficas do próprio prefeito. Que mais não fosse, essas ideias a distraíram e ela chegou à janela ainda mais depressa do que havia esperado.

Parecia uma repetição de O *Assobiador*.

Os nervos da menina lamberam-lhe as palmas das mãos.

Gritinhos de suor ondulavam em suas axilas.

Quando ela levantou a cabeça, conseguiu ler o título. *Dicionário e Tesauro Duden Completo*. Voltou-se rapidamente para Rudy e moveu os lábios, pronunciando as palavras.

— *É um dicionário*.

Ele encolheu os ombros e estendeu os braços.

Liesel trabalhou metodicamente, deslizando a janela para cima e pensando no que é que tudo aquilo pareceria, visto de dentro da casa. Imaginou a visão de sua mão gatuna esticando-se para o alto e fazendo a janela subir, até derrubar o livro. Ele pareceu render-se devagar, como uma árvore que tombasse.

Peguei.

Mal chegou a haver um distúrbio ou um som.

O livro apenas se inclinou em sua direção e ela o pegou com a mão livre. Chegou até a fechar a janela, bem devagarzinho, depois deu meia-volta e refez o percurso pelos poços de nuvens.

— Legal — disse Rudy, entregando-lhe a bicicleta.

— Obrigada.

Foram até a esquina, onde a importância do dia os atingiu. Liesel soube. Foi de novo aquela sensação de ser observada. Uma voz pedalou dentro dela. Duas voltas.

Olhe para a janela. Olhe para a janela.

Foi obrigada.

Como uma comichão que exige uma unha, ela sentiu um desejo intenso de parar. Pôs os pés no chão e se virou de frente para a casa do prefeito e a janela da biblioteca, e então viu. Com certeza, deveria ter sabido que aquilo podia acontecer, mas não teve como esconder o susto que lhe vagou por dentro ao ver a mulher do prefeito parada atrás da vidraça. Era transparente, mas estava lá. O cabelo felpudo era o de sempre, e os olhos, a boca e a expressão magoados exibiam-se para ser vistos.

Bem devagar, ela ergueu a mão para a roubadora de livros na rua. Um aceno imóvel.

Em seu estado de choque, Liesel nada disse, nem a Rudy nem a si mesma. Apenas se equilibrou e levantou a mão, reconhecendo a presença da mulher do prefeito à janela.

· SIGNIFICADO Nº 2 NO DICIONÁRIO DUDEN ·
Verzeihung — *Perdão:*
Parar de sentir raiva, animosidade ou ressentimento.
Vocábulos correlatos: absolvição, indulto, clemência.

A caminho de casa, eles pararam na ponte e inspecionaram o pesado livro preto. Ao folhear as páginas, Rudy chegou a uma carta. Pegou-a e olhou lentamente para a menina que roubava livros.

— Tem o seu nome aqui.

O rio correu.

Liesel pegou o papel.

· A CARTA ·
Cara Liesel,
Sei que você me acha ridícula e nauseabunda
(consulte esta palavra, se não a conhecer),
mas devo dizer-lhe que não sou tão estúpida
que não veja suas pegadas na biblioteca.
Quando notei a falta do primeiro livro,
achei simplesmente que o pusera no lugar errado,
mas depois vi os contornos de uns pés no chão,
em algumas réstias de luz.
Isso me fez sorrir.
Fiquei contente por você ter levado o que era seu por direito.
Depois, cometi o erro de supor que aquilo seria o fim.
Quando você voltou, eu deveria ter-me zangado, mas não me zanguei.
Pude ouvi-la, da última vez, mas resolvi deixá-la em paz.
Você sempre leva apenas um livro, e serão necessárias mil visitas até
que todos tenham sumido. Minha única esperança é que, um dia, você
bata à porta da frente e entre na biblioteca da maneira mais civilizada.
Mais uma vez, lamento não termos mais podido manter o emprego de

*sua mãe de criação. Por último, espero que você ache útil
este dicionário e tesauro, ao ler seus livros furtados.*
Cordialmente,
Ilsa Hermann

• • •

— É melhor a gente ir para casa — sugeriu Rudy, mas Liesel não foi.
— Você pode esperar dez minutos aqui?
— É claro.

Liesel galgou de volta a ladeira para o número 8 da Grande Strasse e se sentou no território conhecido da porta de entrada. O livro estava com Rudy, mas ela segurava a carta e esfregava os dedos no papel dobrado, à medida que os degraus iam ficando mais pesados à sua volta. Tentou quatro vezes bater na pele atemorizante da porta, mas não conseguiu. O máximo que pôde fazer foi colocar delicadamente os nós dos dedos no calor da madeira.

Mais uma vez, o irmão veio a seu encontro.

Da base da escada, com o joelho cicatrizando bem, ele disse:

— Ande, Liesel, bata.

Enquanto fugia pela segunda vez, ela não tardou a ver a figura distante de Rudy na ponte. O vento lhe inundava os cabelos. Os pés nadavam com os pedais.

Liesel Meminger era uma criminosa.

Mas não por ter furtado um punhado de livros por uma janela aberta.

Você deveria ter batido, pensou, e embora houvesse uma boa dose de culpa, havia também o vestígio juvenil do riso.

Enquanto pedalava, ela tentou dizer uma coisa a si mesma.

Você não merece ser feliz assim, Liesel. Não merece mesmo.

Pode alguém roubar a felicidade? Ou será que ela é apenas mais um infernal truque interno dos humanos?

Liesel deu de ombros, afastando-se de seus pensamentos. Cruzou a ponte e disse a Rudy para andar depressa e não esquecer o livro.

E lá se foram para casa nas bicicletas enferrujadas.

Rodaram uns três quilômetros, do verão para o outono e de um anoitecer sereno para o sopro barulhento do bombardeio de Munique.

O SOM DAS SIRENES

Com o pequeno punhado de dinheiro que havia ganhado no verão, Hans levou para casa um rádio de segunda mão.

— Assim — disse — poderemos saber quando os ataques aéreos chegarem, antes mesmo de começarem as sirenes. Eles fazem um barulho de cuco e anunciam as regiões que estão em perigo.

Pôs o rádio na mesa da cozinha e o ligou. Também tentaram fazê-lo funcionar no porão, para Max, mas não saiu nada pelos alto-falantes além de estática e vozes quebradas.

Em setembro, não o escutaram enquanto dormiam.

Ou o rádio já estava meio defeituoso, ou foi imediatamente tragado pelo gritante som das sirenes.

Delicadamente, a mão empurrou o ombro de Liesel, adormecida.
A voz do pai a seguiu, temerosa.
— Liesel, acorde. Temos que ir.
Veio a desorientação do sono interrompido, e Liesel mal pôde decifrar o contorno do rosto do pai. A única coisa realmente visível era sua voz.

No corredor, pararam.
— Esperem — disse Rosa.

Cortando a escuridão, correram para o porão.
A lamparina estava acesa.
Max esgueirou-se de trás das latas de tinta e das mantas de proteção contra respingos. Tinha o rosto cansado e enganchava nervosamente os polegares nas calças.

— Hora de ir, não é?
Hans foi até ele.
— Sim, é hora de ir — disse. Apertou-lhe a mão e deu um tapinha em seu braço.
— Vemos você quando voltarmos, certo?
— É claro.
Rosa o abraçou, assim como Liesel.
— Até logo, Max.

Semanas antes, eles haviam discutido se deveriam ficar todos juntos em seu próprio porão ou se os três deveriam descer a rua até a casa de uma família de sobrenome Fiedler. Max é que os tinha convencido.
— Eles disseram que aqui não há profundidade suficiente. Já expus vocês a perigos demais.
Hans havia assentido.
— É uma pena não podermos levar você conosco. É uma vergonha.
— É assim que é.

Do lado de fora, as sirenes uivavam para as casas e as pessoas saíam correndo, trôpegas e trêmulas ao deixarem suas casas. A noite vigiava. Alguns a espreitavam de volta, tentando localizar os aviões destruidores que cruzavam os céus.

A rua Himmel tornou-se uma procissão de pessoas confusas, todas às voltas com seus bens mais preciosos. Em alguns casos, era um bebê. Em outros, uma pilha de álbuns de fotografias ou uma caixa de madeira. Liesel carregava seus livros entre os braços e as costelas. *Frau* Holtzapfel arquejava com sua mala, esforçando-se na calçada, com seus olhos inchados e seus passinhos miúdos.

Hans, que se esquecera de tudo — até do acordeão —, voltou correndo para ela e resgatou a mala de suas mãos.

— Jesus, Maria e José, que é que a senhora tem aqui? — perguntou. — Uma bigorna?
Frau Holtzapfel caminhou a seu lado.
— As necessidades.

Os Fiedler moravam seis casas adiante. Eram uma família de quatro pessoas, todos com cabelos cor de trigo e bons olhos alemães. Mais importante, tinham um belo porão profundo. Vinte e duas pessoas apinharam-se nele, inclusive a família Steiner, *Frau* Holtzapfel, Pfiffikus, um rapaz e uma família de sobrenome Jenson. A bem da civilidade do ambiente, Rosa Hubermann e *Frau* Holtzapfel foram mantidas separadas, embora certas coisas ficassem acima das brigas mesquinhas.

Um globo de luz pendia do teto e o aposento era úmido e frio. As paredes de chapisco se projetavam e cutucavam as pessoas nas costas, enquanto elas conversavam, paradas. O som abafado das sirenes vazava por algum lugar. As pessoas ouviam uma versão distorcida dele, que de algum modo se infiltrava. Embora isso criasse uma apreensão considerável quanto à qualidade do abrigo, ao menos eles poderiam ouvir as três sirenes que assinalariam o fim do bombardeio e a segurança. Não precisariam de um *Luftschutzwart* — um monitor de defesa antiaérea.

Não demorou muito para que Rudy encontrasse Liesel e parasse a seu lado. Seu cabelo apontava para alguma coisa no teto.

— Isso não é genial?

A menina não pôde resistir a um certo sarcasmo:

— É encantador.

— Ora, vamos, Liesel, não fique assim. Que é o pior que pode acontecer, afora sermos todos achatados ou fritos, ou seja lá o que for que as bombas fazem?

Liesel olhou em volta, avaliando os rostos. Começou a compilar uma lista de quem estava mais amedrontado.

· A LISTA DOS VENCEDORES ·
1. Frau *Holtzapfel*
2. Sr. Fiedler
3. O *rapaz*
4. Rosa Hubermann

Os olhos de *Frau* Holtzapfel arregalavam-se, fixos. Seu corpo magro e rijo curvava-se para a frente e a boca formava um círculo. *Herr* Fiedler ocupava-se perguntando às pessoas, às vezes repetidamente, como estavam passando. O rapaz, Rolf Schultz, isolou-se num canto, falando silenciosamente com o ar a seu redor, censurando-o com aspereza. Tinha as mãos cimentadas nos bolsos. Rosa balançava o corpo bem de leve, para a frente e para trás.

— Liesel — sussurrou —, venha cá.

Abraçou a menina por trás, apertando firme. Cantarolou uma canção, mas tão baixo que Liesel não conseguiu distinguir qual era. As notas nasciam em sua respiração e morriam em seus lábios. Ao lado delas, o pai permaneceu calado e imóvel. A certa altura, pôs a mão morna sobre o crânio frio de Liesel. Você sobreviverá, dizia a mão, e estava certa.

À esquerda deles ficaram Alex e Barbara Steiner, com as meninas mais novas, Emma e Bettina. As duas meninas agarravam-se à perna direita da mãe. O filho mais velho, Kurt, olhava fixo para a frente, numa perfeita postura da Juventude Hitlerista, segurando a mão de Karin, uma criança minúscula até mesmo para seus sete anos. A menina de dez anos, Anna-Marie, brincava com a superfície grumosa da parede de cimento.

Do outro lado dos Steiner estavam Pfiffikus e a família Jenson.

Pfiffikus absteve-se de assobiar.

O Sr. Jenson, barbudo, abraçava apertado sua mulher, enquanto os dois filhos entravam e saíam do silêncio. De vez em quando, implicavam um com o outro, mas se continham quando a coisa se aproximava do início de uma briga de verdade.

Passados cerca de dez minutos, o que mais se destacava no porão era uma espécie de não movimento. Os corpos ficaram grudados, e apenas os pés trocavam de posição ou de pressão. A imobilidade se agrilhoava nos rostos. Eles se entreolhavam e aguardavam.

· SIGNIFICADO Nº 3 DO DICIONÁRIO DUDEN ·
Angst — *Medo*:
Emoção desagradável, amiúde intensa,
causada pelo pressentimento ou
pelo reconhecimento do perigo.
Vocábulos correlatos: terror, pavor,
pânico, susto, sobressalto.

De outros abrigos vieram histórias de gente cantando *"Deutschland über Alles"* ou discutindo, em meio ao bafio de seu próprio hálito. Nada disso aconteceu no abrigo dos Fiedler. Nesse local, houve apenas medo e apreensão, além do canto mudo dos lábios de papelão de Rosa Hubermann.

Pouco antes de as sirenes assinalarem o fim, Alex Steiner — o homem do impassível rosto de madeira — persuadiu as meninas a soltarem as pernas de sua mulher. Conseguiu estender um braço e agarrar a mão livre do filho. Kurt, ainda estoico e de olhos fixos, segurou-a e apertou um pouquinho mais a mão da irmã. Em pouco tempo, todo o mundo no porão estava de mãos dadas, e o grupo de alemães formava um círculo irregular. As mãos frias derretiam-se nas quentes e, em alguns casos, a sensação de outra pulsação humana era transportada. Atravessava as camadas de pele enrijecida e pálida. Alguns fecharam os olhos, à espera da extinção final, ou na esperança de um sinal de que o bombardeio havia enfim terminado.

Será que essas pessoas mereciam algo melhor?

Quantas delas haviam perseguido outras ativamente, seguindo o rastro do olhar de Hitler, repetindo suas frases, seus parágrafos, sua obra? Seria Rosa Hubermann responsável? Ela, que escondia um judeu? Ou Hans? Será que todos mereciam morrer? As crianças?

A resposta a cada uma destas perguntas me interessa muito, embora eu não possa permitir que elas me seduzam. Só sei que toda aquela gente deve ter intuído minha presença nessa noite, excetuadas as crianças menores. Eu era a sugestão. Eu era o conselho, com meus pés imaginários entrando na cozinha e descendo o corredor.

Como tantas vezes acontece com os seres humanos, ao ler a seu respeito nas palavras da menina que roubava livros, senti pena deles, embora não tanta quanto senti dos que recolhi em vários campos nessa época. Os alemães nos porões eram dignos de pena, sem dúvida, mas ao menos tinham uma chance. Aquele porão não era um banheiro. Eles não tinham sido mandados para lá para tomar banho. Para essas pessoas, a vida ainda era alcançável.

• • •

No círculo desigual, os minutos se escoaram, pesados.
Liesel segurava a mão de Rudy e a de sua mamãe.
Só um pensamento a entristecia.
Max.
Como Max sobreviveria, se as bombas chegassem à rua Himmel?
Olhando ao redor, ela examinou o porão dos Fiedler. Era muito mais sólido e consideravelmente mais profundo que o da rua Himmel, 33.
Em silêncio, ela fez a pergunta ao pai.
Você também está pensando nele?
Tenha ou não registrado a pergunta muda, Hans fez um rápido aceno de cabeça para a menina. Minutos depois, o aceno foi seguido pelas três sirenes da paz temporária.
As pessoas da rua Himmel, 45 arriaram de alívio.
Algumas fecharam os olhos e tornaram a abri-los.
Um cigarro passou de mão em mão.
No instante em que estava a caminho dos lábios de Rudy Steiner, foi arrancado por seu pai.
— Você não, Jesse Owens.
As crianças abraçaram seus pais, e levou muitos minutos para que todos percebessem plenamente que estavam vivos, e que *continuariam* vivos. Só então foi que seus pés subiram a escada, em direção à cozinha de Herbert Fiedler.
Lá fora uma procissão caminhava em silêncio pela rua. Muitos erguiam os olhos e agradeciam a Deus por sua vida.

Ao chegarem em casa, os Hubermann rumaram diretamente para o porão, mas Max aparentemente não estava. A lamparina parecia pequena e laranja, e eles não conseguiram vê-lo nem ouvir uma resposta.
— Max?
— Ele sumiu.
— Max, você está aí?

— Estou aqui.

Originalmente, os três acharam que as palavras tinham vindo de trás das mantas de proteção e das latas de tinta, mas Liesel foi a primeira a vê-lo à sua frente. O rosto calejado de Max camuflara-se entre o material de pintura e os panos. Ele estava sentado ali, com olhos e lábios perplexos.
Quando todos se aproximaram, voltou a falar.
— Não pude evitar — disse.
Foi Rosa quem respondeu. Agachou-se para fitá-lo.

— De que você está falando, Max?

— Eu... — lutou ele para responder. — Quando ficou tudo quieto, subi até o corredor, e havia uma frestinha aberta na cortina da sala... dava para eu ver o lado de fora. Espiei, só por alguns segundos.

Fazia vinte e dois meses que ele não via o mundo lá fora.

Não houve raiva nem censuras.

Foi o pai quem falou.

— E o que lhe pareceu?

Max levantou a cabeça, com enorme tristeza e enorme assombro.

— Havia estrelas — disse. — Elas queimaram meus olhos.

Quatro deles.

Duas pessoas de pé. As outras duas permaneceram sentadas.

Todas tinham visto uma ou duas coisas nessa noite.

Aquele lugar era o verdadeiro porão. Aquele era o medo real. Max recompôs-se e ficou de pé, prestes a voltar para trás das mantas. Desejou-lhes boa-noite, mas não chegou a entrar embaixo da escada. Com a permissão da mãe, Liesel ficou com ele até de manhã, lendo *Uma Canção no Escuro*, enquanto ele desenhava e escrevia em seu caderno.

Numa janela da rua Himmel, escreveu Max, *as estrelas puseram fogo em meus olhos.*

O LADRÃO DE CÉUS

O primeiro bombardeio, como depois se constatou, não tinha sido bombardeio algum. Se as pessoas tivessem esperado para ver os aviões, teriam ficado lá a noite inteira. Isso explicou o fato de não ter havido pio de cuco no rádio. O *Expresso de Molching* informou que um certo operador da torre de artilharia antiaérea ficara um pouco alvoroçado demais. Jurara ter ouvido o ronco dos aviões e tê-los visto no horizonte. Ele é que tinha dado o aviso.
— Vai ver que ele fez de propósito — assinalou Hans Hubermann.
— Você gostaria de ficar sentado numa torre de artilharia antiaérea, atirando em aviões carregados de bombas?
E, com efeito, quando Max continuou a ler a reportagem no porão, informou-se que o homem de imaginação excêntrica fora destituído de sua função original. Seu destino mais provável era algum tipo de serviço noutro lugar.
— Boa sorte para ele — disse Max. Pareceu compreender, enquanto passava às palavras cruzadas.

O bombardeio seguinte foi real.
Na noite de 19 de setembro houve um pio de cuco no rádio, seguido por uma voz informativa grave. Ela arrolou Molching como um alvo possível.
Mais uma vez, a rua Himmel tornou-se uma trilha de pessoas e, mais uma vez, Hans deixou seu acordeão. Rosa lembrou-o de levá-lo, mas ele se recusou.
— Não o levei da última vez — explicou — e ficamos vivos.
A guerra, obviamente, embotava a distinção entre superstição e lógica.

Um ar sinistro os seguiu até o porão dos Fiedler.

— Acho que hoje é para valer — disse o Sr. Fiedler, e as crianças perceberam depressa que os pais estavam ainda mais amedrontados, dessa vez. Reagindo da única maneira que sabiam, as mais novas começaram a gritar e chorar, enquanto o cômodo parecia balançar.

Mesmo do porão, eles ouviam vagamente a melodia das bombas. O ar fazia pressão para baixo como se fosse um teto, como que para triturar a terra. Uma lasca foi tirada das ruas desertas de Molching.

Rosa agarrou-se furiosamente à mão de Liesel.
O som das crianças chorando soltava pontapés e socos.

Até Rudy ficou completamente ereto, fingindo indiferença, retesando-se contra a tensão. Braços e cotovelos lutavam por espaço. Alguns adultos tentaram acalmar os pequeninos. Outros não conseguiam acalmar a si mesmos.

— Façam essa criança calar a boca! — clamou *Frau* Holtzapfel, mas sua frase foi apenas mais uma voz desafortunada no caos aquecido do abrigo. Lágrimas encardidas soltavam-se dos olhos das crianças, e o cheiro do hálito noturno, do suor nas axilas e de roupas muito usadas foi mexido e ensopado no que era, àquela altura, um caldeirão nadando com seres humanos.

Embora estivessem bem ao lado uma da outra, Liesel foi obrigada a gritar:

— Mamãe! — E de novo: — Mamãe, você está esmigalhando minha mão!

— O quê?

— Minha mão!

Rosa soltou-a, e para se reconfortar, para isolar a algazarra do porão, Liesel abriu um de seus livros e começou a ler. O livro no topo da pilha era *O Assobiador*, e ela falou em voz alta, para ajudar sua própria concentração. O parágrafo inicial entorpeceu-se em seus ouvidos.

— O que você disse? — rugiu a mãe, mas Liesel a ignorou. Continuou concentrada na primeira página.

Quando ela virou a página dois, foi Rudy quem notou. Atentou diretamente para o que Liesel estava lendo e deu um tapinha no irmão e nas irmãs, dizendo-lhes para fazerem o mesmo. Hans Hubermann aproximou-se e convocou todos, e em pouco tempo uma quietude começou a escoar pelo porão apinhado. Na página três, todos estavam calados, menos Liesel.

A menina não se atreveu a levantar os olhos, mas sentiu os olhares assustados prenderem-se a ela, enquanto ia puxando as palavras e exalando-as. Uma voz tocava as notas dentro dela. Este é o seu acordeão, dizia.

O som da página virada cortou-os ao meio.

Liesel continuou a ler.

Durante pelo menos vinte minutos foi entregando a história. As crianças menores se acalmaram com sua voz, enquanto todos os outros tinham visões do assobiador fugindo da cena do crime. Não Liesel. A menina que roubava livros via apenas a mecânica das palavras — seus corpos presos ao papel, achatados para lhe permitir caminhar sobre eles. Além disso, em algum lugar, nos hiatos entre uma frase e a maiúscula seguinte, também havia Max. Liesel lembrou-se de ter lido para ele quando o rapaz estivera doente. Será que ele está no porão?, pensou com seus botões. Ou estará roubando de novo um vislumbre do céu?

· UMA IDEIA BONITA ·
Uma, roubava livros.
O outro, roubava o céu.

Todos esperavam o chão estremecer.

Essa ainda era uma realidade imutável, mas agora ao menos eles estavam distraídos com a menina e o livro. Um dos garotos menores pensou em chorar de novo, mas nesse momento Liesel parou e imitou seu papai, ou até Rudy, aliás. Deu-lhe uma piscadela e recomeçou.

Só quando as sirenes tornaram a se infiltrar no porão foi que alguém a interrompeu.

— Estamos salvos — disse o Sr. Jenson.

— Psiu! — fez *Frau* Holtzapfel.

Liesel ergueu os olhos.

— Só faltam dois parágrafos para o fim do capítulo — disse, e continuou a ler, sem fanfarra nem aumento da velocidade. Apenas as palavras.

· SIGNIFICADO Nº 4 DO DICIONÁRIO DUDEN ·
Wort — *Palavra*:
Unidade significativa de linguagem / promessa /
breve comentário, afirmação ou conversa.
Vocábulos correlatos: termo, nome, expressão.

Por respeito, os adultos permaneceram todos em silêncio e Liesel terminou o capítulo primeiro de *O Assobiador*.

Na subida da escada, as crianças passaram correndo por ela, mas muitas pessoas mais velhas — até *Frau* Holtzapfel, até Pfiffikus (o que era muito apropriado, considerando-se o livro do qual ela lera um trecho) — agradeceram à menina pela distração. Fizeram-no ao passar por ela e sair apressadamente da casa, para ver se a rua Himmel havia sofrido algum dano.

A rua Himmel estava intacta.

O único sinal de guerra era uma nuvem de poeira que migrava de leste para oeste. Olhava pelas janelas, tentando encontrar um jeito de entrar, e enquanto se tornava ao mesmo tempo mais densa e mais dispersa, ia transformando a fileira de seres humanos em aparições.

Não havia mais pessoas na rua.
Havia rumores carregando sacos.

Em casa, o pai contou tudo a Max.
— Há neblina e cinzas... acho que nos deixaram sair cedo demais — disse. Olhou para Rosa. — Devo ir lá fora para ver se precisam de ajuda onde as bombas caíram?
Rosa não se impressionou.
— Não seja tão idiota — retrucou. — Você vai se engasgar com a poeira. Não, não, *Saukerl*, você fica aqui. — E lhe ocorreu uma ideia. Nesse momento, olhou para Hans com muita seriedade. Na verdade, o orgulho se desenhava em creiom no seu rosto. — Fique aqui e conte a ele sobre a menina — sugeriu. Sua voz elevou-se, só um pouquinho. — Sobre o livro.
Max deu-lhe um pouco mais de atenção.
— O *Assobiador* — informou-lhe Rosa. — Capítulo primeiro — E explicou exatamente o que havia acontecido no abrigo.
Com Liesel parada num canto do porão, Max a observou e passou a mão pelo queixo. Pessoalmente, acho que foi nesse momento que ele concebeu o trabalho seguinte para seu caderno de desenho.
A Sacudidora de Palavras.
Imaginou a menina lendo no abrigo. Deve tê-la visto literalmente distribuindo as palavras. Mas, como sempre, também deve ter visto a sombra de Hitler. É provável que já lhe ouvisse os passos, dirigindo-se à rua Himmel e ao porão, mais tarde.
Após uma longa pausa, ele pareceu prestes a falar, mas Liesel se antecipou.
— Hoje você viu o céu?
— Não.
Max olhou para a parede e apontou. Nela, todos viram as palavras e o desenho que ele havia pintado mais de um ano antes — a corda e o Sol gotejante.
— Hoje foi só este. — E daí para a frente não se disse mais nada. Nada além de pensamentos.
De Max, Hans e Rosa, eu não posso dar conta, mas sei que Liesel Meminger pensou que, se um dia as bombas caíssem na rua Himmel, não só Max teria menos probabilidade de sobreviver do que todos os outros, como estaria completamente sozinho.

A OFERTA DE
Frau HOLTZAPFEL

De manhã inspecionaram-se os danos. Ninguém morreu, mas dois prédios de apartamentos foram reduzidos a pirâmides de escombros, e uma enorme tigela tinha sido escavada no campo favorito de Rudy na Juventude Hitlerista. Metade da cidade postou-se em sua circunferência. As pessoas avaliavam sua profundidade, para compará-la com a de seus abrigos. Vários meninos e meninas cuspiram no buraco.

Rudy parou ao lado de Liesel.

— Parece que vão ter que adubar de novo.

Quando as semanas seguintes ficaram livres de bombardeios, a vida quase voltou ao normal. Porém, dois momentos marcantes estavam a caminho.

· OS DOIS EVENTOS DE OUTUBRO ·
As *mãos de* Frau *Holtzapfel.*
O desfile de judeus.

Suas rugas eram como calúnias. Sua voz assemelhava-se a uma surra de pau.

Na verdade, foi uma grande sorte elas terem visto *Frau* Holtzapfel aproximar-se, pela janela da sala, porque as batidas dela na porta foram duras e decisivas. Falavam sério.

Liesel ouviu as palavras que temia.

— Vá você atender — disse a mãe, e a menina, muito ciente do que lhe convinha, fez o que lhe foi mandado.

— Sua mãe está? — indagou *Frau* Holtzapfel. Construída de arame de cinquenta anos, postou-se no degrau da frente, virando-se a todo o momento para trás, para ver a rua. — Aquela porca da sua mãe está aqui hoje?

Liesel virou-se e chamou-a.

· SIGNIFICADO Nº 5 DO DICIONÁRIO DUDEN ·
Gelegenheit — *Oportunidade:*
Chance de avanço ou progresso.
Vocábulos correlatos: perspectiva, abertura, ensejo.

Num instante Rosa estava atrás dela.

— O que você quer aqui? Agora também quer cuspir no chão da minha cozinha? *Frau* Holtzapfel não se deixou intimidar minimamente.

— É assim que você recebe *todo o mundo* que aparece na sua porta? Que *G'sindel*! Liesel observava. Tivera a infelicidade de ficar ensanduichada entre as duas. Rosa a tirou do caminho.

— Bem, vai me dizer por que está aqui ou não?

Frau Holtzapfel olhou mais uma vez para a rua e tornou a se virar.

— Tenho uma oferta para você.

A mãe deslocou o peso de uma perna para a outra.

— É mesmo?

— Não, para você, não — disse, descartando Rosa com um dar de ombros na voz e se concentrando em Liesel. — Você.

— Então, por que me chamou?

— Bom, preciso pelo menos da sua *permissão*.

Ai, minha santa mãe, pensou Liesel, é só disso que eu preciso. Que diabo a Holtzapfel pode querer de mim?

— Gostei daquele livro que você leu no abrigo.

Não. Você não vai ficar com ele, disso Liesel estava convencida.

— Pois não?

— Eu tinha a esperança de ouvir o resto dele no abrigo, mas parece que estamos seguros, por enquanto — e rolou os ombros, esticando o arame das costas. — Por isso, quero que você vá a minha casa e leia para mim.

— Você é mesmo descarada, Holtzapfel — fez Rosa, enquanto decidia se devia enfurecer-se ou não. — Se está pensando...

— Eu paro de cuspir na sua porta — interrompeu a mulher. — E lhe dou minha quota de café.

Rosa resolveu não se enfurecer.

— E um pouco de farinha de trigo?

— Como, você é judia ou o quê? Só o café. Você pode trocar o café por farinha de trigo com outra pessoa.

Estava resolvido.

Por todo o mundo, menos a menina.

— Certo, então está feito.

— Mamãe?

— Calada, *Saumensch*. Vá buscar o livro. — E a mãe voltou a encarar *Frau* Holtzapfel. — Qual é o dia que lhe convém?

— Segundas e quartas, às quatro horas. E hoje, agora mesmo.

Liesel seguiu as passadas marciais até a casa de *Frau* Holtzapfel, logo ao lado, que era uma imagem especular da dos Hubermann. Se tanto, era ligeiramente maior.

Quando Liesel sentou-se à mesa da cozinha, *Frau* Holtzapfel sentou-se bem em frente a ela, mas voltada para a janela.

— Leia — disse.

— Capítulo segundo?

— Não, capítulo oitavo. É claro que é o capítulo segundo! E agora, trate de ler, antes que eu a ponha para fora.

— Sim, *Frau* Holtzapfel.

— Esqueça o "Sim, *Frau* Holtzapfel". É só abrir o livro. Não temos o dia inteiro.

Santo Deus, pensou Liesel. Este é o meu castigo por todos aqueles roubos. Finalmente ele me alcançou.

Ela leu durante quarenta e cinco minutos, e quando o capítulo acabou, um saco de café foi depositado na mesa.

— Obrigada — disse a mulher. — É uma boa história.

Virou-se para o fogão e começou a cuidar das batatas. Sem olhar para trás, disse:

— Você ainda está aí, é?

Liesel entendeu que era a deixa para se retirar.

— *Danke schön, Frau* Holtzapfel.

À porta, ao ver as fotos emolduradas de dois rapazes de uniforme militar, jogou também um "*heil* Hitler", com o braço levantado na cozinha.

— Sim — fez *Frau* Holtzapfel, orgulhosa e amedrontada. Dois filhos na Rússia.

— *Heil* Hitler.

Pôs a água para ferver e até reencontrou seus bons modos para percorrer com Liesel os poucos passos até a porta de entrada.

— *Bis morgen?*

O dia seguinte era sexta-feira.

— Sim, *Frau* Holtzapfel. Até amanhã.

• • •

Liesel calculou que tinha havido mais quatro dessas sessões de leitura com *Frau* Holtzapfel, antes de os judeus marcharem por Molching.

Estavam a caminho de Dachau, para ficar concentrados.

Isso soma duas semanas, escreveria ela no porão, tempos depois. *Duas semanas para mudar o mundo e quatorze dias para destruí-lo.*

A LONGA CAMINHADA
PARA DACHAU

Algumas pessoas disseram que o caminhão havia quebrado, mas posso atestar pessoalmente que não foi o que aconteceu. Eu estava lá.

O que aconteceu foi um céu de oceano, com nuvens de crista espumosa.

Além disso, havia mais do que apenas aquele veículo. Três caminhões não quebram de uma vez só.

Quando os soldados pararam, para compartilhar comida e cigarros, e ridicularizar o bando de judeus, um dos prisioneiros desabou de fome e doença. Não faço ideia do local de onde viera o comboio, mas ficava, talvez, a uns seis quilômetros de Molching e a muitos passos mais do campo de concentração de Dachau.

Entrei no caminhão subindo pelo para-brisa, achei o homem falecido e saltei pelos fundos. A alma dele era magrinha. Sua barba compunha-se de uma bola e uma corrente. Meus pés desceram ruidosamente no cascalho, porém nenhum som foi ouvido por prisioneiro ou soldado. Mas todos sentiam meu cheiro.

A lembrança me diz que havia muitos desejos no fundo daquele caminhão. Vozes internas que me chamavam.

Por que ele, não eu?

Graças a Deus *não fui* eu.

Os soldados, por outro lado, ocupavam-se com uma discussão diferente. O chefe amassou o cigarro e fez aos outros uma pergunta nebulosa:

— Quando foi a última vez que levamos esses ratos para pegar um pouco de ar puro?

Seu primeiro-tenente reprimiu uma tossida.

— Eles bem que estão precisando, não é?
— Então, que tal? Temos tempo, não é?
— Sempre temos tempo, senhor.
— E está fazendo um tempo perfeito para um desfile, não acha?
— Sim, senhor.
— Então, que estão esperando?

Na rua Himmel, Liesel jogava futebol quando o barulho chegou. Dois meninos disputavam a bola no meio-campo quando tudo ficou imóvel. Até Tommy Müller ouviu.

— Que é *isso?* — perguntou, de seu lugar no gol.

Todos se viraram para o som de pés arrastados e vozes marciais, à medida que eles se aproximavam.

— Isso é uma boiada? — perguntou Rudy. — Não pode ser. O barulho nunca é bem assim, é?

Lentamente, a princípio, a rua de crianças encaminhou-se para o som magnético, em direção à loja de *Frau* Diller. De quando em quando, havia um aumento da ênfase nos gritos.

Num apartamento alto, logo depois da esquina da rua Munique, uma senhora de voz agourenta decifrou para todos a fonte exata da comoção. Do alto, à janela, seu rosto parecia uma bandeira branca de olhos úmidos e boca aberta. Sua voz lembrava o suicídio, aterrissando com um baque aos pés de Liesel.

Seu cabelo era grisalho.

Os olhos eram escuros, azul-escuros.

— *Die Juden* — disse ela. Os judeus.

· SIGNIFICADO Nº 6 DO DICIONÁRIO DUDEN ·
Elend — *Desgraça:*
Grande sofrimento, infelicidade e aflição.
Vocábulos correlatos: angústia, tormento,
desespero, miséria, desolação.

Mais gente apareceu na rua, onde uma massa de judeus e outros criminosos já ia sendo empurrada. Talvez os campos de extermínio fossem mantidos em segredo, mas, vez por outra, mostrava-se às pessoas a glória de um campo de trabalhos forçados como Dachau.

Mais adiante, do outro lado, Liesel avistou o homem com a carroça de tintas. Ele passava a mão no cabelo, constrangido.

— Lá — apontou ela, mostrando-o a Rudy. — Meu papai.

Os dois atravessaram e se aproximaram dele, e no começo Hans Hubermann tentou levá-los embora.

— Liesel — disse —, talvez...

Mas percebeu que a menina estava decidida a ficar, e quem sabe aquilo fosse uma coisa que ela devia ver. Na brisa do ar outonal, Hans postou-se a seu lado. Não falou.

Na rua Munique, puseram-se a observar.
Outros se deslocaram a seu redor e à sua frente.
Assistiram à passagem dos judeus pela rua, como a um catálogo de cores. Não foi assim que a menina que roubava livros os descreveu, mas posso lhe dizer que era exatamente isso que eles eram, pois muitos iam morrer. Cada qual me saudaria como sua última amiga verdadeira, com os ossos parecendo fumaça e as almas arrastando-se atrás.

Quando eles chegaram de vez, o barulho de seus pés pulsou sobre a rua. Seus olhos eram enormes, nos crânios esfaimados. E a sujeira. A sujeira moldava-se a eles. As pernas cambaleavam, à medida que eles eram empurrados pelas mãos dos soldados — alguns passos trôpegos de corrida forçada, antes do lento retorno a um andar desnutrido.
Hans os observava por sobre as cabeças da plateia que se aglomerava. Tenho certeza de que tinha os olhos prateados e tensos. Liesel olhava pelas brechas ou por cima dos ombros.
Os rostos sofredores de homens e mulheres esgotados estendiam-se para eles, implorando não tanto ajuda — já haviam ultrapassado essa fase —, mas uma explicação. Apenas alguma coisa que diminuísse aquela perplexidade.
Seus pés mal conseguiam erguer-se da terra.
Havia estrelas de davi coladas em suas camisas, e a desgraça prendia-se a eles como que por designação. "Não te esqueças de tua miséria..." Em alguns casos, crescia neles como uma videira.
A seu lado, os soldados também passavam, dando ordens para eles se apressarem e pararem de resmungar. Alguns desses soldados eram apenas meninos. Tinham o *Führer* nos olhos.
Ao observar tudo isso, Liesel teve certeza de que aquelas eram as mais pobres almas ainda vivas. Foi o que escreveu sobre elas. Seus rostos macilentos esticavam-se pela tortura. A fome os devorava, enquanto eles seguiam em frente, alguns olhando para o chão, para evitar as pessoas que ladeavam a rua. Alguns lançavam olhares súplices para os que tinham ido observar sua humilhação, esse prelúdio de sua morte. Outros imploravam que alguém, qualquer um, desse um passo à frente e os tomasse em seus braços.
Ninguém o fez.
Quer assistissem a essa parada com orgulho, temor ou vergonha, nenhuma das pessoas se adiantou para interrompê-la. Ainda não.
Vez por outra, um homem ou uma mulher — não, eles não eram homens e mulheres, eram judeus — encontrava o rosto de Liesel na multidão. Iam ao encontro dela, com sua derrota, e a menina que roubava livros só podia retribuir-lhes o olhar,

num longo e incurável momento antes de eles tornarem a desaparecer. Só podia esperar que eles conseguissem ler a profundidade da tristeza em seu rosto, reconhecer que ela era verdadeira e não fugaz.

Tenho um de vocês no meu porão!, sentia vontade de dizer. Fizemos juntos um boneco de neve! Eu lhe dei treze presentes quando ele adoeceu!

Liesel não disse absolutamente nada.

De que adiantaria?

Ela compreendeu que era completamente inútil para aquelas pessoas. Era impossível salvá-las, e em poucos minutos a menina veria o que acontecia com os que tentavam ajudá-las.

Numa pequena brecha na procissão havia um homem mais velho do que os outros. Usava barba e roupas rasgadas.

Seus olhos eram da cor da agonia, e por mais sem peso que fosse, ele era pesado demais para ser carregado por suas pernas.

Caiu diversas vezes.

O lado de seu rosto achatava-se no chão.

Em cada ocasião, um soldado erguia-se sobre ele.

— *Steh' auf* — gritava. Levante-se.

O homem se punha de joelhos e lutava para se levantar. E ia andando.

Toda vez que chegava perto o bastante para alcançar o fim da fila, não tardava a perder impulso e tropeçar outra vez, caindo no chão. Havia outros às suas costas — a carga de um caminhão inteiro —, e eles ameaçavam ultrapassá-lo e pisoteá-lo.

Era insuportável ver a dor de seus braços, tremendo na tentativa de levantar o corpo. Eles cediam de novo, antes de o homem se reerguer e dar mais meia dúzia de passos.

Estava morto.

O homem estava morto.

Mais cinco minutos e com certeza cairia na sarjeta alemã e morreria. Todos o deixariam morrer, e todos olhariam.

E, então, um homem.

Hans Hubermann.

Aconteceu muito depressa.

A mão que segurava com firmeza a de Liesel soltou-a, quando o ancião veio claudicando. Ela sentiu a palma bater em seu quadril.

O pai enfiou a mão na carroça de tintas e pegou alguma coisa. Abriu caminho por entre as pessoas da calçada, até chegar à rua.

O judeu parou à sua frente, esperando outro punhado de zombarias, mas viu, junto com todos os demais, Hans Hubermann estender a mão e lhe oferecer um pedaço de pão, como se fosse mágica.

Quando a oferenda trocou de mãos, o judeu escorregou. Caiu de joelhos e segurou as canelas de Hans. Enterrou o rosto entre elas e agradeceu.

Liesel observou.

Com lágrimas nos olhos, ela viu o homem inclinar-se um pouco mais para a frente, empurrando seu pai, para chorar nos tornozelos dele.

Outros judeus passaram, todos observando aquele pequeno milagre inútil. Fluíram feito água humana. Nesse dia, alguns chegariam ao oceano. Receberiam uma touca branca.

Avançando por entre eles, um soldado não tardou a chegar à cena do crime. Estudou o homem ajoelhado e Hans, e olhou para a multidão. Depois de refletir por mais um instante, tirou o chicote do cinto e começou.

O judeu foi açoitado seis vezes. Nas costas, na cabeça e nas pernas.

— Seu lixo imundo! Seu porco!

E o sangue passou a escorrer da orelha do velho.

Depois, foi a vez de Hans.

Uma nova mão segurou a de Liesel, e quando ela olhou para o lado, horrorizada, Rudy Steiner engoliu em seco, enquanto Hans Hubermann era chicoteado na rua. O som enojou a menina, que esperou ver os lanhos surgirem no corpo do pai. Ele levou quatro chicotadas antes de também cair.

Quando o judeu idoso se pôs de pé pela última vez e seguiu adiante, deu um rápido olhar para trás. Lançou uma última olhadela tristonha para o homem agora ajoelhado, cujas costas ardiam com quatro linhas de fogo, cujos joelhos doíam no chão. Que mais não fosse, o ancião morreria como um ser humano. Ou, pelo menos, com a ideia de que *era* um ser humano.

E eu?

Não tenho certeza de que isso seja tão bom assim.

Quando Liesel e Rudy conseguiram passar e ajudaram Hans a se pôr de pé, houve inúmeras vozes. Palavras e sol. Foi assim que ela o recordou. A luz cintilando na rua e as palavras feito ondas, quebrando em suas costas. Só ao se afastarem foi que eles notaram o pão rejeitado na rua.

Quando Rudy tentou apanhá-lo, um judeu que passava o arrancou de sua mão e outros dois lutaram com este por ele, enquanto prosseguiam em sua marcha para Dachau.

E, então, os olhos de prata foram apedrejados.

Uma carroça foi virada e a tinta escorreu pela rua.

Chamaram-no de amigo dos judeus.

Outros guardaram silêncio, ajudando-o a voltar para a segurança.

Hans Hubermann inclinou-se para a frente, apoiando os braços estendidos na parede de uma casa. De repente, sentiu-se invadir pelo que acabara de acontecer.

Veio-lhe uma imagem, célere e intensa.

Rua Himmel, 33 — o porão.
As ideias de pânico ficaram presas na luta entre o entrar e o sair de sua respiração.
Agora eles virão. Eles virão.
Ah, Jesus, ah, Jesus crucificado!
Hans olhou para a menina e fechou os olhos.
— Você está machucado, papai?
Mas ela ouviu perguntas, em vez de uma resposta.
— Em que é que eu estava pensando? — E seus olhos se fecharam com mais força e tornaram a se abrir. O macacão estava amarrotado. Havia tinta e sangue nas mãos de Hans. E migalhas de pão. Que diferença do pão do verão anterior! — Ah, meu Deus, Liesel, que foi que eu fiz?

Pois é.
Tenho que concordar.

Que é que o pai dela tinha feito?

Paz

Pouco depois das onze horas da mesma noite Max Vandenburg subiu a rua Himmel, com uma mala cheia de alimentos e roupas quentes. Havia ar alemão em seus pulmões. As estrelas amarelas estavam em chamas. Quando chegou à loja de *Frau* Diller, ele se virou para olhar pela última vez para o número trinta e três. Não podia ver a figura na janela da cozinha, mas *ela* o via. Ela acenou, e Max não retribuiu o aceno.

Liesel ainda sentia a boca do rapaz em sua testa. Cheirava seu hálito de adeus.

— Deixei uma coisa para você — disse Max —, mas você só vai recebê-la quando estiver pronta.

E saiu.

— Max?

Mas ele não voltou.

Já saíra do quarto da menina e fechou a porta em silêncio.

O corredor murmurou.

Ele se fora.

Quando Liesel chegou à cozinha, encontrou a mãe e o pai com o tronco vergado e o rosto inerte. Estavam parados assim fazia trinta segundos de eternidade.

· SIGNIFICADO Nº 7 DO DICIONÁRIO DUDEN ·
Schweigen — *Silêncio:*
Ausência de som ou ruído.
Vocábulos correlatos: quietude, calma, paz.

Que perfeição.
Paz.

Em algum lugar perto de Munique um judeu alemão caminhava pelas trevas. Combinara-se que ele se encontraria com Hans Hubermann dali a quatro dias (isto é, se não o levassem embora). Seria num lugar bem mais adiante, no Amper, onde uma ponte quebrada recostava-se entre o rio e o arvoredo.

Ele chegaria lá, mas não ficaria mais que alguns minutos.

A única coisa a ser encontrada, quando o pai chegou, quatro dias depois, foi um bilhete embaixo de uma pedra, na base de uma árvore. Não era dirigido a ninguém e continha apenas uma frase.

· AS ÚLTIMAS PALAVRAS DE ·
MAX VANDENBURG
Vocês já fizeram o bastante.

Agora, mais do que nunca, o número 33 da rua Himmel tornou-se um lugar de silêncio, e não passou despercebido que o *Dicionário Duden* estava completa e profundamente errado, em especial nos seus vocábulos correlatos.

O silêncio não era quietude nem calma, e não era paz.

O IDIOTA E OS HOMENS DE SOBRETUDO

Na noite do desfile, o idiota sentou-se na cozinha, tomando goles amargos do café da Holtzapfel e ansiando por um cigarro. Esperou a Gestapo, os soldados, a polícia — qualquer um — para levá-lo embora, como julgava merecer. Rosa ordenou que ele fosse dormir. A menina deixou-se ficar no vão da porta. Ele mandou as duas embora e passou a madrugada, até o amanhecer, com a cabeça nas mãos, esperando.

Nada.

Cada intervalo de tempo carregava em si o ruído esperado das batidas e das palavras ameaçadoras.

Elas não chegaram.

O único som era o dele mesmo.

— Que foi que eu fiz? — tornou a murmurar.

— Meu Deus, eu adoraria um cigarro — respondeu. Estava sem nenhum.

Liesel ouviu várias vezes as frases repetidas, e foi muito difícil permanecer junto à porta. Ela gostaria de consolá-lo, mas nunca tinha visto um homem tão arrasado. Não havia consolo naquela noite. Max se fora, e o culpado era Hans Hubermann.

Os armários da cozinha tinham o formato da culpa, e as palmas das mãos de Hans estavam oleosas, com a lembrança do que ele fizera. *Devem* estar suadas, pensou Liesel, porque suas próprias mãos estavam encharcadas até o pulso.

No quarto, ela rezou.

Mãos e joelhos, braços apoiados no colchão.

— Por favor, Deus, por favor, deixe o Max sobreviver. Por favor, Deus, por favor...
Os joelhos sofridos.
Os pés doloridos.

Ao surgir a primeira luz, ela acordou e voltou à cozinha. O pai dormia, com a cabeça paralela ao tampo da mesa, e tinha um pouco de saliva num canto da boca. O cheiro de café era opressivo, e a imagem da bondade idiota de Hans Hubermann ainda pairava no ar. Como um número ou um endereço. É só repeti-lo um número suficiente de vezes que ele fica gravado.

Sua primeira tentativa de acordá-lo não foi sentida, mas a segunda cutucada no ombro tirou-lhe a cabeça da mesa, num sobressalto ascendente.

— Eles chegaram?
— Não, papai, sou eu.

Hans terminou a poça rançosa de café que restara na caneca. Seu pomo de adão subiu e desceu.

— Eles já deviam ter vindo. Por que não vieram, Liesel?

Aquilo era um insulto.

Já deveriam ter chegado e vasculhado a casa, à procura de qualquer indício de amor aos judeus, ou de traição, mas Max parecia ter ido embora sem nenhuma justificativa. Poderia estar dormindo no porão ou desenhando em seu caderno.

— Você não podia saber que eles não viriam, papai.
— Eu deveria *saber* que não era para dar pão nenhum àquele homem. Simplesmente não raciocinei.
— Papai, você não fez nada errado.
— Não acredito em você.

Ele se levantou e saiu pela porta da cozinha, deixando-a entreaberta. Para tornar o insulto ainda mais afrontoso, era uma linda manhã.

Passados quatro dias, o pai deu uma longa caminhada à margem do Amper. Voltou trazendo um bilhetinho e o pôs na mesa da cozinha.

Passou-se mais uma semana, e Hans Hubermann continuou à espera do castigo. Os lanhos em suas costas transformavam-se em cicatrizes, e ele passava a maior parte do tempo caminhando por Molching. *Frau* Diller cuspiu em seus pés. *Frau* Holtzapfel, fiel a sua palavra, tinha parado de cuspir na porta dos Hubermann, mas houve um substituto conveniente.

— Eu sabia — maldisse-o o lojista. — Seu porco amante de judeus.

Hans continuava a andar, desatento, e muitas vezes Liesel o alcançava no rio Amper, na ponte. Com os braços apoiados na balaustrada e a parte superior do tronco debruçada sobre a borda. Crianças passavam por ele de bicicleta, céleres, ou então corriam, falando alto e batendo os pés na madeira. Nada disso o afetava minimamente.

• • •

· SIGNIFICADO Nº 8 DO DICIONÁRIO DUDEN ·
Nachtrauern — *Lamentar*:
Sentir uma tristeza carregada de saudade,
desapontamento ou luto.
Vocábulos correlatos: penalizar-se,
arrepender-se, prantear, contristar-se.

— Você o vê? — perguntou-lhe Hans uma tarde, quando ela se debruçou a seu lado. — Ali, na água?

O rio não corria muito depressa. Nas ondulações lentas, Liesel pôde ver o contorno do rosto de Max Vandenburg. Viu seu cabelo plumoso e o restante dele.

— Ele costumava lutar com o *Führer* no nosso porão.

— Jesus, Maria e José — disse o pai, comprimindo as mãos na madeira cheia de lascas. — Eu sou um idiota.

Não, papai.

Você é apenas um homem.

Essas palavras lhe ocorreram mais de um ano depois, ao escrever no porão. Liesel gostaria de ter pensado nelas nessa hora.

— Eu sou burro — disse Hans Hubermann à filha de criação. — E bom. O que resulta no maior idiota do mundo. A questão é que eu *quero* que eles venham me buscar. Qualquer coisa é melhor do que esta espera.

Hans Hubermann precisava de uma confirmação. Precisava saber que Max Vandenburg saíra de sua casa por um bom motivo.

Por fim, após quase três semanas de espera, achou que sua hora havia chegado.

Era tarde.

Liesel vinha voltando da casa de *Frau* Holtzapfel quando viu os dois homens de longos sobretudos pretos e correu para dentro de casa.

— Papai, papai! — Quase derrubou a mesa da cozinha. — Papai, eles estão aqui!

A mãe veio primeiro.

— O que é essa gritaria toda, *Saumensch*? Quem está aqui?

— A Gestapo.

— Hansi!

Ele já havia chegado, e saiu de casa para recebê-los. Liesel quis juntar-se a ele, mas Rosa a deteve e as duas ficaram olhando pela janela.

O pai ficou postado no portão. Estava irrequieto.

A mãe apertou com mais força os braços de Liesel.

Os homens passaram.

• • •

O pai olhou para a janela, alarmado, depois saiu portão afora. Chamou-os.
— Ei! Eu estou aqui. Sou eu que vocês querem. Moro nesta aqui.
Os homens de sobretudo apenas deram uma parada momentânea e checaram seus cadernos de notas.
— Não, não — disseram. Tinham vozes graves e volumosas. — Infelizmente, o senhor é um pouco velho demais para nossos objetivos.
Continuaram a andar, mas não avançaram muito, parando no número trinta e cinco e cruzando o portão aberto.
— *Frau* Steiner? — perguntaram, quando a porta se abriu.
— Sim, isso mesmo.
— Viemos ter uma conversa com a senhora.

Os homens de sobretudo postaram-se como colunas encasacadas no umbral da casa dos Steiner, com seu formato de caixa de sapatos.
Por alguma razão, estavam ali pelo menino.
Os homens de sobretudo queriam Rudy.

PARTE OITO

A Sacudidora
de Palavras

APRESENTANDO:

dominós e trevas
a ideia de rudy nu
castigo
a mulher de um cumpridor de promessas
um colecionador
os comedores de pão
uma vela nas árvores
um caderno de desenho escondido
e a coleção de ternos do anarquista

Dominós e trevas

Nas palavras das irmãs menores de Rudy, havia dois monstros sentados na cozinha. Suas vozes amassavam metodicamente a porta, enquanto três das crianças Steiner jogavam dominó do outro lado. As outras três ouviam rádio no quarto, distraídas. Rudy esperava que isso não tivesse nada a ver com o que acontecera na escola na semana anterior. Tinha sido algo que ele se recusara a contar a Liesel e sobre o qual não havia falado em casa.

· UMA TARDE CINZENTA, ·
UM PEQUENO CONSULTÓRIO NA ESCOLA
Três meninos fizeram fila. Seus históricos escolares
e seus corpos foram minuciosamente examinados.

Quando terminou a quarta partida de dominó, Rudy começou a enfileirar as pedras na vertical, criando desenhos que serpenteavam pelo chão da sala. Como era seu hábito, também deixou alguns espaços, para o caso de haver interferência do dedo travesso de uma das irmãs, o que geralmente acontecia.

— Posso derrubá-los, Rudy?

— Não.

— E eu?

— Não. Todos vamos derrubá-los.

Rudy montou três formações separadas, que levavam à mesma torre de dominós no centro. Juntos, eles observariam o desmoronamento de tudo que fora tão cuidadosamente planejado, e todos sorririam ante a beleza da destruição.

As vozes na cozinha estavam ficando mais altas, umas trepando nas outras para se fazerem ouvir. Frases diferentes disputavam a atenção, até que uma pessoa, anteriormente calada, entrou no meio delas.

— Não — disse. — Não — repetiu. Mesmo quando as demais retomaram a discussão, voltaram a ser silenciadas pela mesma voz, só que, nessa hora, ela ganhou ímpeto.

— Por favor — suplicou Barbara Steiner —, meu menino não.

— A gente pode acender uma vela, Rudy?

Era uma coisa que o pai fizera muitas vezes com eles. Apagava a luz e todos viam os dominós caírem à luz da vela. De algum modo, isso tornava o acontecimento mais grandioso, um espetáculo maior.

As pernas de Rudy estavam doloridas, de qualquer jeito.

— Deixem que eu procure um fósforo.

O interruptor ficava junto à porta.

Em silêncio, Rudy aproximou-se dela, com a caixa de fósforos numa das mãos e a vela na outra.

Do lado de lá, os três homens e uma mulher treparam nas dobradiças.

— As melhores notas da turma — disse um dos monstros. Muita profundidade e indiferença. — Para não falar em sua capacidade atlética — completou. Droga, por que é que ele tinha que ter ganhado todas aquelas corridas na competição?

Deutscher.

Maldito aquele tal de Franz Deutscher.

Mas, então, Rudy compreendeu.

Aquilo não era culpa de Franz Deutscher, mas sua. Ele quisera mostrar a seu antigo torturador do que era capaz, mas também quisera provar-se diante de todos. E agora, o *todos* estava na cozinha.

Rudy acendeu a vela e apagou a luz.

— Prontas?

— Mas nós ouvimos falar no que acontece por lá — fez a inconfundível voz de carvalho de seu pai.

— Anda, Rudy, anda logo!

— Sim, mas compreenda, *Herr* Steiner, tudo isso é por um objetivo maior. Pense nas oportunidades que seu filho pode ter. É realmente um privilégio.

— Rudy, a vela está pingando.

O menino fez um gesto para que elas se calassem, novamente à espera de Alex Steiner. Ele veio.

— Privilégios? Como correr descalço na neve? Como saltar de plataformas de dez metros, em noventa centímetros de água?

Agora a orelha de Rudy estava grudada na porta. A cera da vela derretia em sua mão.

— Boatos — fez a voz árida, baixa e sem emoção. Tinha resposta para tudo. — Nossa escola é uma das melhores que já se criaram. É melhor que as de categoria internacional. Estamos criando um grupo de elite de cidadãos alemães, em nome do *Führer*...

Rudy não conseguiu mais escutar.
Raspou da mão a cera da vela e recuou da emenda de luz que atravessava a rachadura da porta. Ao sentar-se, a chama se apagou. Movimento demais. A escuridão invadiu o cômodo. A única luz disponível era um estêncil retangular branco, na forma da porta da cozinha.
Ele riscou outro fósforo e tornou a acender a vela. O cheiro doce de fogo e carbono.
Cada um deles, Rudy e as irmãs, deu um peteleco num dominó diferente, e em seguida os observaram cair, até que a torre central prostrou-se de joelhos. As meninas deram vivas.
Kurt, o irmão mais velho, entrou na sala.
— Parecem cadáveres — disse.
— O quê?
Rudy espiou o rosto sombrio, mas Kurt não respondeu. Havia notado a discussão que vinha da cozinha.
— Que está acontecendo por lá?
Foi uma das meninas quem respondeu. A mais nova, Bettina. Tinha cinco anos.
— Tem dois monstros — disse. — Vieram buscar o Rudy.
De novo, a criança humana. Muito mais perspicaz.

Depois, quando os homens de sobretudo se foram, os dois rapazinhos, um de dezessete, outro de quatorze anos, encontraram coragem para enfrentar a cozinha.
Pararam à porta. A luz castigava seus olhos.
Foi Kurt quem falou:
— Eles vão levá-lo?
Os braços da mãe estavam arriados na mesa. As palmas das mãos, viradas para cima.
Alex Steiner levantou a cabeça.
Estava pesada.
Sua expressão era nítida e definida, recém-talhada.
A mão de madeira afastou as lascas de franja e ele fez várias tentativas de falar.
— Papai?
Mas Rudy não se aproximou dele.
Sentou-se à mesa da cozinha e segurou a mão da mãe, com sua palma para cima.
Alex e Barbara Steiner não quiseram revelar o que fora dito enquanto os dominós tombavam feito cadáveres na sala de estar. Se Rudy tivesse continuado a escutar junto à porta, só mais uns minutinhos...
Nas semanas seguintes, ele disse a si mesmo — ou, a rigor, protestou consigo mesmo — que, se tivesse ouvido o resto da conversa naquela noite, teria entrado muito antes na cozinha.

— Eu vou — teria dito. — Por favor, me levem, estou pronto.
Se tivesse interferido, isso poderia ter modificado tudo.

· TRÊS POSSIBILIDADES ·
1. Alex Steiner não teria sofrido o
mesmo castigo que Hans Hubermann.
2. Rudy teria ido embora para a escola.
3. E talvez, talvez tivesse ficado vivo.

Mas a crueldade do destino não havia deixado que Rudy Steiner entrasse na cozinha no momento oportuno.
Ele tinha voltado para suas irmãs e os dominós.
Sentara-se.
Rudy Steiner não iria a lugar nenhum.

A IDEIA DE RUDY NU

Havia uma mulher.
Parada num canto.
Tinha a trança mais grossa que ele já vira. Descia-lhe pelas costas feito uma corda e, vez ou outra, quando ela a passava por cima do ombro, espreitava os seios colossais da mulher, como um animal de estimação superalimentado. Na verdade, tudo nela era amplificado. Os quadris, as pernas. Os dentes acavalados. A voz era grande e direta. Sem tempo a perder.
— *Komm* — ela os instruiu. — Venham. Fiquem aqui.
O médico, em comparação, parecia um roedor em processo de calvície. Era miúdo e ágil, e andava de um lado para outro, no consultório da escola, com movimentos e maneirismos maníacos, embora metódicos. E estava resfriado.
Dos três meninos, foi difícil decidir quem relutou mais em tirar a roupa, ao receber essa ordem. O primeiro olhou de uma pessoa para outra, do professor envelhecido para a enfermeira gargantuesca e o médico tamanho mirim. O do meio só fez olhar para os pés, e o da extrema esquerda julgou-se abençoado por estar no consultório médico da escola e não numa viela escura. A enfermeira, decidiu Rudy, era de dar medo.
— Quem é o primeiro? — perguntou ela.
Quem respondeu foi o professor que supervisionava o processo, *Herr* Heckenstaller. Estava mais para um terno preto do que para um homem. Seu rosto era um bigode. Examinando os meninos, sua escolha foi rápida.
— Schwarz.

O pobre Jürgen Schwarz desabotoou o uniforme, com imenso mal-estar. Ficou parado ali, apenas de sapatos e roupa de baixo. Um apelo infeliz pairava em seu rosto alemão.

— E então? — perguntou *Herr* Heckenstaller. — Os sapatos?

O menino tirou os dois sapatos, as duas meias.

— *Und die Unterhosen* — fez a enfermeira. — E a cueca.

Àquela altura, Rudy e o outro menino, Olaf Spiegel, também tinham começado a se despir, mas não estavam nem perto da situação periclitante de Jürgen Schwarz. O menino tremia. Era um ano mais novo que os outros dois, porém mais alto. Quando sua cueca arriou, foi com abjeta humilhação que ele se postou no consultório pequeno e frio. Com o amor-próprio enroscado nos tornozelos.

A enfermeira o observava atentamente, com os braços cruzados sobre o peito devastador.

Heckenstaller ordenou que os outros dois andassem logo.

O médico coçou a cabeça e tossiu. A gripe o estava matando.

Os três meninos nus foram individualmente examinados no piso frio. Cobriram a genitália com as mãos em concha e tremeram como o futuro.

Entre as tossidas e os espirros do médico, eles mostraram suas habilidades.

— Inspire.

Uma fungada.

— Expire.

Segunda fungada.

— Abram os braços.

Tosse.

— Eu disse *abram* os braços.

Saraivada medonha de tosse.

Como fazem os seres humanos, os meninos se entreolharam várias vezes, em busca de algum sinal de solidariedade mútua. Não houve nenhum. Com dificuldade, os três tiraram a mão do pênis e abriram os braços. Rudy não se sentiu parte de uma raça superior.

— Aos poucos, estamos conseguindo criar um novo futuro — informava a enfermeira ao professor. — Será uma nova classe de alemães, física e mentalmente avançados. Uma classe de oficiais.

Infelizmente, seu sermão foi interrompido quando o médico dobrou-se ao meio e tossiu com toda a força sobre as roupas abandonadas. Seus olhos se encheram de lágrimas e Rudy não pôde deixar de se intrigar.

Um novo futuro? Como ele?

Sensatamente, não disse nada.

O exame foi concluído e ele conseguiu fazer seu primeiro "*heil* Hitler" nu em pelo. De um jeito um pouco perverso, admitiu que não tinha sido nada mau.

Despojados de sua dignidade, os meninos tiveram permissão para se vestir, e ao serem conduzidos para fora do consultório já puderam ouvir às suas costas a discussão em sua homenagem.

— Eles são um pouco mais velhos que de hábito — dizia o médico —, mas estou pensando em pelo menos dois.

A enfermeira concordou:

— O primeiro e o terceiro.

Três meninos parados do lado de fora.

Primeiro e terceiro.

— O primeiro foi você, Schwarz — disse Rudy, e então perguntou a Olaf Spiegel: — Quem foi o terceiro?

Spiegel fez as contas. Será que ela se referira ao terceiro da fila ou ao terceiro a ser examinado? Não tinha importância. Ele sabia em que queria acreditar.

— Foi você, eu acho.

— Bosta, Spiegel, foi você.

· UMA PEQUENA GARANTIA ·
Os homens de sobretudo sabiam quem era o terceiro.

No dia seguinte à visita deles à rua Himmel, Rudy sentou-se com Liesel no degrau da entrada e relatou a saga inteira, até os mínimos detalhes. Desistiu e admitiu o que havia acontecido na escola, no dia em que fora retirado da sala. Houve até umas risadas a respeito da enfermeira elefantina e da expressão no rosto de Jürgen Schwarz. Na maior parte, entretanto, foi uma história de angústia, especialmente no pedaço das vozes na cozinha e dos dominós-cadáveres.

Durante dias, Liesel não conseguiu tirar uma ideia da cabeça.

Era o exame dos três meninos, ou, para ser franca, de Rudy.

Ficava deitada na cama, sentindo saudade de Max, imaginando onde ele estaria e rezando para que estivesse vivo, mas, em algum lugar, no meio daquilo tudo estava Rudy.

Ele reluzia no escuro, completamente nu.

Havia um grande pavor nessa visão, especialmente no momento em que ele era obrigado a retirar as mãos. Aquilo era desconcertante, para dizer o mínimo, mas, por alguma razão, Liesel não conseguia parar de pensar nessa ideia.

Castigo

Nos cartões de racionamento da Alemanha nazista não havia uma lista de punições, mas todos tinham que esperar sua vez. Para alguns, ela foi a morte num país estrangeiro, durante a guerra. Para outros, a pobreza e a culpa, uma vez terminada a guerra, quando se fizeram seis milhões de descobertas em toda a Europa. Muita gente deve ter visto o castigo se aproximar, mas apenas uma pequena percentagem o acolheu de bom grado. Uma dessas pessoas foi Hans Hubermann.

Não se pode ajudar judeus na rua.
O porão não deve esconder um deles.
A princípio, o castigo de Hans foi a consciência pesada. Seu desenterrar descuidado de Max Vandenburg o atormentava. Liesel via o castigo sentado junto ao prato do pai, enquanto ele ignorava o jantar, ou de pé com ele na ponte sobre o Amper. Hans já não tocava acordeão. Seu otimismo de olhos prateados estava ferido e estático. Isso já era bastante ruim, mas foi só o começo.

Numa quarta-feira do início de novembro o verdadeiro castigo chegou pelo correio. À primeira vista, pareceu uma boa notícia.

· UM PAPEL NA COZINHA ·
Temos o prazer de informá-lo que
seu pedido de filiação ao NSDAP foi aprovado...

— O Partido Nazista? — perguntou Rosa. — Pensei que eles não quisessem você.

— Não queriam.

O pai sentou-se e releu a carta.

Não estava sendo processado por traição, nem por ajudar judeus, nem qualquer coisa desse tipo. Hans Hubermann estava sendo *recompensado*, pelo menos no que dizia respeito a algumas pessoas. Como era possível?

— Tem que haver mais coisa.

Havia.

Na sexta-feira chegou um comunicado informando que Hans Hubermann deveria alistar-se no Exército alemão. Um membro do partido ficaria satisfeito em desempenhar seu papel no esforço de guerra, concluía o texto. Se não ficasse, certamente haveria consequências.

Liesel tinha acabado de voltar da leitura com *Frau* Holtzapfel. A cozinha estava carregada de vapor de sopa e dos rostos vazios de Hans e Rosa Hubermann. O pai estava sentado. A mãe, de pé ao lado dele, enquanto a sopa começava a queimar.

— Meu Deus, por favor, não me mande para a Rússia — disse o pai.
— Mamãe, a sopa está queimando.
— O quê?

Liesel correu até lá e a tirou do fogão.

— A sopa.

Depois de resgatá-la, virou-se e examinou os pais de criação. Rostos de cidade-fantasma.

— Papai, qual é o problema?

Ele lhe estendeu a carta e as mãos da menina começaram a tremer, à medida que ela avançou na leitura. As palavras tinham sido batidas com força no papel.

· O CONTEÚDO DA IMAGINAÇÃO ·
DE LIESEL MEMINGER
Na cozinha bombardeada, em algum
ponto próximo do fogão, havia a imagem de
uma máquina de escrever solitária,
com excesso de trabalho.
Achava-se numa sala distante, quase vazia.
As teclas eram desbotadas e uma folha em branco
esperava pacientemente em pé, na posição correta.
Oscilava de leve à brisa que entrava pela janela.
O intervalo para o café quase havia terminado.
Uma pilha de papéis, da altura de um ser humano,
esperava junto à porta, descontraída.
Poderia muito bem estar fumando.

Na verdade, Liesel só viu a máquina datilográfica tempos depois, ao escrever. Perguntou-se quantas cartas como aquela teriam sido enviadas, a título de castigo, aos Hans Hubermann e Alex Steiner da Alemanha — aos que ajudavam os desamparados e aos que se recusavam a abrir mão de seus filhos.

Era um sinal do desespero crescente do Exército alemão.

Eles estavam perdendo na Rússia.

Suas cidades vinham sendo bombardeadas.

Havia necessidade de mais gente, assim como os meios para consegui-la, e na maioria dos casos as piores tarefas possíveis seriam dadas às piores pessoas possíveis.

Enquanto seus olhos percorriam o papel, Liesel enxergava a mesa de madeira através dos buracos perfurados pelas letras. Palavras como *compulsório* e *dever* tinham sido batidas na página. Desencadeou-se a saliva. Era a ânsia de vômito.

— O que é isso?

Veio a resposta do pai, baixinho:

— Pensei que lhe tivesse ensinado a ler, minha menina.

Não falou com raiva nem sarcasmo. Foi uma voz de vazio, para combinar com o rosto.

Liesel então olhou para a mamãe.

Rosa tinha uma pequena fenda embaixo do olho direito, e em menos de um minuto seu rosto de papelão se desfez. Não pelo centro, mas à direita. Contorceu-se face abaixo, num arco que terminava no queixo.

· VINTE MINUTOS DEPOIS: ·
UMA MENINA NA RUA HIMMEL
Ela levantou os olhos. Falou num sussurro.
— Hoje o céu está fosco, Max.
As nuvens estão muito foscas e tristes, e... —
Desviou os olhos e cruzou os braços.
Pensou no pai, indo para a guerra, e puxou
o casaco dos dois lados do corpo.
— E está frio, Max. Faz muito frio...

Cinco dias depois, quando deu continuidade a seu hábito de verificar o tempo, ela não teve chance de ver o céu.

Na casa ao lado, Barbara Steiner sentava-se no degrau da frente, com seu cabelo bem-penteado. Fumava um cigarro e tremia. Quando se encaminhava para lá, Liesel foi interrompida pela visão de Kurt. Ele saiu e se sentou com a mãe. Ao ver a menina parar, chamou-a.

— Venha, Liesel. O Rudy vai sair logo.

Após uma breve pausa, ela continuou a andar em direção ao degrau.

Barbara fumava.

Uma ruga de cinza oscilava na ponta do cigarro. Kurt o pegou, bateu a cinza, deu uma tragada e o devolveu.

Terminado o cigarro, a mãe de Rudy ergueu os olhos. Passou a mão pelos fios arrumados do cabelo.

— Nosso pai também vai — disse Kurt.

Depois, silêncio.

Um grupo de crianças chutava uma bola, perto da loja de *Frau* Diller.

— Quando eles vêm pedir um de seus filhos — explicou Barbara Steiner, sem se dirigir a ninguém em particular —, você tem que dizer sim.

A MULHER DO CUMPRIDOR DE PROMESSAS

· PORÃO, 9 HORAS DA MANHÃ ·
Seis horas até a despedida:
— Toquei acordeão, Liesel. De outra pessoa. —
E Hans fechou os olhos.
— A casa veio abaixo.

Sem contar a taça de champanhe no verão anterior, fazia uma década que Hans Hubermann não consumia uma gota de álcool. E então veio a noite da véspera de sua partida para o treinamento.

Ele foi ao Knoller com Alex Steiner, à tarde, e lá ficou até altas horas. Ignorando as advertências das respectivas esposas, os dois beberam até cair. Não foi de grande ajuda que o proprietário do Knoller, Dieter Westheimer, lhes desse bebida de graça.

Aparentemente, quando ainda estava sóbrio, Hans foi convidado a subir ao palco para tocar seu acordeão. Como seria apropriado, tocou o famigerado "Domingo Sombrio" — o hino do suicídio que vinha da Hungria —, e embora tivesse despertado toda a tristeza pela qual a música era famosa, ele fez a casa vir abaixo. Liesel imaginou a cena e o som. Bocas cheias. Copos vazios de cerveja, com riscos de espuma. Os foles suspiraram e a música terminou. As pessoas aplaudiram. As bocas cheias de cerveja deram vivas e o reconduziram ao bar.

Quando os dois conseguiram encontrar o caminho de casa, Hans não pôde fazer a chave encaixar-se na fechadura. Por isso, bateu. Repetidamente.

— Rosa!

Era a porta errada.

Frau Holtzapfel não se empolgou.

— *Schwein!* Você está na casa errada. — Socou as palavras pelo buraco da fechadura. — É a porta ao lado, seu *Saukerl* idiota!

— Obrigado, *Frau* Holtzapfel.

— Você sabe o que pode fazer com o seu obrigado, seu babaca.

— Como disse?

— Vá para casa.

— Obrigado, *Frau* Holtzapfel.

— Não acabei de lhe dizer o que você pode fazer com seu agradecimento?

— Disse?

(É admirável o que se pode recolher de uma conversa de porão e uma sessão de leitura na cozinha de uma velha desagradável.)

— Caia fora daqui, sim?

Quando finalmente chegou em casa, o pai não foi para a cama, e sim ao quarto de Liesel. Parou no vão da porta, trôpego, e observou a menina dormindo. Ela acordou e, no mesmo instante, achou que era Max.

— É você? — perguntou.

— Não — fez Hans. Sabia exatamente no que ela pensava. — É o papai.

Recuou do quarto e ela ouviu seus passos descerem para o porão.

Na sala, Rosa roncava com entusiasmo.

Quase às nove horas da manhã seguinte, na cozinha, Liesel recebeu uma ordem de Rosa.

— Dê-me aquele balde ali.

Encheu-o de água fria e desceu com ele para o porão. Liesel a seguiu, na vã tentativa de detê-la.

— Mamãe, você não pode!

— Não posso? — fez Rosa, e fitou-a brevemente na escada. — Será que eu perdi alguma coisa, *Saumensch*? Agora é você quem dá as ordens por aqui?

As duas ficaram completamente imóveis.

Nenhuma resposta da menina.

— Achei que não.

Seguiram adiante e o encontraram deitado de costas, em meio a uma cama de mantas de proteção contra respingos. Hans tinha achado que não merecia o colchão de Max.

— Então, vamos ver — disse Rosa, levantando o balde — se ele está vivo.

— Jesus, Maria e José!

A marca da água criou uma forma oval, da metade do peito até a cabeça. O cabelo ficou emplastrado de lado e até os cílios gotejavam.

— Para que foi isso?
— Seu velho bêbado!
— Jesus...

Subia um vapor estranho de sua roupa. A ressaca era visível. Ela trepou nos ombros de Hans e sentou-se neles, feito um saco de cimento molhado.

Rosa trocou o balde da mão esquerda para a direita.

— É sorte sua estar indo para a guerra — disse. Levantou um dedo no ar e não teve medo de sacudi-lo. — Senão eu mesma o mataria, você sabe disso, não sabe?

O pai enxugou uma corrente de água do pescoço.

— Você tinha que fazer isso?

— Tinha, sim — fez ela, e começou a subir a escada. — Se você não estiver lá em cima em cinco minutos, vai levar outro balde.

Deixada no porão com o pai, Liesel se ocupou em secar o excesso de água com algumas mantas.

O pai falou. Com a mão molhada, fez a menina parar. Segurou-lhe o braço.

— Liesel? — disse, com o rosto grudado nela. — Você acha que ele está vivo?

A menina sentou-se.

Cruzou as pernas.

A manta molhada encharcou seus joelhos.

— Espero que sim, papai.

Era uma coisa muito idiota para se dizer, muito óbvia, mas não parecia haver grande alternativa.

Para dizer ao menos alguma coisa que prestasse e distraí-los da lembrança de Max, Liesel se agachou e pôs um dedo numa pocinha de água no chão.

— *Guten Morgen*, papai.

Em resposta, Hans piscou o olho.

Mas não foi a piscadela de hábito. Foi mais pesada, mais desajeitada. A versão pós-Max, versão ressaca. Hans sentou-se e lhe contou sobre o acordeão na noite anterior, e sobre *Frau* Holtzapfel.

· COZINHA: 13 HORAS ·
Duas horas até a despedida. — Não vá, papai. Por favor.
A mão da menina tremia, segurando a colher. — Primeiro
perdemos o Max. Não posso perder você também, agora — pediu.
Em resposta, o homem de ressaca enfiou o cotovelo
na mesa e tapou o olho direito.
— Agora você é meia mulher, Liesel — disse.
Sentia vontade de desmoronar, mas a rechaçou.
Seguiu em frente. — Cuide da mamãe, sim? — pediu.
A menina só conseguiu fazer meio aceno de cabeça para concordar: —
Sim, papai.

• • •

Ele deixou a rua Himmel usando sua ressaca e um terno.

Alex Steiner só partiria dali a quatro dias. Foi visitá-los uma hora antes da saída para a estação, e desejou a Hans toda a sorte possível. A família Steiner inteira estava lá. Todos lhe apertaram a mão. Barbara o abraçou, beijando-lhe as duas faces.

— Volte vivo.

— Sim, Barbara. — E o jeito como o disse foi cheio de confiança. — É claro que voltarei — garantiu. Chegou até a rir: — É só uma guerra, você sabe. Sobrevivi a uma antes.

Quando subiam a rua Himmel, a mulher magra e rija da casa ao lado saiu e parou na calçada.

— Adeus, *Frau* Holtzapfel. Desculpe-me por ontem à noite.

— Adeus, Hans, seu *Saukerl* bêbado — disse ela, mas também lhe ofereceu um toque de amizade: — Volte logo para casa.

— Sim, *Frau* Holtzapfel. Obrigado.

Ela até brincou um pouquinho:

— Você sabe o que pode fazer com seu agradecimento.

Na esquina, *Frau* Diller olhou defensivamente de sua vitrine e Liesel pegou a mão do pai. Segurou-a durante todo o trajeto pela rua Munique, até a *Bahnhof*. O trem já estava na estação.

Pararam na plataforma.

Rosa o abraçou primeiro.

Nenhuma palavra.

Afundou a cabeça no peito dele, apertado, e se foi.

Depois, a menina.

— Papai?

Nada.

Não vá, papai. Não vá, não. Deixe eles virem buscá-lo, se você ficar. Mas não vá, por favor, não vá.

— Papai?

· ESTAÇÃO DE TREM, 15 HORAS ·
Nem uma hora, nem um minuto até o adeus: Ele a abraçou.
Para dizer alguma coisa, para dizer qualquer coisa,
falou por cima do ombro da menina: — Pode cuidar
do meu acordeão, Liesel? Resolvi não levá-lo. — E, então, encontrou
algo que realmente queria dizer: — E se houver
novos bombardeios, continue a ler no abrigo.
A menina sentiu o sinal contínuo de seus seios ligeiramente
aumentados. Doíam ao encostarem na base das costelas do pai.

— Sim, papai — concordou. A um milímetro dos olhos, fitou o tecido do terno. Falou, encostada nele:
— Você toca uma coisa para nós, quando voltar?

Hans Hubermann sorriu para a filha nessa hora, e o trem se preparou para partir. Ele estendeu o braço e segurou delicadamente o rosto da menina em sua mão: — Prometo — respondeu, e entrou no vagão.

Ficaram olhando um para o outro, enquanto o trem se afastava.

Liesel e Rosa acenaram.

Hans Hubermann foi ficando cada vez menor, e sua mão passou a não segurar nada além do ar vazio.

Na plataforma, as pessoas desapareceram ao redor delas, até não restar mais ninguém. Apenas a mulher em formato de armário e a menina de treze anos.

Nas semanas seguintes, enquanto Hans Hubermann e Alex Steiner passavam por seus diversos campos de treinamento acelerado, a rua Himmel ficou tensa. Rudy não era o mesmo — não falava. Rosa não era a mesma — não dava espinafrações. Também Liesel sentiu os efeitos. Não havia nenhum desejo de roubar livros, por mais que ela tentasse convencer-se de que isso a animaria.

Após doze dias de ausência de Alex Steiner, Rudy decidiu que já chegava. Precipitou-se portão adentro e bateu na porta de Liesel.

— Kommst?
— Ja.

Ela não quis saber para onde ele ia nem o que estava planejando, mas Rudy se recusava a ir sem ela. Subiram a Himmel, seguiram pela rua Munique e saíram completamente de Molching. Foi depois de cerca de uma hora que Liesel fez a pergunta vital. Até então, apenas olhara de relance para o rosto decidido de Rudy, ou examinara seus braços duros e os punhos cerrados nos bolsos.

— Para onde estamos indo?
— Não é óbvio?

Ela lutava para acompanhar seus passos.

— Bem, para dizer a verdade... realmente, não.
— Vou procurá-lo.
— Seu pai?
— Sim. — E pensou melhor. — Na verdade, não. Acho que vou procurar o *Führer*, em vez disso.

Passos mais rápidos.

— Por quê?

Rudy parou.

— Porque quero matá-lo.

Chegou até a girar nos calcanhares, voltando-se para o resto do mundo.

— Ouviram, seus canalhas? — gritou. — Eu quero matar o *Führer*!

Recomeçaram a andar e percorreram mais alguns quilômetros. Foi quando Liesel sentiu a ânsia de dar meia-volta.

— Vai escurecer logo, Rudy.

— E daí? — fez ele. E continuou andando.

— Eu vou voltar.

Nesse momento, Rudy parou e a fitou, como se ela o estivesse traindo.

— Está bem, roubadora de livros. Pode me deixar agora. Aposto que se houvesse uma porcaria de um livro no fim desta estrada você continuaria a andar. Não é?

Por algum tempo nenhum dos dois disse nada, mas Liesel não tardou a encontrar sua vontade.

— Você acha que é o único, *Saukerl*? — E deu meia-volta. — E você só perdeu o seu pai...

— Que quer dizer isso?

Liesel demorou um instante para contar.

Sua mãe. Seu irmão. Max Vandenburg. Hans Hubermann. Todos desapareceram. E ela nem sequer *tivera* um pai de verdade.

— Quer dizer que eu vou para casa.

Durante quinze minutos andou sozinha e mesmo quando Rudy a alcançou e ficou a seu lado, com a respiração arfante e as bochechas suadas, não se disse uma palavra, por mais de uma hora. Eles apenas caminharam juntos para casa, com os pés doloridos e os corações cansados.

Havia um capítulo chamado "Corações cansados" em *Uma Canção no Escuro*. Uma mocinha romântica prometera amor a um rapaz, mas ele parecia ter fugido com sua melhor amiga. Liesel tinha certeza de que era o capítulo treze. "Meu coração está muito cansado", dissera a jovem. Estava sentada numa capela, escrevendo em seu diário.

Não, pensou Liesel, enquanto andava. É o meu coração que está cansado. Um coração de treze anos não devia sentir-se assim.

Quando chegaram ao perímetro de Molching, Liesel atirou algumas palavras. Avistou o Oval Hubert.

— Lembra-se de quando corremos ali, Rudy?

— É claro. Eu estava justamente pensando nisso... em como nós dois caímos.

— Você disse que estava coberto de cocô.

— Era só lama. — Porém ele não pôde conter a diversão. — Fiquei coberto de cocô na Juventude Hitlerista. Você está se confundindo, *Saumensch*.

— Não estou confundindo nada. Só estou dizendo o que você *disse*. O que uma pessoa diz e o que acontece costumam ser duas coisas diferentes, Rudy, especialmente quando se trata de você.

Assim era melhor.

Quando tornaram a passar pela rua Munique, Rudy parou e olhou pela vitrine da loja do pai. Antes de Alex partir, ele e Barbara haviam discutido se a mulher deveria mantê-la em funcionamento durante sua ausência. Tinham resolvido que não, considerando que os negócios andavam mesmo fracos, ultimamente, e que havia pelo menos a ameaça parcial de que uns integrantes do partido fizessem sentir sua presença. O comércio nunca foi bom para os agitadores. O soldo do Exército teria que chegar.

Havia ternos pendurados nas araras e os manequins mantinham suas poses ridículas.

— Acho que aquele ali gosta de você — disse Liesel, depois de algum tempo. Era seu jeito de dizer ao amigo que estava na hora de seguirem em frente.

Na rua Himmel, Rosa Hubermann e Barbara Steiner estavam paradas na calçada, juntas.

— Ai, minha Nossa Senhora — disse Liesel. — Elas estão com cara de preocupadas?

— Elas parecem malucas.

Houve muitas perguntas quando os dois chegaram, principalmente do tipo "Onde diabos vocês se meteram?", mas a raiva logo cedeu lugar ao alívio.

Foi Barbara quem perseguiu as respostas.

— Bem, Rudy?

Liesel respondeu por ele.

— Ele estava matando o *Führer* — disse, e Rudy fez um ar sinceramente feliz, por um instante bastante longo para contentá-la.

— Tchau, Liesel.

Passadas várias horas houve um barulho na sala. Estendeu-se até Liesel em sua cama. Ela acordou e permaneceu imóvel, pensando em fantasmas, no pai, em intrusos e em Max. Veio um som de abrir e arrastar, e depois um silêncio indistinto. O silêncio era sempre a maior tentação.

Não se mexa.
Ela pensou muitas vezes nessa ideia, mas não pensou o suficiente.

Seus pés repreenderam o chão.
O ar transpirava pelas mangas de seu pijama.
Ela atravessou a escuridão do corredor, em direção ao silêncio que antes fora ruidoso, em direção ao fiapo de luar parado na sala. Deteve-se, sentindo a nudez dos tornozelos e dos dedos dos pés. Observou.

Demorou mais do que havia esperado para seus olhos se adaptarem, e quando isso aconteceu, não houve como negar o fato de que Rosa Hubermann estava sentada na beira da cama, com o acordeão do marido pendurado no peito. Os dedos pousavam nas teclas. Ela não se mexia. Nem sequer parecia respirar.

A visão precipitou-se para a menina no corredor.

· UMA IMAGEM PINTADA ·
Rosa com o acordeão.
Luar nas trevas.
1,55m x Instrumento x Silêncio.

Liesel ficou e assistiu àquilo.

Muitos minutos se escoaram. O desejo da roubadora de livros de ouvir uma nota era fatigante, mas o som não veio. As teclas não foram pressionadas. Os foles não respiraram. Havia apenas o luar, como uma longa mecha de cabelo na cortina, e Rosa.

O acordeão continuou pendurado pelas alças em seu peito. Quando Rosa curvou a cabeça, ele afundou em seu colo. Liesel observou. Sabia que nos próximos dias sua mãe andaria pela casa com a marca de um acordeão no corpo. Veio também o reconhecimento de que havia uma grande beleza no que ela estava testemunhando naquele instante, e a menina resolveu não o perturbar.

Voltou para a cama e adormeceu com a visão da mãe e da música silenciosa. Mais tarde, ao acordar de seu sonho habitual e se esgueirar de novo pelo corredor, viu que Rosa continuava lá, assim como o acordeão.

Qual uma âncora, o instrumento a puxava para a frente. O corpo dela afundava. Rosa parecia morta.

Ela não pode estar respirando naquela posição, pensou Liesel, mas quando chegou mais perto, conseguiu ouvir.

A mãe roncava de novo.

Quem precisa de foles, pensou a menina, quando tem um par de pulmões assim?

Quando Liesel enfim voltou para a cama, a imagem de Rosa Hubermann com o acordeão recusou-se a deixá-la. Os olhos da menina que roubava livros permaneceram abertos. Ela aguardou a asfixia do sono.

O COLECIONADOR

Nem Hans Hubermann nem Alex Steiner foram para a frente de batalha. Alex foi mandado para a Áustria, para um hospital do Exército nos arredores de Viena. Considerada sua experiência como alfaiate, deram-lhe uma tarefa que ao menos se assemelhava a sua profissão. Carroças de uniformes, camisas e meias chegavam toda semana, e ele consertava o que precisasse de conserto, mesmo que aquilo só pudesse ser usado como roupa de baixo pelos soldados que sofriam na Rússia.

Hans, ironicamente, primeiro foi mandado para Stuttgart, depois, para Essen. Foi designado para uma das funções mais indesejáveis da frente nacional. A LSE.

· UMA EXPLICAÇÃO NECESSÁRIA ·
LSE
Luftwaffe Sondereinheit —
Unidade Especial da Aviação Militar

A tarefa da LSE era permanecer no solo durante os ataques aéreos e apagar incêndios, escorar paredes de prédios e resgatar quem ficasse retido em algum lugar durante os bombardeios. Como Hans não tardou a descobrir, também havia uma definição alternativa da sigla. Os homens da unidade lhe explicaram, em seu primeiro dia, que na verdade ela significava *Leichensammler Einheit* — Unidade Colecionadora de Cadáveres.

Na chegada, só restou a Hans perguntar-se o que teriam feito aqueles homens para merecer essa tarefa, e eles, por sua vez, perguntaram-se o mesmo a seu respeito. O líder do grupo, sargento Boris Schipper, foi logo fazendo a indagação. Quando Hans explicou o pão, os judeus e o chicote, o sargento de rosto redondo soltou uma risadinha curta.

— Você tem sorte de estar vivo — comentou. Seus olhos também eram redondos e ele os esfregava com frequência. Ou estavam cansados, ou coçando, ou cheios de fumaça e poeira. — Só procure se lembrar de que, aqui, o inimigo não está na sua frente.

Hans estava prestes a fazer a pergunta óbvia quando uma voz chegou de trás. Ligado a ela estava o rosto magro de um rapaz cujo sorriso lembrava um esgar. Reinhold Zucker.

— Conosco — disse ele —, o inimigo não está do outro lado da montanha nem em nenhuma direção específica. Está em toda parte. — E voltou a se concentrar na carta que estava escrevendo. — Você vai ver.

No espaço caótico de poucos meses Reinhold Zucker estaria morto. Foi morto pelo assento de Hans Hubermann.

À medida que a guerra voou com mais intensidade para a Alemanha, Hans aprendeu que todos os seus turnos de serviço começavam da mesma maneira. Os homens se reuniam junto ao caminhão para receber instruções sobre o que fora atingido durante seu período de folga, qual seria o alvo subsequente mais provável e quem estaria trabalhando com quem.

Mesmo quando não havia bombardeios acontecendo, ainda era enorme a quantidade de trabalho a fazer. Eles percorriam cidades destroçadas, fazendo a limpeza. No caminhão iam doze homens recurvados, subindo e descendo, conforme as várias irregularidades do terreno.

Desde o começo ficou claro que todos tinham um assento.

O de Reinhold Zucker ficava no meio da fileira da esquerda.

O de Hans Hubermann ficava bem no fundo, onde a luz do dia se espreguiçava. Ele aprendeu depressa a ficar atento a qualquer lixo que pudesse ser lançado de qualquer lugar no interior do caminhão. Nutria um respeito especial pelas pontas de cigarro, ainda acesas quando vinham assobiando.

· UMA CARTA COMPLETA PARA CASA ·
A minhas queridas Rosa e Liesel,
Está tudo bem por aqui.
Espero que vocês duas estejam bem.
Com amor, papai.

No fim de novembro ele teve sua primeira experiência fumacenta de um ataque de verdade. O caminhão foi cercado pelos escombros e houve muita correria e gritaria. Os incêndios se propagavam e as caixas destroçadas dos prédios empilhavam-se em montanhas. As estruturas se inclinavam. As bombas de fumaça pareciam palitos de fósforo no chão, enchendo os pulmões da cidade.

Hans Hubermann estava num grupo de quatro. Eles formaram uma fila. O sargento Boris Schipper foi na frente, com os braços desaparecendo na fumaça. Atrás dele iam Kessler, depois Brunnenweg, depois Hubermann. Enquanto o sargento esguichava a mangueira no fogo, os outros dois esguichavam água no sargento, e só para ter certeza Hubermann esguichava em todos os três.

Atrás dele, uma construção gemeu e tropeçou.

Caiu de cara no chão, parando a poucos metros de seus calcanhares. O concreto cheirava a novo e a muralha de poeira avançou na direção deles.

— *Gottverdammt*, Hubermann! — lutou a voz que saía das chamas. Foi imediatamente seguida por três homens. Eles tinham a garganta repleta de partículas de cinza. Mesmo quando dobraram a esquina, afastando-se do centro dos destroços, a névoa do prédio desabado tentou segui-los. Era branca e quente, e rastejava atrás deles.

Abaixados, em segurança temporária, ouviram-se entre eles muitas tosses e palavrões. O sargento repetiu seus sentimentos anteriores.

— Maldito seja, Hubermann! — e esfregou os lábios para soltá-los. — Que diabo foi aquilo?

— Ele simplesmente desabou, bem atrás de nós.

— Disso eu já sei. A pergunta é: de que tamanho era? Devia ter uns dez andares.

— Não, senhor, só dois, eu acho.

— Jesus — acesso de tosse —, Maria e José — fez o sargento, dando um puxão na pasta de suor e poeira em suas órbitas. — Você não podia fazer grande coisa a esse respeito.

Um dos outros homens limpou o rosto e disse:

— Só por uma vez quero estar presente quando eles atingirem um bar, pelo amor de Deus. Estou morrendo de vontade de tomar uma cerveja.

Todos se encostaram.

Cada qual sentiu o gosto da bebida, apagando o incêndio na garganta e reduzindo a fumaça. Era um belo sonho, além de impossível. Todos estavam cônscios de que qualquer cerveja que jorrasse por aquelas ruas não seria cerveja alguma, porém uma espécie de *milk-shake* ou mingau.

Os quatro homens estavam cobertos pelo conglomerado cinza e branco de poeira. Quando se puseram inteiramente de pé, para retomar o trabalho, só se viam pequenas frestas de seus uniformes.

O sargento aproximou-se de Brunnenweg. Escovou-lhe o peito com força. Várias batidas.

— Assim está melhor. Você tinha uma poeirinha aí, meu amigo.

Enquanto Brunnenweg ria, o sargento virou-se para seu recruta mais novo.

— Desta vez, é você primeiro, Hubermann.

Passaram várias horas apagando incêndios e catando tudo o que pudessem para convencer os prédios a continuar de pé. Em alguns casos, quando as empenas tinham sido danificadas, as bordas remanescentes projetavam-se feito cotovelos. Esse era o ponto forte de Hans Hubermann. Ele chegou quase a gostar de encontrar um caibro fumegante ou uma laje desgrenhada de concreto para escorar esses cotovelos, para lhes dar alguma coisa em que se apoiar.

Suas mãos ficaram cravadas de farpas, e os dentes, cobertos de resíduos da explosão. Ambos os lábios cobriram-se de poeira úmida endurecida, e não havia um bolso, um fio nem uma dobra oculta de seu uniforme que não estivessem cobertos pela película deixada pelo ar carregado.

A pior parte do trabalho eram as pessoas.

De tempos em tempos, surgia alguém vagando obstinadamente pela neblina, quase sempre com uma palavra só. Eles sempre gritavam um nome.

Às vezes era Wolfgang.

— Você viu o meu Wolfgang?

A impressão das mãos deles ficava gravada na jaqueta de Hans.

— Stephanie!

— Hansi!

— Gustel! Gustel Stoboi!

Reduzida a densidade, a chamada dos nomes ia claudicando pelas ruas devastadas, ora terminando num abraço cheio de cinzas, ora num grito ajoelhado de dor. Eles se acumulavam hora após hora, como sonhos agridoces à espera de acontecer.

Os perigos fundiam-se num só. Poeira, fumaça e as chamas tempestuosas. As pessoas feridas. Como o resto dos homens da unidade, Hans precisaria aperfeiçoar a arte de esquecer.

— Como vai indo, Hubermann? — perguntou o sargento, a horas tantas. O fogo estava junto de seu ombro.

Hans balançou a cabeça, sem jeito, para a dupla.

Ali pela metade do turno havia um velho cambaleando indefeso pelas ruas. Ao terminar de estabilizar uma construção, Hans virou-se e deparou com ele às suas costas, esperando calmamente sua vez. Havia uma mancha de sangue assinada em seu rosto. Escorria-lhe pela garganta e pelo pescoço. O homem usava uma camisa branca de colarinho vermelho-escuro, e segurava sua perna como se ela estivesse a seu lado.

— Será que agora você pode *me* escorar, rapaz?

Hans o pegou e carregou-o para longe do nevoeiro.

· UMA NOTINHA TRISTE ·
Visitei essa ruinha da cidade com
o homem ainda nos braços de Hans Hubermann.
O céu era de um cinza de cavalo branco.

Só ao depositá-lo num pedaço de grama revestida de concreto foi que Hans notou.

— O que foi? — perguntou um dos outros homens.

Hans só conseguiu apontar.

— Ah! — E uma mão o afastou. — Trate de se acostumar, Hubermann.

No resto do turno ele se atirou ao trabalho. Tentou ignorar os ecos distantes das pessoas que chamavam.

Passadas umas duas horas, talvez, saiu correndo de um prédio, com o sargento e outros dois homens. Não olhou para o chão e tropeçou. Só quando se reequilibrou nos quadris e viu os outros olhando para o obstáculo, aflitos, foi que se apercebeu.

O cadáver estava de bruços.

Jazia num cobertor de pólvora e poeira e tampava os ouvidos.

Era um menino.

De onze ou doze anos, talvez.

Não muito longe, seguindo pela rua, encontraram uma mulher que gritava o nome Rudolf. Os quatro homens a atraíram e ela foi a seu encontro nas brumas. Tinha o corpo frágil e vergado de preocupação.

— Vocês viram o meu menino?

— Quantos anos ele tem? — perguntou o sargento.

— Doze.

Ah, Cristo. Ai, Cristo crucificado.

Todos pensaram a mesma coisa, mas o sargento não conseguiu lhe dizer nem lhe apontar o caminho.

Quando a mulher tentou empurrá-los para passar, Boris Schipper a deteve.

— Acabamos de vir daquela rua — assegurou-lhe. — A senhora não o encontrará lá.

A mulher recurvada continuou a se agarrar à esperança. Saiu chamando por cima do ombro, meio andando, meio correndo.

— Rudy!

Foi quando Hans Hubermann pensou em outro Rudy. O da rua Himmel. Por favor, rogou a um céu que não conseguia ver, deixe o Rudy ficar em segurança. Naturalmente, seus pensamentos progrediram para Liesel e Rosa e os Steiner, e Max.

Quando o grupo se reuniu com o resto dos homens, ele se deixou cair no chão e deitou de costas.

— Como foi lá? — perguntou alguém.

Os pulmões de papai estavam repletos de céu.

Horas depois, quando já havia tomado banho, comido e vomitado, Hans tentou escrever uma carta detalhada para casa. Suas mãos estavam incontroláveis, obrigando-o a abreviá-la. Se ele conseguisse, o resto seria dito verbalmente, se e quando ele regressasse para casa.

Para minhas queridas Rosa e Liesel, começou.

Levou muitos minutos para escrever estas seis palavras.

Os comedores de pão

Fora um ano longo e acidentado em Molching, e estava finalmente acabando.

Liesel passou os últimos meses de 1942 tomada por ideias sobre o que chamava de três homens desesperados. Perguntava-se onde eles estavam e o que estariam fazendo.

Uma tarde, tirou o acordeão da caixa e o poliu com um retalho. Só uma vez, pouco antes de guardá-lo, deu o passo que a mãe não conseguira dar. Pôs o dedo numa das teclas e abriu suavemente o fole. Rosa tivera razão. Só fez aumentar a sensação de vazio na sala.

Sempre que encontrava Rudy, ela lhe perguntava se tivera alguma notícia do pai. Vez por outra, o amigo lhe descrevia em detalhe uma das cartas de Alex Steiner. Em comparação, a única carta enviada por seu próprio pai era meio decepcionante.

Max, é claro, ficava inteiramente por conta de sua imaginação.

Era com grande otimismo que ela o imaginava andando sozinho por uma estrada deserta. De quando em quando, imaginava-o caindo num vão de porta seguro, em algum lugar, com sua carteira de identidade servindo para enganar a pessoa certa.

Os três homens apareciam em todo lugar.

Ela via o pai à janela na escola. Max frequentemente se sentava a seu lado, junto à lareira. Alex Steiner chegava quando ela estava com Rudy, fitando-os quando eles derrubavam as bicicletas na rua Munique e olhavam para o interior da loja.

— Olhe para aqueles ternos — dizia-lhe Rudy, com a cabeça e as mãos encostadas no vidro. — Todos se estragando.

Estranhamente, uma das distrações favoritas de Liesel era *Frau* Holtzapfel. Agora as sessões de leitura também incluíam as quartas-feiras, e elas haviam acabado a versão de *O Assobiador* abreviada pela água, e estavam atacando *O Carregador de Sonhos*. Às vezes, a velhota fazia chá, ou dava a Liesel uma sopa infinitamente melhor que a de sua mãe. Menos aguada.

Entre outubro e dezembro houve mais um desfile de judeus, e outro a seguir. Como na ocasião anterior, Liesel correu para a rua Munique, dessa vez para ver se Max Vandenburg estava entre eles. Sentia-se dilacerada entre a ânsia óbvia de vê-lo — de saber que ele ainda estava vivo — e uma ausência que poderia significar um sem-número de coisas, dentre elas a liberdade.

Em meados de dezembro um pequeno grupo de judeus e outros malfeitores foi novamente tangido pela rua Munique, em direção a Dachau. Desfile número três.

Rudy desceu com deliberação a rua Himmel e voltou do número trinta e cinco com um saquinho e duas bicicletas.

— Está a fim, *Saumensch*?

· O CONTEÚDO DO SAQUINHO DE RUDY ·
*Seis pedaços de pão dormido,
divididos em quatro partes.*

Os dois pedalaram à frente do desfile, rumo a Dachau, e pararam num trecho deserto da estrada. Rudy passou o saquinho a Liesel.

— Tire um punhado.

— Não tenho certeza de que isso é uma boa ideia.

Ele lhe enfiou um punhado de pão na palma da mão.

— O seu pai tinha.

Como poderia ela discutir? Valia uma boa surra de chicote.

— Se formos rápidos, eles não nos pegam — garantiu Rudy, e começou a distribuir o pão. — Portanto, ande logo, *Saumensch*.

Liesel não pôde impedir-se. Havia a sombra de um sorriso em seu rosto enquanto ela e Rudy Steiner, seu melhor amigo, distribuíam os pedaços de pão pela estrada. Quando terminaram, pegaram as bicicletas e se esconderam entre as árvores de Natal.

A estrada era fria e reta. Não demorou para que chegassem os soldados com os judeus.

À sombra das árvores, Liesel observou o menino. Como as coisas haviam mudado, de ladrão de frutas a doador de pão! O cabelo louro de Rudy, embora mais escuro, parecia uma vela. Ela ouviu o estômago do amigo roncar — e ele estava dando pão às pessoas.

Seria isso a Alemanha?

Seria essa a Alemanha nazista?

• • •

O primeiro soldado não viu o pão — não estava com fome —, mas o primeiro judeu o viu.

Sua mão esfarrapada estendeu-se, pegou um pedaço e o enfiou delirantemente na boca.

Seria Max?, pensou Liesel.

Não conseguia enxergar direito e se aproximou para ter uma visão melhor.

— Ei! — exclamou Rudy, lívido. — Não se mexa. Se nos acharem aqui e nos ligarem ao pão, estamos ferrados.

Liesel continuou.

Mais judeus se abaixavam e iam pegando o pão da rua e, da orla das árvores, a menina que roubava livros examinava cada um deles. Max Vandenburg não estava lá.

O alívio durou pouco.

Agitou-se em torno dela, quando um dos soldados notou um prisioneiro baixando a mão para o chão. Todos receberam ordem de parar. A estrada foi criteriosamente examinada. Os prisioneiros mastigavam com a máxima rapidez e silêncio que podiam. Coletivamente, engoliram.

O soldado pegou alguns pedaços e estudou os dois lados da estrada. Os prisioneiros também olharam.

— Ali!

Um dos soldados foi andando em direção à menina, junto às árvores mais próximas. Em seguida, viu o menino. Os dois começaram a correr.

— Não pare de correr, Liesel!

— E as bicicletas?

— *Scheiss drauf!* Pra merda com elas, quem é que se incomoda?

Os dois correram, e após uns cem metros a respiração encurvada do soldado chegou mais perto. Esgueirou-se para o lado dela, que esperou pela mão concomitante.

Teve sorte.

Tudo que recebeu foi um pontapé no traseiro e um punhado de palavras.

— Continue correndo, garotinha, seu lugar não é aqui!

Liesel correu sem parar por pelo menos mais um quilômetro e meio. Os galhos lanharam seus braços, as pinhas rolaram a seus pés e o gosto das carumas natalinas tilintou em seus pulmões.

Uns bons quarenta e cinco minutos tinham passado quando ela voltou e encontrou Rudy, sentado junto às bicicletas enferrujadas. Ele havia recolhido o que sobrara do pão e mastigava um pedaço dormido e duro.

— Eu disse para você não chegar tão perto.

Liesel mostrou-lhe o traseiro.

— Estou com uma marca de pé?

O CADERNO DE DESENHO ESCONDIDO

Dias antes do Natal houve outro bombardeio, embora nada tenha caído na cidade de Molching. Segundo o noticiário do rádio, quase todas as bombas caíram em campo aberto.

O mais importante foi a reação no abrigo dos Fiedler. Depois que chegaram os últimos clientes, todos se acomodaram solenemente e aguardaram. Olharam para ela, expectantes.

A voz do pai chegou, soando alto em seus ouvidos.

— E se houver mais ataques, continue a ler no abrigo.

Liesel aguardou. Precisava ter certeza de que era o que eles queriam. Rudy falou por todos:

— Leia, *Saumensch*.

Ela abriu o livro e, mais uma vez, as palavras abriram caminho para todos os presentes no abrigo.

Em casa, depois que as sirenes deram permissão para todos retornarem ao nível do chão, Liesel sentou-se na cozinha com a mãe. Uma preocupação se estampava na expressão de Rosa Hubermann, e não demorou muito para ela pegar uma faca e sair do cômodo.

— Venha comigo.

Foi até a sala e tirou o lençol da beirada do colchão. Na lateral havia uma abertura costurada. Se você não soubesse de antemão que estava ali, seria quase impossível encontrá-la. Rosa a abriu com cuidado e introduziu a mão, enfiando-a por toda a extensão do braço. Quando a retirou, ela segurava o caderno de desenho de Max Vandenburg.

— Ele disse para lhe dar isso quando você estivesse pronta — informou. — Andei pensando no seu aniversário. Depois, antecipei para o Natal.

Rosa Hubermann levantou-se, e estampava no rosto uma expressão estranha. Não era de orgulho. Talvez fosse a densidade, o peso da lembrança.

— Acho que você sempre esteve pronta, Liesel. Desde o momento em que chegou aqui, agarrada àquele portão, você estava fadada a ter isto.

Rosa entregou-lhe o livro.

A capa era assim:

· A SACUDIDORA DE PALAVRAS ·
Pequena coletânea de pensamentos
para Liesel Meminger

Liesel segurou-o com leveza nas mãos. Olhou fixamente.
— Obrigada, mamãe.
Abraçou-a.
Houve também um grande anseio de dizer a Rosa Hubermann que ela a amava. Foi uma pena não tê-lo dito.

Liesel queria ler o livro no porão, para rememorar os velhos tempos, mas a mãe a convenceu do contrário.
— Houve uma razão para o Max adoecer lá embaixo — declarou —, e uma coisa eu lhe digo, menina, não vou deixá-la ficar doente.
Liesel leu na cozinha.
Lacunas vermelhas e amarelas no fogão.
A Sacudidora de Palavras.

Ela percorreu os inúmeros esboços e histórias, assim como os desenhos legendados. Coisas como Rudy num pódio, com três medalhas de ouro penduradas no pescoço. Embaixo dizia: *Cabelos da cor de limões*. O boneco de neve apareceu, assim como uma lista dos treze presentes, para não falar dos registros de incontáveis noites no porão ou junto à lareira.

É claro que havia muitas ideias, desenhos e sonhos relacionados com Stuttgart, a Alemanha e o *Führer*. Recordações da família de Max também estavam presentes. No fim, ele não pudera resistir a incluí-las. Tivera que fazê-lo.

E então veio a página 117.
Foi nela que apareceu a própria *Sacudidora de Palavras*.
Era uma fábula, ou um conto de fadas. Liesel não sabia ao certo. Mesmo dias depois, quando consultou os dois termos no *Dicionário Duden*, não conseguiu distingui-los.

Na página anterior, havia uma notinha.

● ● ●
· PÁGINA 116 ·
Liesel: Quase risquei esta história.
Achei que talvez você já estivesse crescida demais para
esse tipo de conto, mas pode ser que ninguém esteja.
Pensei em você, nos seus livros e palavras,
e esta história estranha me veio à cabeça.
Espero que você encontre alguma coisa boa nela.

Liesel virou a página.

ERA UMA VEZ um homenzinho estranho, que decidiu três detalhes importantes sobre sua vida:
1. Ele repartiria o cabelo do lado contrário ao de todas as outras pessoas.
2. Criaria para si mesmo um bigode pequeno e esquisito.
3. Um dia, ele dominaria o mundo.

O homenzinho perambulou por muito tempo, pensando, fazendo planos e procurando descobrir exatamente como tornaria seu o mundo. E então, um dia, saído do nada, ocorreu-lhe o plano perfeito. Ele viu uma mãe passeando com o filho. A horas tantas, ela repreendeu o garotinho, até que ele começou a chorar. Em poucos minutos ela lhe falou muito baixinho, e depois disso ele se acalmou e até sorriu.
O homenzinho correu até a mulher e a abraçou. "Palavras!", e sorriu.
"O quê?"
Mas não houve resposta. Ele já se fora.

Sim, o Führer decidiu que dominaria o mundo com palavras. "Jamais dispararei uma arma", concebeu. "Não precisarei fazê-lo." Mesmo assim, não se precipitou. Reconheçamos nele ao menos isso. Ele não tinha nada de burro. Seu primeiro plano de ataque foi plantar as palavras em tantas áreas de sua terra natal quantas fosse possível.
Plantou-as dia e noite, e as cultivou.
Observou-as crescer, até que grandes florestas de palavras acabaram crescendo por toda a Alemanha... Era uma nação de pensamentos cultivados.

ENQUANTO as palavras cresciam, nosso jovem Führer plantou ainda sementes para criar símbolos, e também estas se achavam bem perto do pleno desabrochar. Era chegada a hora. O Führer estava pronto.

Convidou seu povo a se aproximar de seu glorioso coração, acenando-lhe com suas palavras melhores e mais feias, colhidas à mão em suas florestas. E as pessoas vieram.

Todas foram colocadas numa esteira rolante e conduzidas por uma máquina-baluarte, que lhes dava uma vida inteira em dez minutos. Elas eram alimentadas com palavras. O tempo desapareceu e elas passaram a saber tudo que precisavam saber. Ficaram hipnotizadas.

Em seguida, foram equipadas com seus símbolos, e todas ficaram felizes.

Em pouco tempo a demanda das encantadoras palavras medonhas e dos símbolos aumentou a tal ponto que com o crescimento das florestas muitas pessoas se tornaram necessárias para cuidar delas. Algumas eram empregadas para trepar nas árvores e jogar as palavras para as que estavam embaixo. Em seguida, as palavras eram diretamente introduzidas no restante do povo do Führer, para não falar nos que voltavam para pedir mais.

As pessoas que trepavam nas árvores eram chamadas de sacudidoras de palavras.

Os melhores sacudidores de palavras eram os que compreendiam o verdadeiro poder delas. Eram os que conseguiam subir mais alto. Um desses sacudidores era uma menininha magricela. Ela era famosa como a melhor sacudidora de palavras de sua região, porque sabia o quanto uma pessoa podia ficar impotente SEM as palavras.

Por isso, ela se mostrava capaz de subir mais alto que qualquer outra pessoa. Desejava as palavras. Tinha fome de palavras.

Um dia, porém, ela conheceu um homem que era desprezado por sua pátria, embora tivesse nascido nela. Os dois se tornaram bons amigos, e quando o homem adoeceu, a sacudidora de palavras deixou uma única lágrima cair sobre o rosto dele. A lágrima era feita de amizade – uma só palavra –, e secou e se tornou uma semente, e ao voltar à floresta na vez seguinte a menina plantou essa semente entre as outras árvores. Regou-a todos os dias.

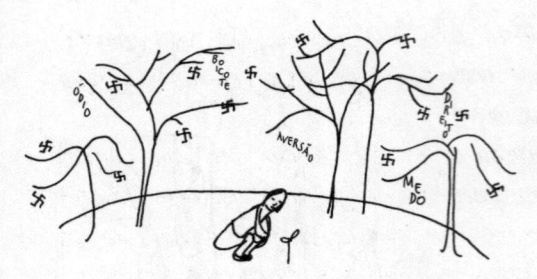

A princípio, não aconteceu nada, porém, uma tarde, ao verificar a semente, depois de um dia inteiro sacudindo palavras, a menina viu que despontara um pequeno broto. Fitou-o por muito tempo.

O broto foi crescendo dia a dia, mais depressa do que todos os demais, até se transformar na árvore mais alta da floresta. Todos foram vê-la. Todos murmuraram sobre ela e esperaram... pelo Führer.

Inflamado, ele deu ordens imediatas de que a árvore fosse derrubada. Foi nessa hora que a sacudidora de palavras abriu caminho pela multidão. Prostrou-se sobre os joelhos e as mãos.
— Por favor — exclamou —, o senhor não pode derrubá-la.
Mas o Führer não se comoveu. Não podia dar-se ao luxo de abrir exceções. Enquanto a sacudidora de palavras era arrastada para longe, ele se voltou para o homem que era seu braço direito e fez um pedido:
— O machado, por favor.

NESSE MOMENTO a sacudidora de palavras debateu-se até se libertar. Saiu correndo. Acercou-se da árvore, e enquanto o Führer golpeava o tronco com seu machado, trepou até chegar aos galhos mais altos. As vozes e as batidas do machado prosseguiram, abafadas. As nuvens foram passando — como monstros brancos de coração cinzento. Amedrontada, mas teimosa, a sacudidora de palavras continuou lá em cima. Esperou a árvore tombar.

Mas a árvore não se mexeu.
Passaram-se muitas horas, porém, apesar disso, o machado do Führer não conseguiu tirar uma única lasca do tronco. Num estado próximo do colapso, ele ordenou que outro homem continuasse.

Passaram-se dias.
As semanas se sucederam.
Nem cento e noventa e seis soldados conseguiram causar o menor impacto na árvore da sacudidora de palavras.

– Mas como é que ela faz para comer?
– perguntavam as pessoas. – Como é que dorme?
O que elas não sabiam era que outros sacudidores de palavras jogavam mantimentos, e que a menina descia até os galhos mais baixos para recolhê-los.

NEVOU. Choveu. Vieram e se foram estações.
A sacudidora de palavras permaneceu.
Quando o último machadeiro desistiu, gritou para ela:
– Sacudidora de palavras! Você pode descer agora! Não há ninguém capaz de derrotar esta árvore!
A sacudidora de palavras, que mal conseguia discernir as frases do homem, respondeu com um sussurro, entregando-o por entre os ramos.
– Não, obrigada – disse, pois sabia que só ela é que mantinha a árvore de pé.

NINGUÉM era capaz de dizer quanto tempo levou, mas, uma tarde, entrou na cidade um novo machadeiro. Sua sacola parecia pesada demais para ele. Seus olhos se arrastavam. Seus pés pendiam de exaustão.
– A árvore – perguntou ele ao povo –, onde fica a árvore?

Uma plateia o seguiu, e quando ele chegou as nuvens tinham encoberto as regiões mais altas dos galhos.
A sacudidora de palavras ouviu as pessoas gritarem que chegara um novo machadeiro, para pôr fim a sua vigília.
– Ela não descerá para ninguém – diziam as pessoas.
Não sabiam quem era o machadeiro, e não sabiam que ele não desanimava.

O rapaz abriu a sacola e tirou uma coisa muito menor que um machado.

As pessoas riram, dizendo:
— Você não pode derrubar uma árvore com um martelo velho!
O rapaz não lhes deu ouvidos. Apenas vasculhou sua sacola, à procura de pregos. Pôs três deles na boca e tentou martelar o quarto na árvore. Nessa época, os primeiros galhos já eram extremamente altos, e ele calculou que precisaria de quatro pregos, a fim de usá-los como apoios para os pés e chegar até lá.
— Olhem para esse idiota — rugiu um dos espectadores. — Ninguém conseguiu derrubá-la com um machado e esse bobalhão acha que conseguirá com...
O homem calou-se.

O PRIMEIRO prego entrou na árvore e foi fixado com firmeza, após cinco marteladas. Depois entrou o segundo, e o rapaz começou a subir.
No quarto prego, aproximava-se da copa e continuou a subida. Sentiu-se tentado a chamar enquanto o fazia, mas resolveu que não.
A subida pareceu durar quilômetros. Ele levou muitas horas para atingir os últimos galhos e, ao fazê-lo, encontrou a sacudidora de palavras adormecida em suas cobertas e nas nuvens.
Observou-a durante vários minutos.
O calor do sol aquecia o teto alto de nuvens.
O rapaz estendeu a mão, tocou no braço da sacudidora de palavras, e a menina acordou.
Ela esfregou os olhos, e depois de um longo estudo do rosto do rapaz perguntou:
— É você mesmo?
Será que foi do seu rosto, pensou, que tirei a semente?
O homem acenou que sim.
Seu coração oscilou e ele se agarrou com mais força aos ramos.
— Sou.

JUNTOS, os dois ficaram no topo da árvore. Esperaram as nuvens desaparecer, e quando elas se foram puderam ver o restante da floresta.

— Ela não queria parar de crescer — explicou a menina.
— Nem esta aqui também — disse o rapaz, e olhou para o galho que segurava sua mão. Estava certo.

Depois de olharem e conversarem bastante, os dois desceram. Deixaram para trás os cobertores e as sobras de comida.

As pessoas mal podiam acreditar no que viam, e no instante em que a sacudidora de palavras e o rapaz puseram os pés no mundo, a árvore finalmente começou a exibir as marcas das machadadas. Surgiram machucados. Abriram-se fendas no tronco e a terra começou a tremer.

— Ela vai cair! — gritou uma moça. — A árvore vai cair!
Tinha razão. A árvore da sacudidora de palavras, com todos os seus quilômetros e quilômetros de altura, começou lentamente a se inclinar. Soltou um gemido e foi sugada pelo chão. O mundo sacudiu, e quando enfim tudo se acalmou, a árvore ficou estendida em meio ao restante da floresta. Jamais conseguiria destruir toda ela, porém, que mais não fosse, uma trilha de cor diferente foi escavada em seu meio. A sacudidora de palavras e o rapaz subiram no tronco horizontal. Abriram caminho por entre os galhos e começaram a andar. Ao olharem para trás, notaram que a maioria dos espectadores tinha começado a voltar para seus lugares. Lá dentro. Lá fora. Na floresta.
Mas ao seguirem andando eles pararam várias vezes para escutar. Julgaram ouvir vozes e palavras às suas costas, na árvore da sacudidora de palavras.

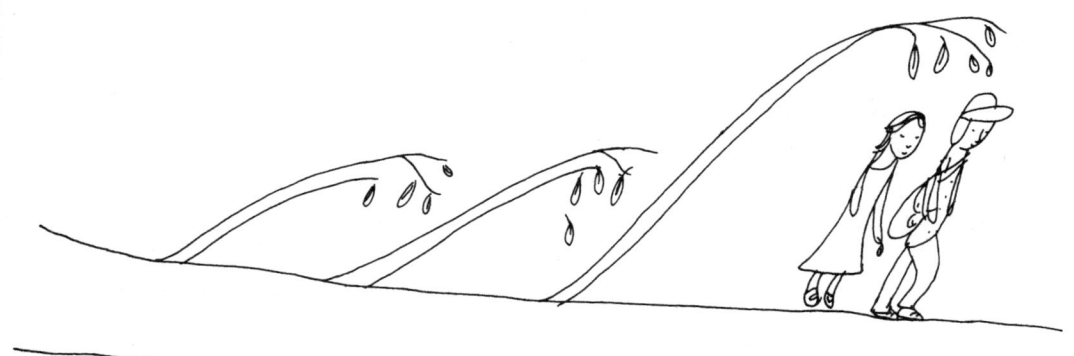

Durante muito tempo Liesel sentou-se à mesa da cozinha e imaginou onde estaria Max Vandenburg, em toda aquela floresta lá fora. A luz deitou-se à sua volta. A menina adormeceu. A mãe a obrigou a ir para a cama, e ela o fez, com o caderno de desenhos de Max apertado junto ao peito.

Horas depois, quando acordou, foi que lhe veio a resposta a sua pergunta.
— É claro — murmurou Liesel. — É claro que eu sei onde ele está — e tornou a dormir.

Sonhou com a árvore.

A COLEÇÃO DE TERNOS DO ANARQUISTA

· RUA HIMMEL, 35 ·
24 DE DEZEMBRO
*Com a ausência dos dois pais, os Steiner
convidaram Rosa e Trudy Hubermann, e Liesel.
Quando elas chegaram, Rudy ainda
estava no processo de explicar sua roupa.
Olhou para Liesel e sua boca se abriu,
mas só um pouquinho.*

Os dias que antecederam o Natal de 1942 foram densos e pesados de neve. Liesel leu muitas vezes A *Sacudidora de Palavras*, desde a história em si até os muitos desenhos e comentários dos dois lados. Na noite de Natal, tomou uma decisão a respeito de Rudy. Que se danasse o ficar na rua até tarde.

Foi à casa ao lado, pouco antes do anoitecer, e lhe disse que tinha um presente para ele, pelo Natal.

Rudy olhou para as mãos e os lados dos pés da menina.

— Bom, e onde é que ele está?

— Nesse caso, esqueça.

Mas Rudy sabia. Já a vira assim antes. Olhos arriscados e dedos pegajosos. O bafio de roubo a cercava por todos os lados, dava até para cheirá-lo.

— Esse presente — avaliou Rudy —, você ainda não o tem, não é?

— Não.

— E também não vai comprá-lo.
— É claro que não. Está pensando que eu tenho dinheiro?
A neve ainda caía. O gelo nas bordas da grama parecia vidro quebrado.
— Você tem a chave? — perguntou Liesel.
— Chave de quê?
Mas Rudy não demorou a entender. Entrou em casa e voltou pouco depois. Nas palavras de Viktor Chemmel, disse:
— É hora de ir às compras.

A luz desaparecia depressa e, a não ser pela igreja, toda a rua Munique tinha fechado para o Natal. Liesel andou depressa, para acompanhar os passos mais desengonçados do vizinho. Chegaram à vitrine pretendida: STEINER — SCHNEIDERMEISTER. O vidro vestia uma fina película de lama e sujeira, borrifadas nele ao longo das semanas. Do lado oposto, os manequins postavam-se como testemunhas, sérios e ridiculamente elegantes. Era difícil descartar a sensação de que observavam tudo.
Rudy enfiou a mão no bolso.
Era véspera de Natal.
Seu pai estava perto de Viena.
Achou que ele não se importaria se os dois invadissem sua querida loja. As circunstâncias o exigiam.

A porta abriu-se com facilidade e eles entraram. O primeiro instinto de Rudy foi acionar o interruptor, mas a luz já tinha sido cortada.
— Alguma vela?
Rudy desolou-se.
— *Eu* trouxe a chave. Além disso, a ideia foi sua.
Em meio ao diálogo, Liesel tropeçou num ressalto do piso. Um manequim acompanhou-a na queda. Roçou-lhe o braço e se desmantelou de roupa e tudo em cima dela.
— Tire esse troço de cima de mim!
O manequim quebrou-se em quatro pedaços. O tronco com a cabeça, as pernas e dois braços separados. Quando se livrou dele, Liesel levantou-se e sibilou:
— Jesus, Maria.
Rudy achou um dos braços e lhe deu um tapinha no ombro com a mão. Quando a menina se virou, assustada, estendeu-a em sinal de amizade.
— Prazer em conhecê-la.
Durante alguns minutos os dois se moveram devagar pelos corredores estreitos da loja. Rudy começou a se dirigir ao balcão. Ao cair por cima de uma caixa vazia, gritou e xingou, depois reencontrou o caminho da entrada.
— Isto é ridículo — disse. — Espere aqui um minuto.
Liesel sentou-se, com o braço do manequim na mão, até ele voltar com uma lamparina acesa da igreja.

Um anel de luz circundava-lhe o rosto.

— E aí, cadê esse presente de que você anda se gabando? É melhor não ser um desses manequins esquisitos.

— Traga a luz aqui.

Quando ele chegou à extrema esquerda da loja, Liesel segurou a lanterna com uma das mãos e com a outra tateou os ternos pendurados. Tirou um deles, mas rapidamente o substituiu por outro.

— Não, ainda é grande demais.

Depois de mais duas tentativas, segurou um terno azul-marinho diante de Rudy Steiner.

— Este é mais ou menos do seu tamanho?

Enquanto Liesel se sentava no escuro, Rudy experimentou o terno, atrás de uma das cortinas. Havia uma rodinha de luz e uma sombra que se vestia.

Ao voltar, Rudy estendeu a lamparina a Liesel para que ela o visse. Livre da cortina, a luz parecia uma pilastra, brilhando sobre o terno refinado. Também iluminava a camisa suja por baixo e os sapatos surrados do menino.

— E então? — perguntou Rudy.

Liesel continuou o exame. Andou em volta dele e encolheu os ombros.

— Nada mau.

— Nada *mau*! Minha aparência é melhor do que só "nada mau".

— Os sapatos estragam você. E a sua cara.

Rudy pôs a lamparina no balcão e partiu para cima dela, fingindo-se furioso, e Liesel teve de admitir que começou a ser tomada por um certo nervosismo. Foi com alívio e decepção que o viu tropeçar e cair no manequim desonrado.

No chão, Rudy caiu na gargalhada.

Depois, fechou os olhos, apertando-os com força.

Liesel precipitou-se para ele.

Agachou-se a seu lado.

Beije-o, Liesel, beije-o.

— Você está bem, Rudy? Rudy?

— Sinto saudade dele — disse o menino, de lado, olhando para o chão.

— *Frohe Weihnachten* — respondeu Liesel. Ajudou-o a se levantar, endireitando o terno. — Feliz Natal.

PARTE NOVE

O Último Forasteiro Humano

APRESENTANDO:

a tentação seguinte

um jogador de cartas

as neves de stalingrado

um irmão sem idade

um acidente

o gosto amargo das perguntas

*uma caixa de ferramentas,
um homem ensanguentado, um urso*

um avião partido

e um regresso ao lar

A TENTAÇÃO SEGUINTE

Dessa vez foram biscoitos.
Mas estavam dormidos.
Eram *Kipferl* que haviam sobrado do Natal, e tinham ficado na escrivaninha pelo menos por duas semanas. Como ferraduras em miniatura, com uma camada de cobertura de açúcar, os do fundo estavam grudados no prato. Os demais empilhavam-se por cima, formando um monte quase puxa-puxa. O aroma foi logo chegando à menina quando seus dedos comprimiram o parapeito da janela. A sala tinha gosto de açúcar e massa, e de milhares de páginas.
Não havia bilhete, mas Liesel não demorou a perceber que Ilsa Hermann havia entrado em ação de novo, e, com certeza, não estava disposta a correr o risco de que os biscoitos *não* fossem para ela. Voltou à janela e passou um sussurro pela abertura. O nome do sussurro era Rudy.
Tinham ido a pé, nesse dia, porque a estrada estava escorregadia demais para as bicicletas. O menino ficara embaixo da janela, montando guarda. Quando ela o chamou, seu rosto apareceu, e Liesel o presenteou com o prato. Não foi preciso muito convencimento para que Rudy o pegasse.
Seus olhos banquetearam-se com os biscoitos e ele fez algumas perguntas.
— Mais alguma coisa? Algum leite?
— O quê?
— *Leite* — repetiu ele, um pouco mais alto, dessa vez. Se havia reconhecido o tom ofendido na voz de Liesel, com certeza não o demonstrou.

O rosto da menina que roubava livros tornou a aparecer acima dele.

— Você é burro? Será que eu posso roubar o livro?

— É claro. Eu só estava dizendo...

Liesel foi até a estante do fundo, atrás da escrivaninha. Encontrou papel e caneta na gaveta de cima e escreveu *Obrigada*, deixando o bilhete no tampo.

À sua direita, um livro se projetava feito um osso. Sua palidez trazia quase a cicatriz das letras escuras do título. *Die Letzte Menschliche Fremde* — *O Último Forasteiro Humano*. O livro sussurrou baixinho quando ela o retirou da prateleira. Uma chuvinha de poeira espalhou-se.

Na janela, quando a menina estava prestes a sair, a porta da biblioteca se abriu com um rangido.

O joelho de Liesel estava levantado e sua mão de roubar livros pousava sobre o caixilho. Ao virar de frente para o ruído, ela deparou com a mulher do prefeito, num roupão de banho novinho em folha e de chinelos. No bolso do roupão, na altura do seio, havia uma suástica bordada. A propaganda chegava até mesmo ao banheiro.

As duas se observaram.

Liesel olhou para o seio de Ilsa Hermann e levantou o braço.

— *Heil* Hitler.

Já ia saindo, quando se deu conta de uma coisa.

Os biscoitos.

Fazia semanas que tinham estado lá.

Isso significava que se o próprio prefeito usava a biblioteca, devia tê-los visto. Devia ter perguntado por que estavam ali. Ou, então — e assim que Liesel intuiu essa ideia, ela a encheu de um estranho otimismo —, talvez a biblioteca não fosse mesmo do prefeito; era dela. De Ilsa Hermann.

Ela não sabia por que isso era tão importante, mas gostou do fato de o cômodo cheio de livros pertencer à mulher. Fora ela quem a apresentara à biblioteca, para começo de conversa, e quem lhe dera a janela de oportunidade inicial, inclusive literal. Era melhor assim. Tudo parecia encaixar-se.

Quando ia começando a se mexer outra vez, Liesel estancou e disse:

— Este cômodo é seu, não é?

A mulher do prefeito enrijeceu-se.

— Eu costumava ler aqui com meu filho. Mas depois...

A mão de Liesel apalpou o ar às suas costas. Ela viu uma mãe lendo no chão com um garotinho, apontando para as figuras e as palavras. Depois, viu uma guerra na janela.

— Eu sei.

Veio uma exclamação do lado de fora.

— O que você disse?

Liesel falou num sussurro ríspido, para trás.

— Fique quieto, *Saukerl*, e vigie a rua.

A Ilsa Hermann entregou lentamente as palavras.

— Então, todos esses livros...

— São quase todos meus. Alguns são de meu marido, alguns eram do meu filho, como você sabe.

Houve então um constrangimento em Liesel. Suas bochechas ficaram em chamas.

— Sempre achei que esta sala fosse do prefeito.

— Por quê? — fez a mulher, com um ar que parecia divertido.

Liesel notou que também havia suásticas nos dedões dos pés dos chinelos.

— Ele é o prefeito. Achei que tivesse lido muito.

A mulher do prefeito pôs as mãos nos bolsos laterais.

— Ultimamente, é você quem mais utiliza este cômodo.

— A senhora leu este? — perguntou a menina, levantando O Último Forasteiro Humano.

Ilsa olhou mais de perto para o título.

— Li, sim.

— É bom?

— Não é mau.

Veio uma ânsia de ir embora nesse momento, mas também uma obrigação peculiar de ficar. Liesel preparou-se para falar, mas as palavras disponíveis eram muito numerosas e rápidas demais. Houve várias tentativas de agarrá-las, mas foi a mulher do prefeito quem tomou a iniciativa.

Ela viu o rosto de Rudy na janela, ou, mais exatamente, seu cabelo de luz de vela.

— Acho melhor você ir — disse. — Ele a está esperando.

A caminho de casa, os dois comeram.

— Você tem certeza de que não havia mais nada? — perguntou Rudy. — Devia haver.

— Tivemos sorte de arranjar os biscoitos. — E Liesel examinou o presente no colo do amigo. — Agora, diga a verdade. Você comeu algum antes de eu sair?

Rudy ficou indignado.

— Ei, a ladra aqui é você, não eu.

— Não tente me enrolar, Saukerl, eu vi o açúcar do lado da sua boca.

Paranoico, Rudy segurou o prato com apenas uma das mãos e limpou a boca com a outra.

— Não comi nenhum, juro.

Metade dos biscoitos havia acabado antes de eles chegarem à ponte, e o resto os dois dividiram com Tommy Müller na rua Himmel.

Quando terminaram de comer, restou apenas uma consideração, e Rudy a verbalizou:

— Que é que a gente vai fazer com o prato?

O JOGADOR DE CARTAS

Mais ou menos na hora em que Liesel e Rudy comiam os biscoitos, os homens da LSE jogavam cartas em sua folga, numa cidadezinha não muito distante de Essen. Tinham acabado de fazer uma longa viagem, voltando de Stuttgart, e estavam apostando cigarros. Reinhold Zucker não era um homem feliz.

— Ele está trapaceando, eu juro — resmungou. O grupo se encontrava num galpão que lhe servia de quartel, e Hans Hubermann acabara de vencer a terceira rodada consecutiva. Zucker jogou as cartas na mesa, enojado, e penteou o cabelo engordurado com um trio de unhas sujas.

· ALGUNS DADOS SOBRE ·
REINHOLD ZUCKER
Ele tinha vinte e quatro anos.
Quando vencia uma partida de carteado,
ria da desgraça alheia — segurava os cilindros finos
de tabaco junto ao nariz e inspirava.
"O cheiro da vitória", dizia. Ah, e mais uma coisa.
Ele morreria de boca aberta.

Ao contrário do rapaz à sua esquerda, Hans Hubermann não tripudiou ao vencer. Foi até bastante generoso para devolver a cada colega um de seus cigarros e acendê-lo para eles. Todos aceitaram a oferta, menos Reinhold Zucker. Pegou o oferecimento e o jogou de volta no meio da caixa emborcada.

— Não preciso da sua caridade, velhote.

Levantou-se e saiu.

— Qual é o problema dele? — indagou o sargento, mas ninguém se importou em responder. Reinhold Zucker era só um garoto de vinte e quatro anos que não saberia jogar cartas nem que fosse para salvar a vida.

Se não tivesse perdido seus cigarros para Hans Hubermann, não o teria desprezado. Se não o tivesse desprezado, talvez não tivesse tomado seu lugar, semanas depois, numa estrada bastante inócua.

Um assento, dois homens, uma discussão rápida e eu.

Às vezes, me arrasa o jeito como as pessoas morrem.

AS NEVES DE STALINGRADO

Em meados de janeiro de 1943 o corredor da rua Himmel estava escuro e miserável como de praxe. Liesel fechou o portão, caminhou até a porta de *Frau* Holtzapfel e bateu. Ficou surpresa com quem veio atender.

Sua primeira ideia foi que o homem devia ser um dos filhos dela, mas não se parecia com nenhum dos dois irmãos das fotos emolduradas junto à porta. Parecia velho demais, embora fosse difícil saber. Tinha o rosto pontilhado de fios de barba e nos olhos um ar dolorido e gritante. Uma mão enfaixada pendia da manga de seu casaco, e havia cerejas de sangue filtrando-se pelas ataduras.

— Talvez você deva voltar depois.

Liesel tentou olhar por trás dele. Estava quase chamando *Frau* Holtzapfel, mas o homem a barrou.

— Menina — disse. — Volte mais tarde. Eu vou chamá-la. De onde você é?

Mais de três horas depois a batida chegou ao número 33 da rua Himmel e o homem parou diante dela. As cerejas de sangue haviam se transformado em ameixas.

— Agora ela está pronta para você.

Do lado de fora, na luz cinzenta e vaga, Liesel não conseguiu deixar de perguntar ao homem o que acontecera com sua mão. Ele soprou o ar pelas narinas — uma única sílaba — antes de responder.

— Stalingrado.

— Perdão? — fez Liesel. Ele tinha olhado para o vento ao falar. — Não consegui ouvir.

O homem tornou a responder, só que mais alto, e dessa vez deu uma resposta completa à pergunta.

— O que aconteceu com minha mão foi Stalingrado. Levei um tiro nas costelas e três de meus dedos foram arrancados. Isso responde à sua pergunta? — E pôs a mão não machucada no bolso, estremecendo de desdém pelo vento alemão. — Você acha que está frio aqui?

Liesel tocou a parede a seu lado. Não pôde mentir.

— Sim, é claro.

O homem riu.

— Isto não é frio.

Puxou um cigarro e o pôs na boca. Com uma só mão, tentou acender um fósforo. Naquele tempo desolador, já seria difícil com as duas, porém com uma só era impossível. Ele deixou a caixa de fósforos cair e soltou um palavrão.

Liesel apanhou-a.

Pegou o cigarro e o pôs na boca. Também ela não conseguiu acendê-lo.

— Você tem que sugar — explicou o homem. — Com este tempo, só acende se você sugar. *Verstehst*?

Ela fez outra tentativa, procurando lembrar como o pai fazia. Dessa vez, sua boca encheu-se de fumaça. Que trepou em seus dentes e lhe arranhou a garganta, mas ela se impediu de tossir.

— Muito bem — fez ele. Ao pegar o cigarro e tragá-lo, estendeu sua mão não ferida, a esquerda. — Michael Holtzapfel.

— Liesel Meminger.

— Você vai ler para a minha mãe?

Nesse ponto, Rosa aproximou-se por trás e Liesel sentiu o susto às suas costas.

— Michael? — perguntou Rosa. — É você?

Michael Holtzapfel acenou que sim com a cabeça.

— *Guten Tag, Frau* Hubermann. Há quanto tempo!

— Você parece tão...

— Velho?

Rosa ainda estava em choque, mas se recompôs.

— Não quer entrar? Estou vendo que você já conheceu minha filha de criação... — E sua voz foi sumindo, à medida que ela notou a mão ensanguentada.

— Meu irmão morreu — disse Michael Holtzapfel, e não poderia ter desferido um murro mais certeiro com seu único punho utilizável. Ele fez Rosa cambalear. A guerra significava morrer, sem dúvida, mas o chão sempre balançava sob os pés da pessoa, quando se tratava de alguém que um dia vivera e respirara em estreita proximidade. Rosa tinha visto os dois meninos Holtzapfel crescerem.

De algum modo, o rapaz envelhecido encontrou uma forma de expor o que acontecera sem perder o sangue-frio.

— Eu estava num dos prédios que usávamos como hospital quando o trouxeram. Foi uma semana antes do dia em que era para eu vir para casa. Passei três dias daquela semana sentado ao lado dele, antes de ele morrer...

— Sinto muito — disse Rosa. As palavras não pareceram sair de sua boca. Era uma outra pessoa que se postava atrás de Liesel Meminger nessa tarde, mas ela não se atreveu a olhar.

— Por favor — deteve-a Michael. — Não diga mais nada. Posso levar a menina para ler? Duvido que minha mãe escute, mas ela disse para a menina ir.

— Sim, leve-a.

Estavam a meio caminho quando Michael Holtzapfel lembrou-se de alguma coisa e se virou.

— Rosa? — E houve um momento de espera, enquanto a mãe tornava a escancarar a porta. — Eu soube que seu filho estava lá. Na Rússia. Encontrei uma outra pessoa de Molching e ela me disse. Mas tenho certeza de que você já sabia.

Rosa tentou impedir a saída do rapaz. Correu para o lado de fora e o segurou pela manga.

— Não. Ele saiu daqui um dia e nunca mais voltou. Tentamos encontrá-lo, mas aí aconteceu tanta coisa, houve...

Michael Holtzapfel estava decidido a escapar. A última coisa que queria era ouvir mais uma história soluçante. Puxando o braço, disse:

— Ao que eu saiba, ele está vivo.

Juntou-se a Liesel no portão, mas a menina não foi para a casa vizinha. Ficou observando o rosto de Rosa. Um rosto que se animou e desabou no mesmo instante.

— Mamãe?

Rosa levantou a mão.

— Vá.

Liesel esperou.

— Eu disse para você ir.

Quando a menina o alcançou, o soldado de regresso tentou entabular conversa. Devia estar arrependido de seu erro verbal com Rosa e tentou sepultá-lo sob outras palavras. Segurando a mão enfaixada, disse:

— Ainda não consigo fazê-la parar de sangrar.

Liesel sentiu-se contente, na verdade, por entrar na cozinha dos Holtzapfel. Quanto mais cedo começasse a ler, melhor.

Frau Holtzapfel estava sentada, com úmidos riachos de arame no rosto.

Seu filho estava morto.

Mas isso era só a metade.

Ela nunca saberia realmente como havia ocorrido, mas posso lhe dizer, sem a menor dúvida, que um de nós aqui sabe. Sempre pareço saber o que acontece, quando há neve e armas e as várias confusões da linguagem humana.

Quando imagino a cozinha de *Frau* Holtzapfel, pelas palavras da menina que roubava livros, não vejo o fogão, as colheres de pau, a bomba-d'água ou nada parecido. Não de início, pelo menos. O que vejo é o inverno russo, a neve caindo do teto e o destino do segundo filho de *Frau* Holtzapfel.

Ele se chamava Robert, e foi isto que lhe aconteceu:

· UMA HISTORINHA DE GUERRA ·
*Suas pernas foram decepadas na altura
das canelas, e ele morreu com o irmão a
velá-lo num hospital frio e fedorento.*

Foi na Rússia, em 5 de janeiro de 1943, apenas mais um dia gelado. Em meio à cidade e à neve, havia russos e alemães mortos por toda parte. Os que tinham sobrado disparavam contra as páginas em branco à sua frente. Três línguas se entrelaçaram. O russo, as balas e o alemão.

Quando caminhei por entre as almas caídas, um dos homens dizia: "Minha barriga está coçando." Disse-o muitas vezes. Apesar de seu choque, rastejou até uma figura escura e desfigurada mais adiante, que se esvaía sentada no chão. Ao chegar, o soldado com o ferimento na barriga viu que se tratava de Robert Holtzapfel. Ele tinha as mãos empapadas de sangue e empilhava neve sobre a região logo acima das canelas, onde suas pernas tinham sido decepadas pela última explosão. Havia mãos quentes e um grito rubro.

Do chão subia vapor. A visão e o cheiro da neve apodrecida.

— Sou eu — disse-lhe o soldado. — É o Pieter. — E se arrastou mais alguns centímetros para perto.

— Pieter? — perguntou Robert, com voz sumida. Deve ter sentido que eu estava por perto.

— Pieter? — Uma segunda vez.

Por algum motivo, os homens agonizantes sempre fazem perguntas cujas respostas já sabem. Talvez seja para poderem morrer tendo razão.

Súbito, todas as vozes soaram iguais.

Robert Holtzapfel tombou para a direita, no chão gelado e vaporífero.

Tenho certeza de que esperou encontrar-me ali, naquele momento.

Não me encontrou.

Infelizmente para o jovem alemão, não o levei naquela tarde. Passei por cima dele, com as outras pobres almas nos braços, e voltei para os russos.

Para lá e para cá eu andava.

Homens desmantelados.

Não foi nenhuma excursão de esqui, posso lhe garantir.

Como Michael contou à mãe, três longuíssimos dias depois foi que finalmente busquei o soldado que havia deixado os pés em Stalingrado. Apareci convidadíssima no hospital temporário e estremeci com o cheiro.

Um homem com a mão enfaixada dizia ao soldado mudo, de rosto em choque, que ele sobreviveria.

— Você logo irá para casa — assegurou-lhe.

É, para casa, pensei. Para sempre.

— Vou esperá-lo — continuou. — Eu ia voltar no fim da semana, mas vou esperar.

No meio da última frase de seu irmão recolhi a alma de Robert Holtzapfel.

Em geral, preciso me esforçar para olhar através do teto quando estou do lado de dentro, mas nessa construção eu tive sorte. Uma pequena parte do telhado fora destruída e pude olhar diretamente para cima. A um metro de distância, Michael Holtzapfel continuava a falar. Tentei ignorá-lo, observando o buraco acima de mim. O céu estava branco, mas se deteriorava depressa. Como sempre, ia se transformando numa imensa manta para respingos. O sangue escoava por ela, e em alguns trechos as nuvens estavam sujas, como pegadas na neve derretida.

Pegadas?, perguntaria você.

Bem, eu me pergunto de quem seriam.

Na cozinha de *Frau* Holtzapfel, Liesel leu. As páginas foram passando sem ser ouvidas, e para mim, quando o cenário russo esmaeceu em meus olhos, a neve se recusou a parar de cair do teto. A chaleira ficou coberta, assim como a mesa. Também os seres humanos usavam tiras de neve na cabeça e nos ombros.

O irmão estremeceu.

A mulher chorou.

E a menina continuou a ler, pois era para isso que estava ali, e era bom servir para alguma coisa depois das neves de Stalingrado.

O IRMÃO SEM IDADE

Liesel Meminger estava a poucas semanas de fazer quatorze anos.
Seu papai continuava fora.
Ela havia concluído mais três sessões de leitura com uma mulher arrasada. Em muitas noites, vira Rosa sentar-se com o acordeão e rezar, com o queixo sobre os foles.
Agora, pensou, está na hora. Em geral, era roubar que a animava, mas nesse dia foi a devolução de algo.
Enfiou a mão embaixo da cama e tirou o prato. Lavou-o na cozinha, o mais depressa que pôde, e saiu. Era agradável andar por Molching. O ar era cortante e uniforme, como a *Watschen* de um professor ou uma freira sádicos. Seus sapatos eram o único som na rua Munique.

Quando ela atravessou o rio, um rumor de sol posicionou-se atrás das nuvens.
No número oito da Grande Strasse ela subiu a escada, deixou o prato junto à porta de entrada e bateu, e quando a porta se abriu, já havia dobrado a esquina. Liesel não olhou para trás, mas sabia que se o fizesse encontraria seu irmão outra vez na base da escada, com o joelho completamente curado. Chegou até a ouvir sua voz.
— Assim é melhor, Liesel.

Foi com grande tristeza que ela se deu conta de que seu irmão teria seis anos para sempre, mas ao reter essa ideia também fez um esforço para sorrir.
Permaneceu na ponte sobre o rio Amper, onde o pai costumava parar e se debruçar.

Sorriu e sorriu, e quando pôs tudo para fora, voltou caminhando para casa, e o irmão nunca mais penetrou em seu sono. De muitas maneiras, Liesel sentiria sua falta, mas jamais teria saudade de seus olhos mortos no piso do trem nem do som de uma tosse que matava.

Nessa noite, a roubadora de livros deitou-se na cama e o menino só chegou antes de ela fechar os olhos. Era um componente de um elenco, pois Liesel era sempre visitada nesse cômodo. Seu papai chegava e a chamava de meia mulher. Max escrevia *A Sacudidora de Palavras* num canto. Rudy ficava nu junto à porta. Vez por outra, sua mãe postava-se numa estação de trem ao lado da cama. E ao longe, no quarto que se estendia como uma ponte até uma cidade sem nome, seu irmão, Werner, brincava na neve do cemitério.

Do fim do corredor, como um metrônomo para marcar o andamento das visões, vinha o som dos roncos de Rosa, e Liesel ficou desperta, cercada, mas também relembrando uma citação de seu livro mais recente.

· O ÚLTIMO FORASTEIRO HUMANO, PÁGINA 38 ·
*Havia gente por toda parte, na rua da cidade,
mas o forasteiro não poderia sentir-se mais só
se ela estivesse deserta.*

Quando veio a manhã, as visões se foram e ela pôde ouvir o recital de palavras murmuradas na sala. Rosa estava sentada com o acordeão, rezando.

— Faça-os voltar vivos — repetia. — Por favor, Senhor, por favor. Todos eles.

Até as rugas ao redor de seus olhos uniam as mãos em prece.

O acordeão devia tê-la machucado, mas ela continuou.

Rosa jamais falaria com Hans sobre esses momentos, mas Liesel achou que devem ter sido essas orações que ajudaram seu papai a sobreviver ao acidente com a LSE em Essen. Se não ajudaram, elas certamente não devem ter atrapalhado.

O ACIDENTE

Fazia uma tarde surpreendentemente clara e os homens estavam subindo no caminhão. Hans Hubermann acabara de se sentar em seu lugar designado. Reinhold Zucker parou diante dele.
— Saia daí — disse.
— *Bitte?* Perdão?
Zucker recurvava-se sob o teto do veículo.
— Eu disse para sair daí, *Arschloch* — repetiu. A selva ensebada de sua franja caía-lhe em grumos sobre a testa. — Vou trocar de lugar com você.
Hans ficou confuso. O assento dos fundos era, provavelmente, o mais incômodo de todos. O mais cheio de correntes de ar, o mais frio.
— Por quê?
— E isso importa? — fez Zucker, perdendo a paciência. — Pode ser que eu queira descer primeiro para usar a latrina.
Hans logo se deu conta de que o resto da unidade já observava essa briga deplorável entre dois homens supostamente adultos. Não queria sair perdendo, mas também não queria ser mesquinho. Além disso, o grupo acabara de concluir um turno cansativo, e ele não tinha forças para levar a coisa adiante. Com as costas recurvadas, dirigiu-se ao assento vazio no meio do caminhão.
— Por que você se submeteu àquele *Scheisskopf*? — perguntou o homem a seu lado.
Hans riscou um fósforo e se ofereceu para dividir o cigarro.
— O vento lá atrás entra direto nos meus ouvidos.

O caminhão verde-oliva estava a caminho do acampamento, talvez a uns dezesseis quilômetros de distância. Brunnenweg contava uma piada sobre uma garçonete francesa quando o pneu dianteiro esquerdo furou e o motorista perdeu o controle. O veículo capotou várias vezes, e os homens foram xingando enquanto davam cambalhotas no ar, na luz, no entulho e no fumo. Lá fora, o céu azul passava de teto a chão, enquanto eles se esforçavam para se agarrar a alguma coisa.

Quando o movimento cessou, estavam todos apinhados na parede direita do caminhão, com os rostos espremidos contra os uniformes imundos mais próximos. Circularam perguntas a respeito da saúde, até que um dos homens, Eddie Alma, começou a gritar:

— Tirem esse sacana de cima de mim! — gritou três vezes, depressa. Fitava os olhos não pestanejantes de Reinhold Zucker.

· OS DANOS, ESSEN ·
Seis homens queimados por cigarros.
Duas mãos quebradas.
Vários dedos quebrados.
Uma perna quebrada em Hans Hubermann.
Um pescoço quebrado em Reinhold Zucker,
partido quase na altura dos lobos das orelhas.

Os homens arrastaram uns aos outros, até restar apenas o cadáver no caminhão. O motorista, Helmut Brohmann, ficou sentado no chão, coçando a cabeça.

— O pneu — explicou —, ele estourou.

Alguns homens sentaram-se a seu lado e repetiram em eco que não fora culpa dele. Outros ficaram andando a esmo, fumando e perguntando uns aos outros se achavam que suas lesões eram bastante graves para que eles fossem dispensados de suas funções. Um terceiro grupinho reuniu-se na traseira do caminhão e se pôs a olhar o corpo.

Junto a uma árvore, uma tira fina de dor intensa continuava a se abrir na perna de Hans Hubermann.

— Devia ter sido eu — disse ele.

— O quê? — perguntou o sargento, falando do caminhão.

— Ele estava sentado no meu lugar.

Helmut Brohmann recompôs-se e voltou a entrar na cabine do motorista. De lado, tentou ligar o motor, mas não houve jeito de dar a partida. Chamou-se outro caminhão, assim como uma ambulância. A ambulância não veio.

— Vocês sabem o que isso significa, não é? — perguntou Boris Schipper. Eles sabiam.

Quando reiniciaram a viagem para o acampamento, cada um dos homens procurou não olhar para o esgar boquiaberto de Reinhold Zucker.

— Eu disse a você que a gente devia tê-lo virado de bruços — mencionou alguém.

Em certos momentos, alguns simplesmente esqueceram e apoiaram os pés no cadáver. Ao chegarem, todos tentaram evitar a tarefa de puxá-lo para fora. Concluído o trabalho, Hans Hubermann deu uns passos abreviados, até a dor fraturar-lhe a perna e derrubá-lo no chão.

Uma hora depois, quando o médico o examinou, disseram-lhe que ela estava decididamente quebrada. O sargento estava por perto e exibiu um meio sorriso.

— Bem, Hubermann. Parece que você se safou, não é?

Balançou o rosto redondo, fumando, e fez a lista do que aconteceria a seguir:

— Você ficará descansando. Vão me perguntar o que devem fazer a seu respeito. Eu direi que você fez um ótimo trabalho. — E soprou outra baforada de fumaça. — E acho que vou dizer que não serve mais para trabalhar na LSE e deve ser mandado de volta a Munique, para trabalhar num escritório ou fazer a limpeza que precise ser feita por lá. Que lhe parece?

Incapaz de resistir a uma risada em meio à careta de dor, Hans respondeu:

— Parece bom, sargento.

Boris Schipper terminou o cigarro.

— Pode apostar que parece bom. É sorte sua eu gostar de você, Hubermann. Sorte sua você ser um bom homem, e generoso com os cigarros.

No cômodo ao lado, preparavam o gesso.

O GOSTO AMARGO DAS PERGUNTAS

Pouco mais de uma semana depois do aniversário de Liesel, em meados de fevereiro, ela e Rosa finalmente receberam uma carta detalhada de Hans Hubermann. Liesel correu da caixa de correio para dentro e a mostrou à mãe. Rosa a mandou lê-la em voz alta, e as duas mal conseguiram conter a agitação quando a menina leu sobre a perna quebrada. Liesel ficou tão atônita que murmurou a frase seguinte só para si.

— O que foi? — pressionou Rosa. — *Saumensch*?

Liesel ergueu os olhos da carta e por pouco não gritou. O sargento mantivera sua palavra.

— Ele está vindo para casa, mamãe. Papai está voltando para casa!

As duas se abraçaram na cozinha, amarrotando a carta entre seus corpos. Com certeza, uma perna quebrada era algo para se comemorar.

Quando Liesel levou a notícia à casa ao lado, Barbara Steiner ficou radiante. Afagou o braço da menina e chamou o resto da família. Na cozinha, o clã dos Steiner pareceu extasiado com a notícia de que Hans Hubermann voltaria para casa. Rudy sorriu e gargalhou, e Liesel pôde perceber que ele estava ao menos tentando. Mas também pôde intuir o gosto amargo das perguntas em sua boca.

Por que ele?

Por que Hans Hubermann e não Alex Steiner?

Ele tinha razão em perguntar.

Uma caixa de ferramentas, um homem ensanguentado, um urso

Desde que seu pai fora recrutado pelo Exército, em outubro do ano anterior, a raiva de Rudy vinha crescendo para valer. A notícia da volta de Hans Hubermann era tudo de que ele precisava para intensificá-la um pouco mais. Rudy não conversou com Liesel sobre o assunto. Não houve queixas de que não era justo. Sua decisão foi agir.

Saiu carregando uma caixa de metal pela rua Himmel, no típico horário de roubos da tarde crepuscular.

· A CAIXA DE FERRAMENTAS DE RUDY ·
Era de um vermelho desigual e tinha o comprimento
de uma caixa de sapatos agigantada.
Continha o seguinte:
Canivete enferrujado x 1
Lanterninha x 1
Martelo x 2
(um médio, um pequeno)
Toalha de mão x 1
Chave de fenda x 3
(tamanhos variados)
Máscara de esqui x 1
Meias limpas x 1
Urso de pelúcia x 1

. . .

    Liesel o viu da janela da cozinha — passos decididos e rosto resoluto, exatamente como no dia em que saíra para procurar o pai. Segurava a alça da caixa com toda a força possível e tinha os movimentos rígidos de raiva.
    A menina que roubava livros largou o pano de prato que segurava e o trocou por uma única ideia.
    Ele vai roubar.
    E correu a seu encontro.

    Não houve nem mesmo um simulacro de olá.
    Rudy simplesmente continuou a andar e a falar, voltado para o ar frio à sua frente. Perto do edifício de Tommy Müller, disse:
    — Sabe de uma coisa, Liesel, eu andei pensando. Você não é ladra coisa nenhuma.
    — E nem lhe deu chance de responder. — Aquela mulher deixa você entrar. Até lhe deixa biscoitos, pelo amor de Deus! Não chamo isso de roubo. Roubo é o que o Exército faz. Tirar o seu pai e o meu — explicou. Deu um pontapé numa pedra, que bateu com som metálico num portão. Apertou o passo. — Todos aqueles nazistas ricos de lá, na Grande Strasse, na Gelb Strasse, na Heide Strasse.
    Liesel não podia concentrar-se em nada além de acompanhar o ritmo do amigo. Já haviam passado pela loja de *Frau* Diller e percorrido um bom trecho da rua Munique.
    — Rudy...
    — Como é, afinal?
    — Como é o quê?
    — Quando você tira um daqueles livros?
    Nesse momento, ela optou por ficar quieta. Se Rudy quisesse uma resposta, teria que tentar de novo, e tentou.
    — E então?
    Mais uma vez, porém, foi o próprio Rudy quem respondeu, antes que Liesel sequer conseguisse abrir a boca.
    — É bom, não é? Retomar alguma coisa.
    Liesel forçou a atenção para a caixa de ferramentas, tentando fazê-lo diminuir o passo.
    — O que você tem aí?
    O menino se inclinou e abriu a caixa.
    Tudo parecia fazer sentido, menos o ursinho de pelúcia.

    Enquanto continuavam a andar, Rudy explicou em detalhe a caixa de ferramentas e o que faria com cada um de seus componentes. Por exemplo, os martelos eram para quebrar janelas, e a toalha era para envolvê-los, a fim de abafar o som.

— E o ursinho?

Pertencia a Anna-Marie Steiner e não era maior que um dos livros de Liesel. O pelo estava emaranhado e puído. Os olhos e as orelhas tinham sido repetidamente recosturados, mas, apesar disso, ele tinha um ar amistoso.

— Esse — respondeu Rudy — é o golpe de mestre. Para o caso de uma criança entrar quando eu estiver lá dentro. Entrego o ursinho e ela se acalma.

— E o que você pretende roubar?

Ele deu de ombros.

— Dinheiro, comida, joias. Qualquer coisa em que eu possa pôr as mãos.

Parecia bem simples.

Só depois de uns quinze minutos, ao observar o silêncio repentino no rosto do amigo, foi que Liesel percebeu que Rudy Steiner não roubaria nada. O ar resoluto havia desaparecido, e embora ele ainda fitasse a glória imaginária de roubar, era perceptível que já não acreditava nisso. *Tentava* acreditar, e isso nunca é bom sinal. Sua grandiosidade no crime desdobrava-se diante de seus olhos, e à medida que os passos ficaram mais lentos e os dois observaram as casas, o alívio de Liesel foi puro e triste dentro dela.

Estavam na Gelb Strasse.

Em geral, as casas eram escuras e imensas.

Rudy tirou os sapatos e os segurou na mão esquerda. Com a direita, segurava a caixa de ferramentas.

Entre as nuvens havia uma lua. Talvez um quilômetro de luz.

— Que é que eu estou esperando? — perguntou-se o menino, mas Liesel não respondeu. Rudy tornou a abrir a boca, mas sem nenhuma palavra. Depositou a caixa no chão e sentou-se em cima dela.

Suas meias ficaram frias e úmidas.

— É sorte haver outro par na caixa de ferramentas — sugeriu Liesel, e percebeu que ele tentava não rir, a despeito de si mesmo.

Rudy chegou para a ponta e se virou para o outro lado, e passou a haver espaço também para Liesel.

A menina que roubava livros e seu melhor amigo ficaram sentados, um de costas para o outro, numa caixa de ferramentas de um vermelho desbotado, no meio da rua. Cada qual voltado para uma direção diferente, ali permaneceram um bom tempo. Quando se levantaram e foram para casa, Rudy trocou de meias e deixou o par anterior na rua. Um presente para a Gelb Strasse, decidiu.

· A VERDADE VERBALIZADA ·
DE RUDY STEINER
— *Acho que sou melhor para deixar*
coisas que para roubá-las.

• • •

Semanas depois, a caixa de ferramentas acabou servindo pelo menos para uma coisa. Rudy retirou dela as chaves de fenda e os martelos e, em vez disso, resolveu guardar muitos objetos de valor dos Steiner, para o bombardeio aéreo seguinte. A única peça que permaneceu foi o ursinho de pelúcia.

Em 9 de março Rudy saiu de casa com essa caixa, quando as sirenes tornaram a fazer sentir sua presença em Molching.

Enquanto os Steiner corriam pela rua Himmel, Michael Holtzapfel bateu furiosamente na porta de Rosa Hubermann. Quando ela e Liesel saíram, entregou-lhes seu problema.

— Minha mãe — disse, e as ameixas de sangue continuavam em sua atadura. — Ela se recusa a sair. Está sentada à mesa da cozinha.

No correr das semanas, *Frau* Holtzapfel ainda não havia começado a se recuperar. Quando Liesel chegava para ler, a mulher passava a maior parte do tempo olhando fixo para a janela. Suas palavras eram baixas, quase imóveis. Toda a rispidez e censura tinham sido arrancadas de seu rosto. Em geral, era Michael quem dizia até logo a Liesel, ou lhe oferecia café e lhe agradecia. E agora, isto.

Rosa entrou em ação.

Gingou com agilidade portão adentro e parou no vão da porta aberta.

— Holtzapfel! — gritou. Não havia nada senão as sirenes e Rosa. — Holtzapfel, venha cá, sua velha porca infeliz!

O tato nunca fora um ponto forte de Rosa Hubermann.

— Se você não sair, vamos todos morrer aqui na rua! — E se virou, olhando para as figuras desamparadas na calçada. Uma sirene havia acabado de soltar seu lamento.

— E agora?

Michael encolheu os ombros, desnorteado, perplexo. Liesel deixou cair a sacola de livros e o fitou. Gritou, no começo da sirene seguinte:

— Posso entrar? — Mas não esperou a resposta. Perfez correndo a curta distância da calçada e passou pela mãe com um tranco.

Frau Holtzapfel mantinha-se imóvel à mesa.

Que vou dizer?, pensou Liesel.

Como a faço se mexer?

Quando as sirenes pararam mais uma vez para respirar, ela ouviu Rosa chamando:

— Deixe-a para lá, Liesel, temos que ir embora! Se ela quer morrer, é problema dela. — Mas as sirenes recomeçaram. Chegaram e atiraram longe a voz.

Restaram então apenas o barulho, a menina e a mulher magra e rija.

— *Frau* Holtzapfel, por favor!

Tal como em sua conversa com Ilsa Hermann, no dia dos biscoitos, havia uma multidão de palavras e frases na ponta de sua língua. A diferença era que hoje havia bombas. Hoje era ligeiramente mais urgente.

· AS OPÇÕES ·
- "Frau *Holtzapfel*, nós temos que ir."
- "Frau *Holtzapfel*, nós vamos morrer, se ficarmos aqui."
- "A senhora ainda tem um filho."
- "Estão todos à sua espera."
- "As bombas vão arrancar sua cabeça."
- "Se a senhora não vier, eu não venho mais ler, e isso significa que a senhora vai perder sua única amiga."

Liesel optou pela última frase, gritando as palavras bem no meio das sirenes. Tinha as mãos plantadas na mesa.

A mulher levantou os olhos e tomou sua decisão. Não se mexeu.

Liesel foi embora. Afastou-se da mesa e saiu correndo da casa.

Rosa manteve o portão aberto e as duas começaram a correr para o número quarenta e cinco. Michael Holtzapfel continuou paralisado na rua Himmel.

— Vamos! — implorou-lhe Rosa, mas o soldado de regresso hesitou. Estava prestes a voltar para dentro de casa quando algo o fez virar-se. Sua mão mutilada era a única coisa que o prendia ao portão e, envergonhado, ele a soltou e seguiu as duas.

Todos olharam para trás várias vezes, mas nada ainda de *Frau* Holtzapfel.

A rua parecia muito larga, e quando a última sirene evaporou-se no ar, as últimas três pessoas da rua Himmel entraram no porão dos Fiedler.

— Por que vocês demoraram tanto? — perguntou Rudy. Segurava a caixa de ferramentas.

Liesel depositou a sacola de livros no chão e se sentou em cima.

— Estávamos tentando trazer *Frau* Holtzapfel.

Rudy olhou em volta.

— Cadê ela?

— Em casa. Na cozinha.

No canto oposto do abrigo, Michael se encolhia, trêmulo.

— Eu devia ter ficado lá — dizia —, eu devia ter ficado, devia ter ficado...

Sua voz era quase inaudível, mas os olhos gritavam mais do que nunca. Agitavam-se furiosos em suas órbitas, enquanto ele apertava a mão ferida e o sangue brotava pela atadura.

Foi Rosa quem o deteve.

— Por favor, Michael, a culpa não é sua.

Mas o rapaz de poucos dedos remanescentes na mão direita estava inconsolável. Agachou-se nos olhos de Rosa.

— Me diga uma coisa — pediu —, porque eu não consigo entender...

Inclinou-se para trás e se sentou, encostado na parede.

— Diga-me, Rosa, como é que ela pode ficar lá sentada, pronta para morrer, enquanto eu ainda quero viver? — afligiu-se. O sangue tornou-se mais espesso. — Por que é que eu quero viver? Não devia querer, mas quero.

Com a mão de Rosa em seu ombro, o rapaz chorou de forma incontrolável por vários minutos. As outras pessoas olhavam. Ele não conseguiu parar nem mesmo quando a porta do porão abriu e fechou, e *Frau* Holtzapfel entrou no abrigo.

Seu filho ergueu os olhos.

Rosa afastou-se.

Quando os dois se juntaram, Michael pediu desculpas.

— Desculpe, mamãe, eu devia ter ficado com você.

Frau Holtzapfel não ouviu. Apenas sentou-se com o filho e suspendeu sua mão enfaixada.

— Você está sangrando de novo — disse, e, com todos os demais, eles esperaram.

Liesel enfiou a mão na sacola e esquadrinhou os livros.

· O BOMBARDEIO DE MUNIQUE, ·
9 E 10 DE MARÇO
Foi uma longa noite de bombas e leitura.
Sua boca estava seca, mas a menina que roubava livros
batalhou até concluir cinquenta e quatro páginas.

A maioria das crianças dormiu e não escutou as sirenes da segurança renovada. Os pais as acordaram ou as carregaram no colo, subindo a escada do porão para o mundo das trevas.

Ao longe, os incêndios ardiam, e eu havia colhido pouco mais de duzentas almas assassinadas.

Estava a caminho de Molching, mais uma vez.

A rua Himmel foi liberada.

As sirenes haviam soado por muitas horas, para a eventualidade de outra ameaça e para deixar que a fumaça se espalhasse pela atmosfera.

Foi Bettina Steiner quem notou o pequeno incêndio e o filete de fumaça mais adiante, perto do rio Amper. Ele formava uma trilha para o céu, e a menina levantou o dedo.

— Olhem.

Bettina pode tê-lo visto primeiro, mas foi Rudy quem reagiu. Na pressa, nem soltou a caixa de ferramentas, ao disparar para o fim da rua Himmel, enveredar por algumas ruelas e penetrar no arvoredo. Liesel foi atrás (depois de entregar os livros a Rosa, em meio a seus veementes protestos), seguida por um pequeno número de pessoas saídas de diversos abrigos pelo caminho.

— Rudy, espere!

Rudy não esperou.

Liesel só conseguia enxergar a caixa de ferramentas em algumas lacunas entre as árvores, enquanto ele abria caminho para o brilho agonizante e o avião enfumaçado. Estava parado, fumegante, na clareira junto ao rio. O piloto tentara pousar nela.

. . .

A menos de vinte metros, Rudy estancou.
Quando eu mesma cheguei, notei-o postado lá, recobrando o fôlego.
Os galhos das árvores espalhavam-se pela escuridão.
Havia gravetos e carumas acumulados em volta do avião, como combustível para uma fogueira. À esquerda, três rasgos tinham queimado a terra. O tique-taque descontrolado do metal que esfriava acelerou os minutos e segundos, até parecer que fazia horas que os dois estavam ali. A multidão crescente juntava-se atrás deles, grudando sua respiração e suas frases às costas de Liesel.
— Bem — disse Rudy —, será que devemos dar uma olhada?
Deu alguns passos por entre o resto das árvores, até onde a carcaça do avião se fixara no solo. O nariz estava na água corrente e as asas, tortas, tinham sido deixadas para trás.
Rudy o contornou lentamente, começando pela cauda e seguindo pela direita.
— Tem vidro — disse. — O para-brisa está em todo canto.
E então viu o corpo.

Rudy Steiner nunca vira um rosto tão pálido.
— Não venha aqui, Liesel.
Mas Liesel foi.
Viu o rosto quase inconsciente do piloto inimigo, enquanto as árvores altas observavam e o rio corria. O avião tossiu mais algumas vezes e a cabeça lá dentro inclinou-se da esquerda para a direita. Disse alguma coisa, que eles obviamente não conseguiram compreender.
— Jesus, Maria e José — murmurou Rudy. — Ele está vivo.
A caixa de ferramentas bateu na lateral do avião e trouxe consigo o som de mais vozes e pés humanos.
O brilho do fogo havia sumido e a manhã estava calma e negra. Havia apenas a fumaça em seu caminho, mas também ela não tardaria a se esvair.
A muralha de árvores mantinha a distância a cor de Munique em chamas. A essa altura os olhos do menino tinham-se adaptado não apenas à escuridão, mas também ao rosto do piloto. Os olhos pareciam nódoas de café, e havia cortes riscados nas faces e no queixo. Um uniforme amarrotado pesava desleixadamente sobre seu peito.

Apesar do conselho de Rudy, Liesel chegou ainda mais perto, e posso lhe jurar que nós duas nos reconhecemos, naquele exato momento.
Eu a conheço, pensei.

Havia um trem e um garoto que tossia. Havia neve e uma menina aflita.

Você cresceu, pensei, mas eu a reconheço.

Ela não recuou nem tentou combater-me, mas sei que alguma coisa disse à menina que eu estava ali. Será que ela sentiu o cheiro de meu bafo? Será que ouviu meu maldito bater circular do coração, girando como o crime que ele é em meu peito mortífero? Não sei, mas ela me conhecia, fitou-me cara a cara e não desviou o olhar.

Enquanto a luz começava a desencarvoar o céu, nós duas prosseguimos. Ambas vimos o menino enfiar de novo a mão na caixa de ferramentas, remexer numas fotos emolduradas, à procura de alguma coisa, e retirar um brinquedinho amarelo de pelúcia.

Com cuidado, ele trepou até onde estava o homem agonizante.

Depositou cautelosamente o ursinho risonho no ombro do piloto. A ponta de sua orelha encostou na garganta do rapaz.

O homem agonizante aspirou o cheiro. E falou. Em inglês, disse: "Obrigado." Seus cortes retos abriram-se com sua fala, e uma gotinha de sangue escorreu torta por sua garganta.

— O quê? — fez Rudy. — *Was hast du gesagt?* O que você disse?

Infelizmente, venci-o na corrida para a resposta. Era chegada a hora e estendi a mão para o *cockpit*. Devagar, extraí a alma do piloto de seu uniforme amassado e o resgatei do avião partido. A multidão brincou com o silêncio enquanto eu passava. Livrei-me dela com alguns encontrões.

No alto, o céu se eclipsou — apenas um último instante de escuridão —, e juro que vi uma assinatura negra, sob a forma de uma suástica. Ela se demorou lá em cima, desarrumada.

— *Heil* Hitler — disse eu, mas já me embrenhara por entre as árvores. Atrás de mim, um ursinho de pelúcia descansava no ombro de um cadáver. Havia uma vela de limão abaixo dos galhos. A alma do piloto estava em meus braços.

Provavelmente, é lícito dizer que em todos os anos do império de Hitler nenhuma pessoa pôde servir ao *Führer* com tanta lealdade quanto eu. O ser humano não tem um coração como o meu. O coração humano é uma linha, ao passo que o meu é um círculo, e tenho a capacidade interminável de estar no lugar certo, na hora certa. A consequência disso é que estou sempre achando seres humanos no que eles têm de melhor e de pior. Vejo sua feiura e sua beleza, e me pergunto como uma mesma coisa pode ser as duas. Mas eles têm uma coisa que eu invejo. Que mais não seja, os humanos têm o bom senso de morrer.

REGRESSO AO LAR

Foi uma época de ensanguentados, aviões partidos e ursinhos de pelúcia, mas o primeiro trimestre de 1943 terminaria numa nota positiva para a menina que roubava livros.

No início de abril, o gesso de Hans Hubermann foi cortado na altura do joelho e ele embarcou num trem para Munique. Teria uma semana de descanso e recreação em casa, antes de se juntar às fileiras de escrevinhadores do Exército na cidade. Ajudaria com a papelada, na limpeza de fábricas, residências, igrejas e hospitais de Munique. O tempo diria se ele seria mandado para o trabalho de restauração. Tudo dependeria de sua perna e da situação da cidade.

Estava escuro quando ele chegou em casa. Foi um dia depois do esperado, já que o trem sofrera um atraso por causa de um alerta de bombardeio aéreo. Hans parou à porta da rua Himmel, 33, e cerrou o punho.

Quatro anos antes, Liesel Meminger fora persuadida a cruzar aquela porta, ao aparecer pela primeira vez. Max Vandenburg postara-se diante dela, com uma chave a lhe queimar a mão. Agora era a vez de Hans Hubermann. Ele bateu quatro vezes, e a roubadora de livros foi atender.

— Papai, papai!

Deve tê-lo repetido uma centena de vezes, enquanto o abraçava na cozinha e se recusava a soltá-lo.

Mais tarde, depois de comer, os três sentaram-se à mesa da cozinha até tarde da noite, e Hans contou tudo a sua mulher e a Liesel Meminger. Explicou a LSE, as ruas cheias de fumaça e as pobres almas perdidas que vagavam. E Reinhold Zucker. O pobre, estúpido Reinhold Zucker. Levou horas.

À uma da madrugada, Liesel foi se deitar e o pai entrou no quarto para se sentar ao lado dela, como tinha sido seu costume. A menina acordou várias vezes para se certificar de que ele estava ali, e o pai não a deixou em falta.

Foi uma noite calma.

A cama estava quente e macia de contentamento.

Sim, foi uma grande noite para Liesel Meminger, e a calma, o calor e a maciez persistiriam por aproximadamente mais três meses.

Mas a história dela dura seis.

PARTE DEZ

A MENINA QUE ROUBAVA LIVROS

APRESENTANDO:

o fim de um mundo
o nonagésimo oitavo dia
um guerreador
o caminho das palavras
uma menina catatônica
confissões
o livrinho preto de ilsa hermann
alguns aviões com sua caixa torácica
e uma cordilheira de escombros

O FIM DO MUNDO (Parte I)

Mais uma vez, ofereço-lhe um vislumbre do fim. Talvez seja para abrandar o golpe que virá depois, ou para *me* preparar melhor para contá-lo. Seja como for, devo informar-lhe que chovia na rua Himmel quando o mundo acabou para Liesel Meminger.

O céu gotejava.

Como uma torneira que uma criança fez todo o possível para fechar, mas não conseguiu. As primeiras gotas foram frias. Senti-as nas mãos, ao parar na porta de *Frau* Diller.

Lá no alto, eu os escutava.

Através do céu nublado, levantei os olhos e vi os aviões destruidores. Vi suas barrigas abertas e as bombas displicentemente lançadas. Erraram o alvo, é claro. Era frequente errarem o alvo.

· UMA TRISTE ESPERANCINHA ·
Ninguém queria bombardear
a rua Himmel.
Ninguém bombardearia um lugar
que tinha o nome do céu, não é?
Será que bombardearia?

As bombas desceram e em pouco tempo as nuvens se empastaram e as frias gotas de chuva transformaram-se em cinzas. Flocos quentes de neve foram despejados no chão.

Em suma, a rua Himmel foi arrasada.

As casas foram espadanadas de um lado da rua para o outro. Uma foto emoldurada de um *Führer* de ar muito sério foi derrubada e espancada, no piso desfeito em pedaços. Mas ele continuou a sorrir, com aquele seu jeito sério. Sabia uma coisa que nem todos sabíamos. Mas eu sabia algo que *ele* não sabia. Tudo enquanto as pessoas dormiam.

Rudy Steiner estava dormindo. Mamãe e papai dormiam. *Frau* Holtzapfel, *Frau* Diller. Tommy Müller. Todos dormindo. Todos morrendo.

Só uma pessoa sobreviveu.

Ela sobreviveu porque estava sentada num porão, lendo a história de sua própria vida, verificando os erros. Antes disso, o cômodo fora declarado raso demais, porém, nessa noite de 7 de outubro, foi suficiente. As cápsulas da destruição desceram trotando e, horas depois, quando o silêncio estranho e desarrumado acomodou-se em Molching, a LSE local ouviu alguma coisa. Um eco. Lá embaixo, em algum lugar, uma menina martelava com um lápis uma lata de tinta.

Todos pararam, com os corpos e orelhas recurvados, e ao ouvirem de novo começaram a cavar.

· ITENS PASSADOS DE MÃO EM MÃO ·
Blocos de cimento e telhas.
Um pedaço de parede com a
pintura de um sol gotejante.
Um acordeão de ar infeliz,
espiando por sua caixa carcomida.

Foram jogando tudo para cima.

Quando mais um pedaço de parede partida foi retirado, um deles viu o cabelo da menina que roubava livros.

O homem deu uma risada de puro prazer. Estava trazendo ao mundo um recém-nascido.

— Nem posso acreditar! Ela está viva!

Houve grande alegria entre os homens que gritavam em algazarra, mas não pude compartilhar inteiramente seu entusiasmo.

Antes disso, eu havia segurado o papai dela num braço e sua mamãe no outro. Duas almas muito suaves.

Mais adiante, seus corpos tinham sido estendidos, como o resto. Os encantadores olhos prateados do pai já começavam a enferrujar, e os lábios de papelão da mãe fixavam-se, entreabertos, provavelmente na forma de um ronco incompleto. Para blasfemar como os alemães: Jesus, Maria e José.

• • •

As mãos resgatadoras puxaram Liesel para fora e sacudiram de sua roupa as migalhas de detritos.

— Mocinha — disseram —, as sirenes chegaram tarde demais. O que você estava fazendo no porão? Como foi que soube?

O que eles não notaram foi que a menina ainda segurava o livro. E gritou sua resposta. Um grito assombroso dos vivos.

— Papai!

Segunda vez. Seu rosto crispou-se, enquanto ela atingia um tom mais agudo, mais marcado pelo pânico.

— Papai, *papai*!

Suspenderam-na enquanto ela gritava, gemia e chorava. Se estava ferida, ela ainda não sabia, porque se debateu até se soltar, e saiu procurando, chamando e gemendo um pouco mais.

Continuava apertando o livro.
Continuava desesperadamente agarrada às palavras que lhe tinham salvado a vida.

O NONAGÉSIMO OITAVO DIA

Nos primeiros noventa e sete dias depois da volta de Hans Hubermann, em abril de 1943, tudo correu bem. Em muitas ocasiões, ele ficava pensativo, meditando sobre o filho que lutava em Stalingrado, mas tinha a esperança de que um pouco de sua sorte corresse no sangue do rapaz.

Em sua terceira noite em casa, ele tocou acordeão na cozinha. Promessa era promessa. Houve música, sopa e piadas, e o riso de uma menina de quatorze anos.

— *Saumensch* — alertou-a a mãe —, pare de rir alto assim. As piadas dele não são *tão* engraçadas. E, além disso, são sujas...

Após uma semana, Hans retomou o trabalho, deslocando-se para um dos escritórios do Exército na cidade. Disse que havia um bom suprimento de cigarros e comida por lá e, vez por outra, conseguia levar para casa uns biscoitos ou uma porção extra de geleia. Foi como nos velhos tempos. Um pequeno ataque aéreo em maio. Um "*heil* Hitler" aqui e ali, e estava tudo bem.

Até o nonagésimo oitavo dia.

· PEQUENA DECLARAÇÃO ·
DE UMA ANCIÃ
Na rua Munique, ela disse:
— *Jesus, Maria e José, eu gostaria que*
não os fizessem passar por aqui.
Esses judeus infelizes dão um azar desgraçado.
São mau sinal.
Toda vez que os vejo, sei que seremos destruídos.

• • •

Era a mesma velha que havia anunciado os judeus da janela, na primeira vez em que Liesel os vira. Visto de perto, o rosto dela era uma ameixa seca. Os olhos tinham o azul-escuro de uma veia. E sua previsão foi correta.

No auge do verão, Molching recebeu um sinal das coisas que estavam por vir. Ele entrou no campo visual como sempre fazia. Primeiro, a cabeça de um soldado, subindo e descendo, e a arma cutucando o ar acima dele. Depois, a corrente maltrapilha dos judeus aprisionados.

A única diferença, dessa vez, é que eles vieram da direção oposta. Foram levados à cidade vizinha de Nebling, para esfregar as ruas e fazer o trabalho de limpeza que o Exército se recusava a executar. No fim do dia, foram reconduzidos em marcha ao campo, lentos e exaustos, derrotados.

Mais uma vez, Liesel procurou Max Vandenburg, achando que ele poderia muito bem ter acabado em Dachau sem que o fizessem marchar por Molching. Ele não estava. Não nessa ocasião.

Mas bastava dar tempo ao tempo, porque, numa tarde quente de agosto, Max com certeza marcharia pela cidade com os demais. Ao contrário dos outros, porém, não olharia para a estrada. Não olharia ao acaso para as arquibancadas alemãs do *Führer*.

· UM DADO CONCERNENTE A ·
MAX VANDENBURG
Ele perscrutaria os rostos da rua Munique,
à procura de uma menina que roubava livros.

Nessa ocasião, em julho, no que Liesel depois calculou ter sido o nonagésimo oitavo dia desde o regresso do pai, ela parou e estudou a pilha móvel de judeus pesarosos — à procura de Max. Que mais não fosse, isso aliviava a dor de simplesmente olhar.

É uma ideia terrível, escreveria ela em seu porão da rua Himmel, mas sabia que era verdade. A dor de olhá-los. E quanto à dor *deles*? E a dor dos sapatos trôpegos, da tortura e dos portões do campo a se fechar?

Eles passaram duas vezes em dez dias e, logo depois, a mulher anônima da rua Munique, com sua cara de ameixa seca, revelou-se absolutamente correta. O sofrimento decididamente havia chegado, e se eles culpavam os judeus como uma advertência ou um prólogo, deveriam ter culpado o *Führer* e sua busca da Rússia como a causa real — porque, quando a rua Himmel acordou, no fim de julho, descobriu-se que um soldado regressado estava morto. Pendia de um dos caibros de uma lavanderia perto da loja de *Frau* Diller. Mais um pêndulo humano. Mais um relógio parado.

O proprietário, descuidado, deixara a porta aberta.

> · 24 DE JULHO, 6H03 DA MANHÃ ·
> *A lavanderia era quente,*
> *os caibros eram firmes,*
> *e Michael Holtzapfel pulou da cadeira*
> *como se ela fosse um penhasco.*

Muita gente me perseguiu nessa época, invocando meu nome, pedindo-me que eu os levasse comigo. E havia também a pequena percentagem que me chamava de vez em quando e sussurrava com a voz estreitada.

— Leve-me — diziam eles, e não havia como detê-los. Estavam apavorados, não há dúvida, mas não tinham medo de mim. Era o medo de estragarem tudo e terem que se enfrentar novamente, e terem que enfrentar o mundo, e gente como você.

Não havia nada que eu pudesse fazer.

Eles tinham jeitos demais, recursos demais — e quando o faziam realmente bem, qualquer que fosse o método escolhido, eu não tinha condições de recusar.

Michael Holtzapfel sabia o que estava fazendo.

Matou-se por querer viver.

É claro que não vi Liesel Meminger nesse dia. Como geralmente acontece, informei a mim mesma que estava ocupada demais para permanecer na rua Himmel e escutar os gritos. Já é ruim o bastante quando as pessoas me apanham com a boca na botija, de modo que tomei a decisão costumeira de sair de fininho, rumo ao sol cor de café da manhã.

Não ouvi a detonação da voz de um velho quando ele encontrou o corpo suspenso, nem o som dos pés em correria e dos arquejos de queixo caído, quando as outras pessoas chegaram. Não ouvi um homenzinho magrelo de bigode resmungar "Que vergonha, *maldita* vergonha...".

Não vi *Frau* Holtzapfel estirada na rua Himmel, de braços abertos, com o rosto gritando em total desespero. Não, não descobri nada disso até voltar, alguns meses depois, e ler uma coisa chamada *A Menina que Roubava Livros*. Explicaram-me que no final Michael Holtzapfel foi vencido não pela mão mutilada, nem por qualquer outro ferimento, mas pela culpa de estar vivo.

No período que antecedeu sua morte, a menina havia percebido que ele não vinha dormindo, que toda noite era um veneno. Muitas vezes o imagino deitado, desperto, transpirando em lençóis de neve, ou tendo visões das pernas decepadas do irmão. Liesel escreveu que em alguns momentos ela quase lhe falou de seu irmão, como fizera com Max, mas parecia haver uma grande diferença entre uma tosse interurbana e duas pernas obliteradas. Como consolar um homem que viu essas coisas? Seria possível dizer-lhe que o *Führer* se orgulhava dele, que o *Führer* o amava pelo que ele tinha feito em Stalingrado? Como é que alguém se atreveria? Só se podia deixar que ele falasse. O dilema, é claro, é que as pessoas como essas guardam suas palavras mais importantes para depois, para quando os humanos em volta têm a infelicidade de encontrá-las. Um bilhete, uma frase, até uma pergunta ou uma carta, como na rua Himmel, em julho de 1943.

· MICHAEL HOLTZAPFEL — ·
O ÚLTIMO ADEUS
Querida mamãe,
Será que um dia você poderá me perdoar?
É que não pude suportar mais.
Vou ao encontro do Robert.
Pouco me importa o que dizem os malditos católicos.
Deve haver um lugar no paraíso para
os que estiveram onde eu estive.
Talvez você pense que eu não a amo,
por causa do que fiz, mas eu a amo.
Do seu, Michael.

Foi a Hans Hubermann que pediram que desse a notícia a *Frau* Holtzapfel. Ele parou na soleira da casa e ela deve ter visto tudo em seu rosto. Dois filhos em seis meses.

O céu matinal resplandecia atrás dele quando a mulher magra e rija passou. Ela correu aos soluços até a aglomeração, mais adiante, na rua Himmel. Disse o nome de Michael pelo menos duas dúzias de vezes, mas Michael já tinha respondido. Segundo a menina que roubava livros, *Frau* Holtzapfel ficou abraçada ao corpo durante quase uma hora. Depois, voltou para o sol ofuscante da rua Himmel e se sentou. Não conseguia mais andar.

A uma certa distância, as pessoas observaram. Essas coisas eram mais fáceis quando vistas ao longe.

Hans Hubermann sentou-se com ela.

Pôs suas mãos na dela, quando a mulher se prostrou no chão duro.

Deixou que seus gritos enchessem a rua.

Muito mais tarde, Hans caminhou ao lado dela, com esmerado cuidado, fazendo-a atravessar o portão e entrar em casa. E, não importa quantas vezes eu tente ver as coisas de outra maneira, não consigo...

Quando imagino essa cena da mulher transtornada e do homem alto, de olhos de prata, ainda neva na cozinha da rua Himmel, número 31.

O GUERREADOR

Havia um cheiro de caixão recém-construído. Vestidos pretos. Bolsas enormes sob os olhos. Liesel ficou em pé na relva, como os demais. Leu para *Frau* Holtzapfel na mesma tarde. *O Carregador de Sonhos*, o favorito de sua vizinha.

Foi mesmo um dia muito atarefado.

· 27 DE JULHO DE 1943 ·
*Michael Holtzapfel foi sepultado e
a menina que roubava livros leu para a mãe enlutada.
Os Aliados bombardearam Hamburgo —
e, quanto a isso, é uma sorte eu ser meio milagrosa.
Ninguém mais conseguiria carregar quase
quarenta e cinco mil pessoas num prazo tão curto.
Nem em um milhão de anos humanos.*

Os alemães, a essa altura, começavam a pagar de verdade. Os joelhinhos espinhentos do *Führer* estavam começando a tremer.

Mas uma coisa eu reconheço nesse tal de *Führer*.

Ele tinha, com certeza, uma vontade férrea.

Não houve afrouxamento na condução da guerra, nem qualquer redução na escala do extermínio e castigo de uma certa peste judaica. Embora a maioria dos campos se espalhasse por toda a Europa, ainda existiam alguns na própria Alemanha.

Nesses campos, muita gente ainda era obrigada a trabalhar e a andar.

Max Vandenburg era um desses judeus.

O CAMINHO DAS PALAVRAS

Aconteceu numa cidadezinha do centro vital de Hitler.
O fluxo de mais sofrimento foi bem bombeado, e um pedacinho dele chegou.
Havia judeus sendo obrigados a marchar pelos arredores de Munique e, de algum modo, uma menina adolescente fez o impensável e abriu caminho para andar com eles. Quando os soldados a arrancaram de lá e a derrubaram no chão, ela tornou a se levantar. E continuou.

A manhã estava quente.
Mais um belo dia para um desfile.

Os soldados e os judeus atravessaram diversas cidades e estavam chegando a Molching. Era possível que fosse preciso fazer mais trabalho no campo, ou que vários prisioneiros tivessem morrido. Qualquer que fosse a razão, um novo lote de judeus recém-chegados e exaustos estava sendo levado a pé para Dachau.
Como sempre fizera, Liesel correu para a rua Munique, com o bando habitual de circunstantes.

— *Heil* Hitler!
Ela ouviu o primeiro soldado lá longe, na rua, e partiu em direção a ele pela multidão, ao encontro do desfile. A voz a surpreendeu. Transformou o céu infinito num teto, logo acima de sua cabeça, e as palavras quicaram de volta, caindo em algum ponto do solo de trôpegos pés judaicos.
Os olhos.

Eles observavam a rua em movimento, um por um, e quando Liesel encontrou um lugar de onde tinha uma boa visão, parou para estudá-los. Vasculhou às pressas os arquivos de um rosto após outro, tentando cotejá-los com o judeu que escrevera *O Vigiador* e *A Sacudidora de Palavras*.

Cabelos de penas, pensou.

Não, cabelos iguais a gravetos. Era essa sua aparência quando ele não era lavado. Procure cabelos iguais a gravetos, olhos alagadiços e barba de aparas de madeira.

Meu Deus, havia muitos deles.

Inúmeros pares de olhos agonizantes e pés arrastados.

Liesel os vasculhou, e não foi propriamente um reconhecimento de feições que revelou Max Vandenburg. Foi o modo como o rosto agia — também estudando a multidão. Com uma concentração fixa. Liesel sentiu-se hesitar, ao deparar com o único rosto que olhava diretamente para os espectadores alemães. Examinava-os com tamanha determinação que as pessoas dos dois lados da menina que roubava livros o notaram e apontaram.

— Que é que *ele* está olhando? — disse uma voz masculina ao lado de Liesel.

A roubadora de livros deu um passo em direção à rua.

Nunca um movimento tinha sido tamanho fardo. Nunca um coração fora tão palpável e grande em seu peito adolescente.

Liesel deu um passo à frente e disse, muito baixinho:

— Ele está me procurando.

Sua voz extinguiu-se e desapareceu dentro do corpo. A menina teve que reencontrá-la — procurar lá no fundo, reaprender a falar e chamar o nome dele.

Max.

— Estou aqui, Max!

Mais alto.

— *Max, estou aqui!*

Ele a ouviu.

· MAX VANDENBURG, AGOSTO DE 1943 ·
Havia gravetos de cabelo, como Liesel tinha pensado,
e os olhos alagadiços foram andando de ombro em ombro,
por cima dos outros judeus. Ao chegarem a ela, foram súplices.
A barba afagou o rosto de Max e sua boca tremeu
ao dizer a palavra, o nome, a menina.
Liesel.

• • •

Espremendo-se, Liesel escapou por inteiro da multidão e entrou na maré de judeus, trançando por entre eles até segurá-lo pelo braço com a mão esquerda.

O rosto de Max pousou sobre ela.

Curvou-se quando ela tropeçou, e o judeu, o judeu execrável, ajudou-a a se levantar. Precisou de todas as suas forças.

— Estou aqui, Max — repetiu a menina. — Estou aqui.

— Nem acredito... — pingaram as palavras da boca de Max Vandenburg. — Veja só como você cresceu! — E havia uma intensa tristeza em seus olhos, que ficaram marejados. — Liesel... eles me pegaram há alguns meses — disse a voz; capengava, mas arrastou-se até a menina: — A meio caminho de Stuttgart.

Por dentro, a torrente de judeus era uma obscura calamidade feita de braços e pernas. Uniformes esfarrapados. Até então, nenhum soldado a vira, e Max a advertiu:

— Você tem que me soltar, Liesel.

Tentou até empurrá-la, mas a menina era forte demais. Os braços esfaimados de Max não conseguiram afastá-la, e ela continuou andando em meio à imundície, à fome e à confusão.

Após uma longa fileira de passos, o primeiro soldado notou.

— Ei! — gritou. Apontou o chicote. — Ei, garota, o que está fazendo? Saia daí.

Quando ela o ignorou por completo, o soldado usou o braço para separar a massa grudenta de gente. Empurrou-os para os lados e abriu caminho. Avultou diante dela, enquanto Liesel lutava para seguir em frente, e notou a expressão estrangulada no rosto de Max Vandenburg. Liesel já o vira com medo, mas nunca daquele jeito.

O soldado a segurou.

Suas mãos maltrataram-lhe a roupa.

Liesel sentiu os ossos dos dedos militares e o caroço de cada nó. Eles lhe rasgavam a pele.

— Eu disse para sair! — ordenou o soldado, e nesse momento a arrastou de banda e a atirou na muralha de espectadores alemães. Estava ficando mais quente. O sol queimava o rosto de Liesel. A menina caiu, esparramada de dor, mas tornou a se levantar. Recuperou-se e esperou. Entrou novamente.

Dessa vez, abriu caminho por trás.

Mais adiante, vislumbrou os claros gravetos de cabelos e andou na direção deles.

Dessa vez, Liesel não estendeu a mão — parou. Em algum lugar dentro dela estavam as almas das palavras. Que subiram e pararam a seu lado.

— Max — disse Liesel. O rapaz se virou e fechou os olhos por um instante, enquanto a menina prosseguia. — "Era uma vez um homenzinho estranho" — fez ela. Seus braços pendiam, mas suas mãos eram punhos cerrados junto ao corpo. — "Mas havia também uma sacudidora de palavras."

• • •

Um dos judeus a caminho de Dachau parou de andar.
Ficou absolutamente imóvel, enquanto os outros se desviavam, carrancudos, deixando-o completamente só. Seus olhos hesitaram, e foi muito simples. As palavras foram doadas, passando da menina para o judeu. Escalaram-no.

Quando Liesel voltou a falar, as perguntas lhe saíram da boca aos tropeços. Em seus olhos, lutavam por espaço as lágrimas quentes que ela não deixava sair. Era melhor manter-se resoluta e orgulhosa. As palavras que cuidassem de tudo.
— "É você mesmo?, perguntou ao rapaz" — disse Liesel. — "Será que foi do seu rosto que tirei a semente?"

Max Vandenburg continuou estático.
Não caiu de joelhos.
Pessoas, judeus e nuvens, todos pararam. Ficaram observando.
Postado ali, Max olhou, primeiro, para a menina, depois fitou diretamente o céu, amplo, azul e magnífico. Havia feixes pesados — pranchas de sol — caindo na estrada ao acaso, maravilhosamente. As nuvens arquearam as costas para olhar para trás, recomeçando sua caminhada.
— Está um dia tão lindo — disse Max, com a voz em muitos pedaços. Um grande dia para morrer. Um grande dia para morrer, como esse.
Liesel caminhou até ele. Era tão corajosa que estendeu a mão e segurou seu rosto barbudo.
— É você mesmo, Max?
Um dia alemão muito brilhante, com sua multidão atenta.
Ele deixou seus lábios beijarem a palma da menina.
— Sim, Liesel, sou eu — e segurou a mão dela junto ao rosto, e chorou em seus dedos. Chorava quando os soldados chegaram e um grupinho de judeus insolentes parou para olhar.
De pé, ele foi açoitado.
— Max — chorou a menina.
Depois, em silêncio, enquanto era arrastada para longe.
Max.
O lutador judeu.
Por dentro, ela disse tudo.
Máxi Táxi. Foi assim que aquele seu amigo o chamou em Stuttgart, quando você brigava na rua, lembra-se? Lembra-se, Max? Você me contou. Eu me lembro de tudo...
Esse era você — o menino de punhos rígidos, e você disse que daria um soco na cara da morte quando ela viesse buscá-lo.
Lembra-se do boneco de neve, Max?

Lembra-se?

No porão?

Lembra-se da nuvem branca de coração cinzento?

O *Führer* ainda vai lá procurá-lo, de vez em quando. Sente sua falta. Todos sentimos sua falta.

O chicote. O chicote.

O chicote continuou, brandido pela mão do soldado. Desceu sobre o rosto de Max. Recortou-lhe o queixo e lanhou sua garganta.

Max bateu no chão e o soldado se virou para a menina. Sua boca se abriu. Tinha dentes imaculados.

O clarão súbito faiscou diante dos olhos de Liesel. Ela se lembrou do dia em que quisera que Ilsa Hermann ou a confiável Rosa, pelo menos, a esbofeteassem, mas nenhuma das duas se dispusera a fazê-lo. Nesse dia, não foi decepcionada.

O chicote talhou sua clavícula e se estendeu até a omoplata.

— Liesel!

Ela conhecia essa pessoa.

Enquanto o soldado balançava o braço, ela avistou o aflito Rudy Steiner nas lacunas da multidão. Ele a chamava. A menina viu-lhe o rosto torturado e o cabelo amarelo.

— Liesel, saia daí!

A roubadora de livros não saiu.

Fechou os olhos e recebeu o risco ardente que veio em seguida, e mais outro, até seu corpo bater no pavimento morno da rua. Ele lhe aqueceu a face.

Chegaram mais palavras, dessa vez do soldado.

— *Steh'auf.*

A frase econômica não foi dirigida à menina, mas ao judeu. Estendeu-se em maiores detalhes.

— Levante, seu babaca imundo, seu judeu filho da puta, levante, levante...

Max içou-se até ficar de pé.

Só mais uma flexão, Max.

Só mais uma flexão no piso frio do porão.

Os pés dele se mexeram.

Arrastaram-se, e ele seguiu viagem.

Suas pernas bambearam e suas mãos alisaram as marcas do açoite, para aliviar a ardência. Quando ele tentou novamente buscar Liesel com os olhos, as mãos do soldado foram postas em seus ombros ensanguentados e empurraram.

O menino chegou. Suas pernas desengonçadas agacharam-se e ele gritou para a esquerda:

— Tommy, venha aqui me ajudar. Temos que pô-la de pé. *Depressa*, Tommy!

Ergueu a roubadora de livros pelas axilas.

— Vamos, Liesel, você tem que sair da rua.

Quando conseguiu ficar de pé, ela olhou para os alemães chocados, de rosto congelado, recém-saído da embalagem. Aos pés deles, deixou-se desabar, mas apenas por um momento. Um arranhão riscou um fósforo do lado de seu rosto, no ponto em que ela batera no chão. O latejo o fez virar-se, fritando dos dois lados.

Lá longe, na rua, ela via as pernas e os calcanhares indistintos do último judeu caminhante.

Seu rosto ardia e havia uma dor infernal em seus braços e pernas — um torpor a um tempo doloroso e exaustivo.

Liesel levantou-se pela última vez.

Obstinadamente, começou a andar e a correr pela rua Munique, para alcançar os últimos passos de Max Vandenburg.

— Liesel, que está fazendo?!

Ela escapou das garras das palavras de Rudy e ignorou as pessoas ao lado que a observavam. Quase todas estavam mudas. Estátuas com o coração batendo. Talvez espectadores das etapas finais de uma maratona. Liesel tornou a gritar e não foi ouvida. Tinha o cabelo nos olhos.

— Por favor, Max!

Depois de uns trinta metros, talvez, no exato momento em que um soldado se virava para olhar, a menina foi derrubada. As mãos fecharam-se sobre ela por trás, feito pinças, e o menino da casa ao lado jogou-a no chão. Fincou-lhe os joelhos na rua, à força, e suportou o castigo. Recebeu os socos como se fossem presentes. As mãos e os cotovelos ossudos da menina foram acolhidos sem nada além de pequenos gemidos. Rudy acumulou os borrifos ruidosos e desajeitados de saliva e lágrimas, como se fossem um afago encantador em seu rosto, e, o que é mais importante, conseguiu segurá-la no chão.

Na rua Munique, um menino e uma menina se entrelaçaram.

Ficaram incomodamente retorcidos no chão.

Juntos, viram os seres humanos desaparecerem. Viram-nos dissolver-se feito pastilhas móveis no ar úmido.

Confissões

Depois que os judeus se foram, Rudy e Liesel se desenredaram e a menina que roubava livros não falou. Não havia respostas para as perguntas de Rudy.

Ela tampouco foi para casa. Andou desamparada até a estação ferroviária e passou horas esperando o pai. Rudy ficou com ela nos primeiros vinte minutos, mas, como ainda faltava um bom meio dia até a hora de Hans chegar, foi buscar Rosa. Na volta para a estação, contou-lhe o que tinha acontecido, e quando Rosa chegou, não perguntou nada à menina. Já havia montado o quebra-cabeça e apenas parou a seu lado, e acabou convencendo-a a se sentar. Esperaram juntas.

Quando o pai soube, deixou cair a sacola e chutou o ar da *Bahnhof*.

Nessa noite, nenhum deles comeu. Os dedos do pai profanaram o acordeão, assassinando uma melodia após outra, por mais que ele se esforçasse. Nada mais funcionava.

Durante três dias a menina que roubava livros permaneceu na cama.

Toda manhã e toda tarde Rudy Steiner batia à porta e perguntava se ela ainda estava doente. Liesel não estava doente.

No quarto dia a menina foi até a porta de entrada do vizinho e perguntou se ele poderia voltar ao bosque com ela, ao lugar onde haviam distribuído pão no ano anterior.

— Eu devia ter-lhe contado há mais tempo — disse.

Como prometido, os dois percorreram um longo trecho da estrada para Dachau. Pararam junto às árvores. Havia longas formas de luz e sombra. E pinhas dispersas feito biscoitos.

Obrigada, Rudy.

Por tudo. Por ter-me ajudado na rua, por ter-me feito parar...

Liesel não disse nenhuma dessas coisas.

Descansou a mão num ramo descascado junto a seu corpo.

— Rudy, se eu lhe contar uma coisa, você jura não dizer uma palavra a ninguém?

— É claro.

Ele captou a seriedade no rosto da menina e o peso em sua voz. Encostou-se na árvore ao lado dela.

— O que é?

— Jure.

— Já jurei.

— Jure de novo. Você não pode contar a sua mãe, a seu irmão nem ao Tommy Müller. A ninguém.

— Eu juro.

Encostada.

Olhando para o chão.

Ela tentou várias vezes descobrir o lugar certo em que começar, lendo as frases a seus pés, juntando as palavras com as pinhas e os restos de galhos partidos.

— Lembra-se de quando eu me machuquei na rua, jogando futebol? — perguntou.

Foram precisos aproximadamente três quartos de hora para explicar duas guerras, um acordeão, um lutador judeu e um porão. Sem esquecer o que tinha acontecido quatro dias antes, na rua Munique.

— Foi por isso que você chegou mais perto para olhar — disse Rudy — naquele dia do pão. Para ver se ele estava lá.

— Foi.

— Cristo crucificado!

— É.

As árvores eram altas e triangulares. Permaneceram caladas.

Liesel tirou da bolsa *A Sacudidora de Palavras* e mostrou uma página a Rudy. Nela havia um menino com três medalhas penduradas no pescoço.

— "Cabelos da cor de limões" — leu Rudy. Seus dedos tocaram as palavras. — Você falou de mim com ele?

No começo, Liesel não conseguiu dizer nada. Talvez fosse a súbita turbulência do amor que sentiu por ele. Ou será que sempre o tinha amado? Era provável. Impedida como estava de falar, desejou que ele a beijasse. Quis que ele arrastasse sua mão e a puxasse para si. Não importava onde a beijasse. Na boca, no pescoço, na face. Sua pele estava vazia para o beijo, esperando.

Anos antes, quando os dois haviam apostado corrida num campo lamacento, Rudy era um conjunto de ossos montado às pressas, com um riso irregular e hesitante. Sob o arvoredo, nessa tarde, era um doador de pão e ursinhos de pelúcia.

Um tríplice campeão de atletismo da Juventude Hitlerista. Era seu melhor amigo. E estava a um mês de sua morte.

— É claro que falei de você com ele — disse Liesel.

Estava se despedindo, e nem sabia.

O livrinho preto de Ilsa Hermann

Em meados de agosto ela pensou em ir ao número 8 da Grande Strasse, em busca do mesmo velho remédio.
Para se animar.
Foi isso que pensou.

Tinha feito calor durante o dia, mas havia previsão de chuvas à noite. Em *O Último Forasteiro Humano* havia uma citação perto do final. Liesel lembrou-se dela, ao passar pela loja de *Frau* Diller.

· O ÚLTIMO FORASTEIRO HUMANO, ·
PÁGINA 211
O sol mistura a terra. Rodando, rodando,
ele nos mistura como um ensopado.

Na ocasião, Liesel só pensou nisso porque o dia estava muito quente.
Na rua Munique, lembrou-se dos acontecimentos da semana anterior. Reviu os judeus vindo pela rua, suas fileiras, seus números e seu sofrimento. Resolveu que faltava uma palavra em sua citação.
A palavra é ensopado *repulsivo*, pensou com seus botões.
Tão repulsivo que não posso suportá-lo.

Liesel cruzou a ponte sobre o rio Amper. A água estava gloriosa, esmeralda, vívida. Ela viu as pedras no fundo e ouviu o cantarolar conhecido da água. O mundo não merecia um rio daqueles.

Escalou a ladeira para a Grande Strasse. As casas eram encantadoras e repugnantes. Ela gostou da dorzinha nas pernas e nos pulmões. Ande mais rápido, pensou, e começou a subir, como um monstro elevando-se da areia. Sentiu o cheiro da relva na vizinhança. Ela era nova e doce, verde com pontas amarelas. Liesel atravessou o jardim sem virar uma só vez a cabeça, sem a menor pausa de paranoia.

A janela.
Mãos no caixilho, pernas em tesoura.
Pés pousando.
Livros e páginas e um lugar feliz.

Tirou um livro da estante e sentou-se com ele no chão.
Será que ela está em casa?, pensou, mas não lhe importava se Ilsa Hermann estava fatiando batatas na cozinha ou fazendo fila no correio. Ou parada feito um fantasma acima dela, examinando o que a menina lia.
Ela simplesmente já não se importava.
Durante muito tempo ficou sentada e viu.
Ela vira seu irmão morrer com um olho aberto, o outro ainda no sonho. Dissera adeus à mãe e imaginara sua espera solitária de um trem, de volta para o limbo. Uma mulher de arame tinha se deitado no chão, com seu grito percorrendo a rua, até cair de lado, como uma moeda rolada que tivesse perdido o impulso. Um rapaz pendera de uma corda feita das neves de Stalingrado. Ela vira um piloto de bombardeiro morrer numa caixa de metal. Vira um homem judeu, que por duas vezes lhe dera as mais belas páginas de sua vida, ser forçado a marchar para um campo de concentração. E, no centro de tudo, viu o *Führer* berrando suas palavras e passando-as adiante.
Essas imagens eram o mundo, que cozinhava em fogo brando dentro dela, sentada ali com os livros encantadores e seus títulos manicurados. Fermentava dentro dela, enquanto a menina olhava as páginas, com suas panças cheias até o gorgomilo de parágrafos e palavras.
Seus cretinos, pensou.
Seus cretinos encantadores.
Não me façam feliz. Por favor, não me saciem nem me deixem pensar que alguma coisa boa pode sair disso. Olhem para meus machucados. Olhem para este arranhão. Estão vendo o arranhão dentro de mim? Estão vendo ele crescer bem diante dos seus olhos, me corroendo? Não quero ter esperança de mais nada. Não quero rezar para que Max esteja vivo e em segurança. Nem Alex Steiner.
Porque o mundo não os merece.

Arrancou uma página do livro e a rasgou ao meio.
Depois, um capítulo.
Em pouco tempo não restava nada senão tiras de palavras, derramadas feito lixo entre suas pernas e em toda a sua volta. As palavras. Por que tinham que existir? Sem

elas não haveria nada disso. Sem as palavras o *Führer* não era nada. Não haveria prisioneiros claudicantes, nem necessidade de consolo ou de truques mundanos para fazer com que nos sentíssemos melhor.

De que adiantavam as palavras?

Dessa vez ela o disse em voz alta, para a sala iluminada de laranja.

— De que servem as palavras?

A menina que roubava livros levantou-se e andou com cuidado até a porta da biblioteca, cujo protesto foi pequeno e sem ânimo. O corredor arejado estava impregnado do vazio da madeira.

— *Frau* Hermann?

A pergunta voltou para ela e tentou um novo avanço até a porta da frente. Só chegou à metade do caminho, onde desabou, enfraquecida, num par de tábuas gordas do piso.

— *Frau* Hermann?

Nada acolheu os chamados senão o silêncio, e Liesel sentiu-se tentada a procurar a cozinha, para Rudy. Conteve-se. Não seria correto roubar comida de uma mulher que lhe deixara um dicionário encostado numa vidraça de janela. Isso e, ainda por cima, ela acabara de destruir um de seus livros, página por página, capítulo por capítulo. Já tinha feito estragos suficientes.

Voltou para a biblioteca e abriu uma das gavetas da escrivaninha. Sentou-se.

· A ÚLTIMA CARTA ·
Cara Sra. Hermann,
Como a senhora pode ver, estive novamente em sua biblioteca
e destruí um de seus livros. É que eu estava com tanta raiva
e tanto medo, que quis matar as palavras.
Eu a roubei e agora destruí sua propriedade. Desculpe-me.
Para me castigar, acho que vou parar de vir aqui.
Ou será que isso é mesmo um castigo?
Adoro este lugar e o odeio, porque ele é cheio de palavras.
A senhora tem sido minha amiga, embora eu
a tenha magoado, embora eu tenha sido ignominiosa
(palavra que consultei no seu dicionário),
e acho que agora vou deixá-la em paz.
Sinto muito por tudo. Obrigada, mais uma vez.
Liesel Meminger

Deixou o bilhete na escrivaninha e se despediu do aposento pela última vez, dando três voltas e passando as mãos pelos títulos. Por mais que os detestasse, não pôde resistir. Havia flocos de papel picado espalhados em torno de um livro chamado *As normas de Tommy Hoffmann*. Na brisa que entrava pela janela, alguns de seus fiapos subiam e desciam.

A luz ainda era laranja, mas não tão luminosa quanto antes. As mãos de Liesel sentiram a compressão final do caixilho da janela, e veio a última agitação da barriga mergulhando, e o impacto da dor nos pés ao pisar na terra.

Quando ela acabou de descer a colina e atravessar a ponte, a luz laranja havia desaparecido. As nuvens se amontoavam.

Ao andar pela rua Himmel, Liesel já pôde sentir as primeiras gotas de chuva. Nunca mais verei Ilsa Hermann, pensou consigo mesma, porém a menina que roubava livros era melhor para ler e estragar livros que para conjecturar.

· TRÊS DIAS DEPOIS ·
A mulher bateu no número trinta e três
e esperou que atendessem.

Foi estranho para Liesel vê-la sem o roupão de banho. O vestido de verão era amarelo, com um debrum vermelho. Havia um bolso com uma florzinha. Nada de suásticas. Sapatos pretos. Até então, a menina nunca havia notado as canelas de Ilsa Hermann. A mulher tinha pernas de porcelana.

— *Frau* Hermann, eu sinto muito... pelo que fiz na biblioteca da última vez.

A mulher acalmou-a. Enfiou a mão na bolsa e puxou um livrinho preto. Dentro não havia nenhuma história, mas papel pautado.

— Achei que se você não vai mais ler nenhum dos meus livros, talvez queira escrever um. A sua carta, ela foi... — E entregou o livro a Liesel com as duas mãos.

— Você, com certeza, sabe escrever. Você escreve bem.

O livro era pesado, de capa dura e opaca como *O Dar de Ombros*.

— E, por favor — aconselhou Ilsa Hermann —, não se castigue, como disse que faria. Não seja como eu, Liesel.

A menina abriu o livro e tocou o papel.

— *Danke schön, Frau* Hermann. Posso lhe fazer um café, se a senhora quiser. Quer entrar? Estou sozinha em casa. Minha mãe está aqui ao lado, com *Frau* Holtzapfel.

— Devemos usar a porta ou a janela?

Liesel desconfiou que foi o sorriso mais largo que Ilsa Hermann já se permitira dar em anos.

— Acho que usamos a porta. É mais fácil.

Sentaram-se na cozinha.

Canecas de café e pão com geleia. Ambas se esforçaram por falar e Liesel pôde ouvir Ilsa Hermann engolir em seco, mas, de algum modo, não foi incômodo. Foi até agradável ver a mulher soprar delicadamente o café para esfriá-lo.

— Se um dia eu escrever alguma coisa e o terminar — disse Liesel —, eu lhe mostro.

— Seria muito bom.

Quando a mulher do prefeito se foi, Liesel a olhou subir a rua Himmel. Olhou para seu vestido amarelo, seus sapatos pretos e suas pernas de porcelana.

Junto à caixa do correio, Rudy perguntou:
— Aquela era quem eu estou pensando?
— Era.
— Você está de brincadeira.
— Ela me deu um presente.

Como se veio a constatar, Ilsa Hermann não deu apenas um livro a Liesel Meminger nesse dia. Deu-lhe também um motivo para passar tempo no porão — seu lugar favorito, primeiro com o pai, depois com Max. Deu-lhe uma razão para ela escrever suas próprias palavras, para ver que as palavras também lhe tinham dado vida.

— Não se castigue — a menina a ouviu dizer outra vez. Mas haveria castigo e sofrimento, e haveria também felicidade. Em escrever.

À noite, quando a mãe e o pai foram dormir, Liesel desceu furtivamente ao porão e acendeu a lamparina de querosene. Durante a primeira hora só fez olhar para o papel e o lápis. Obrigou-se a lembrar e, como era seu hábito, não desviou os olhos.
— *Schreibe* — instruiu a si mesma. Escreva.

Passadas mais de duas horas, Liesel Meminger começou a escrever, sem saber como conseguiria fazer isso direito. Como poderia saber que alguém apanharia sua história e a carregaria consigo por toda parte?

Ninguém espera essas coisas.

Ninguém as planeja.

Usando uma lata pequena de tinta como assento e uma grande como mesa, Liesel pôs o lápis na primeira página. No centro, escreveu o seguinte:

· A MENINA QUE ROUBAVA LIVROS ·
uma pequena história
de
Liesel Meminger

Os aviões com caixa torácica

Na página três, sua mão estava dolorida.

As palavras pesam muito, pensou ela, mas no correr da noite conseguiu terminar onze páginas.

· PÁGINA 1 ·
*Eu tento ignorar, mas sei que tudo isso começou
com o trem, a neve e meu irmão tossindo.
Roubei meu primeiro livro naquele dia.
Era um manual para cavar sepulturas, e eu o roubei
quando estava a caminho da rua Himmel...*

Ela adormeceu lá embaixo, numa cama feita de mantas de proteção contra respingos, com o papel enrolando nas bordas, em cima da lata mais alta de tinta. De manhã, a mãe postou-se junto dela, os olhos clorados cheios de perguntas.

— Liesel, que é que você está fazendo aqui embaixo? — perguntou.

— Estou escrevendo, mamãe.

— Jesus, Maria e José — fez Rosa, e subiu a escada pisando duro. — Trate de voltar lá para cima em cinco minutos, senão vai receber o tratamento do balde. *Verstehst?*

— Entendi.

Toda noite, Liesel descia ao porão. Carregava o livro consigo o tempo todo. Escrevia durante horas, tentando terminar a cada noite dez páginas de sua vida. Havia muito a considerar, muitas coisas que corriam o risco de ser deixadas de fora. Seja paciente, ela dizia a si mesma, e com o crescer das páginas a força do punho que escrevia aumentou.

Vez por outra, ela escrevia sobre o que estava acontecendo no porão na hora de redigir. Havia acabado de concluir o momento em que o pai a esbofeteara na escadaria da igreja, e de contar como os dois tinham dito "*heil* Hitler" juntos. Do outro lado, Hans Hubermann guardava o acordeão. Acabara de passar meia hora tocando, enquanto Liesel escrevia.

· PÁGINA 42 ·
Esta noite papai ficou sentado comigo.
Trouxe o acordeão cá para baixo e
se sentou perto de onde o Max costumava sentar.
Muitas vezes, olho para seus dedos e seu rosto,
quando ele toca. O acordeão respira.
Há rugas nas faces de papai. Parecem tensas,
e por algum motivo, quando as vejo, sinto
vontade de chorar. Não é por tristeza nem orgulho.
É só que gosto do jeito de elas se mexerem e mudarem.
Às vezes acho que meu pai é um acordeão.
Quando ele olha para mim,
sorri e respira, eu escuto as notas.

Após dez noites de redação Munique tornou a ser bombardeada. Liesel havia chegado à página 102 e estava dormindo no porão. Não ouviu o cuco nem as sirenes, e dormia abraçada ao livro quando o pai foi acordá-la. "Venha, Liesel." Ela pegou *A Menina que Roubava Livros* e cada um de seus outros livros, e os dois foram buscar *Frau* Holtzapfel.

· PÁGINA 175 ·
Um livro desceu flutuando pelo rio Amper.
Um menino pulou na água, alcançou-o
e o segurou com a mão direita.
Sorriu. Estava afundado até a cintura
na gélida água dezembrina.
— Que tal um beijo, Saumensch? — disse.

No bombardeio seguinte, em 2 de outubro, ela havia terminado. Restavam apenas algumas dúzias de páginas em branco, e a roubadora de livros já começava a reler o que tinha escrito. O livro era dividido em dez partes, todas as quais haviam recebido títulos de livros ou histórias e descreviam o modo como cada um havia afetado sua vida.

Muitas vezes me pergunto a que página ela teria chegado quando percorri a rua Himmel, sob o tamborilar da chuva pingante, cinco noites depois. Penso no que estaria lendo quando a primeira bomba caiu da caixa torácica de um avião.

Pessoalmente, gosto de imaginá-la dando uma rápida olhadela para a parede, para a nuvem encordoada de Max Vandenburg, com seu sol gotejante e as figuras caminhando para ele. Depois, ela olha para as tentativas aflitas de sua ortografia pintada a tinta. Vejo o *Führer* descendo a escada do porão, com suas luvas de boxe amarradas uma na outra, displicentemente penduradas no pescoço. E a roubadora de livros lê, relê e relê sua última frase, durante muitas horas.

· A MENINA QUE ROUBAVA LIVROS — ÚLTIMA LINHA ·
Odiei as palavras e as amei,
e espero tê-las usado direito.

Lá fora, o mundo sibilava. A chuva manchou-se.

O FIM DO MUNDO (Parte II)

Quase todas as palavras estão desbotadas. O livro preto vem se desintegrando sob o peso de minhas viagens. Esta foi outra razão para eu contar esta história. Que foi que dissemos antes? Diga uma coisa um número suficiente de vezes e você nunca mais a esquece. Ademais, posso lhe contar o que aconteceu depois que as palavras da menina que roubava livros pararam, e como vim a tomar conhecimento de sua história, para começo de conversa. Foi assim.

Imagine-se andando pela rua Himmel no escuro. Seu cabelo começa a ficar molhado e a pressão do ar está à beira de uma mudança drástica. A primeira bomba atinge o prédio de apartamentos de Tommy Müller. O rosto dele se contorce inocentemente em seu sono, e eu me ajoelho junto a sua cama. Depois, sua irmã. Os pés de Kristina projetam-se para fora do cobertor. Combinam com as pegadas do jogo de amarelinha na rua. Os dedinhos. A mãe deles dorme a menos de um metro de distância. Há quatro cigarros desfigurados em seu cinzeiro, e o teto sem telhado é vermelho como uma chapa quente. A rua Himmel está em chamas.

As sirenes começaram a uivar.
— *Agora* é tarde demais para esse exerciciozinho — murmurei, porque todos tinham sido enganados, e enganados de novo. Primeiro, os Aliados tinham fingido um ataque a Munique, para bombardear Stuttgart. Mas, depois, dez aviões tinham ficado. Ah, houve alertas, é claro. Em Molching, eles chegaram com as bombas.

• • •
· CHAMADA NOMINAL DAS RUAS ·
Munique, Ellenberg, Johannson, Himmel.
A rua principal e mais três,
na zona mais pobre da cidade.

No espaço de alguns minutos, todas desapareceram.
Uma igreja foi deitada abaixo.
A terra foi destruída no lugar em que Max Vandenburg se postara de pé.

No número 31 da rua Himmel, *Frau* Holtzapfel parecia estar à minha espera na cozinha. Havia à sua frente uma xícara quebrada, e num último momento de vigília seu rosto parecia perguntar por que diabo eu tinha demorado tanto.

Em contraste, *Frau* Diller dormia a sono solto. Suas vidraças à prova de balas estavam estilhaçadas ao lado da cama. Sua loja fora obliterada, com o balcão lançado do outro lado da rua, e sua fotografia emoldurada de Hitler fora arrancada da parede e jogada no chão. Decididamente, o homem tinha sido agredido e espancado até se transformar numa pasta de vidro moído. Pisei nele ao sair.

Os Fiedler eram bem organizados, todos na cama, todos cobertos. Pfiffikus estava escondido até o nariz.

Na casa dos Steiner, deslizei os dedos pelo cabelo encantadoramente penteado de Barbara, tirei o ar de seriedade do sério rosto adormecido de Kurt e, uma a uma, dei um beijo de boa-noite nas menorezinhas.

E aí, Rudy.

Ah!, Cristo crucificado, Rudy...

Estava deitado com uma das irmãs. Ela devia tê-lo chutado, ou aberto caminho na marra pela maior parte do espaço da cama, porque o menino estava bem na beirada, com o braço em volta dela. Dormia. Seu cabelo de luz de vela inflamava a cama, e eu o peguei e Bettina com as almas ainda no cobertor. Que mais não fosse, os dois tinham morrido depressa e aquecidos. O menino do avião, pensei. O do ursinho de pelúcia. Onde estava o consolo de Rudy? Onde haveria alguém para aliviar esse roubo de sua vida? Quem o reconfortaria, ao se puxar o tapete debaixo de seus pés adormecidos?

Ninguém.

Havia apenas eu.

E não sou muito boa nessa história de consolar, especialmente quando tenho as mãos frias e a cama é quente. Carreguei-o com delicadeza pela rua destroçada, com sal nos olhos e o coração mortalmente pesado. Observei por um instante o conteúdo de sua alma, e vi um menino pintado de preto, gritando o nome de Jesse Owens ao cruzar uma fita de chegada imaginária. Vi-o afundado até os quadris em água gelada, perseguindo um livro, e vi um garoto deitado na cama, imaginando que gosto teria um beijo de sua gloriosa vizinha do lado. Ele mexe comigo, esse garoto. Sempre. É sua única desvantagem. Ele pisoteia meu coração. Ele me faz chorar.

Por último, os Hubermann.
Hans.
O papai.
Era alto na cama, e vi a prata por entre suas pálpebras. Sua alma sentou-se. Veio a meu encontro. As almas desse tipo sempre o fazem — as melhores. As que se levantam e dizem: "Sei quem você é e estou pronta. Não que eu queira ir, é claro, mas irei." Essas almas são sempre leves, porque um número maior delas foi dispensado. Um número maior delas já encontrou o caminho para outros lugares. Essa foi despachada pelo sopro de um acordeão, pelo estranho sabor do champanhe no verão e pela arte de cumprir promessas. Ele deitou em meus braços e descansou. Houve um pulmão comichando por um último cigarro, e uma imensa atração magnética pelo porão, pela menina que era sua filha e estava escrevendo um livro lá embaixo, um livro que um dia ele esperava ler.
Liesel.
Foi o que sua alma sussurrou quando o carreguei. Mas não havia Liesel naquela casa. Não para mim, pelo menos.
Para mim, havia apenas Rosa e, sim, acho mesmo que a peguei no meio de um ronco, pois sua boca estava aberta e seus lábios rosados de papel ainda executavam o ato de se mexer. Se me visse, tenho certeza de que ela me chamaria de *Saukerl*, embora eu não a levasse a mal. Depois de ler *A Menina que Roubava Livros* descobri que era assim que ela chamava todo o mundo. *Saukerl. Saumensch.* Especialmente as pessoas a quem amava. Seu cabelo elástico estava solto. Roçava o travesseiro, e seu corpo de guarda-roupa se levantara com o pulsar de seu coração. Não se deixe enganar, a mulher *tinha* coração. Um coração maior do que as pessoas suporiam. Havia muita coisa armazenada nele, em quilômetros de prateleiras altas e ocultas. Lembre-se de que ela foi a mulher com o instrumento preso ao corpo pelas alças, na longa noite enluarada. Foi a que alimentou um judeu, sem uma única pergunta, na primeira noite de um homem em Molching. E foi a que esticou o braço, bem no fundo de um colchão, para entregar um caderno de desenho a uma adolescente.

· A ÚLTIMA SORTE ·
Andei de rua em rua e voltei para
buscar um único homem, chamado
Schultz, no fim da Himmel.

* * *

Ele não conseguira aguentar, dentro da casa desabada, e eu carregava sua alma pela rua Himmel quando notei a gritaria e as risadas da LSE.
Havia um pequeno vale na cordilheira de escombros.
O céu quente estava vermelho e mudando. Listras de pimenta começavam a rodopiar, e fiquei curiosa. Sim, sim, eu sei o que lhe disse no começo. Em geral, minha curiosidade leva ao testemunho pavoroso de algum tipo de clamor humano, mas, nessa ocasião, devo dizer que, embora aquilo me partisse o coração, fiquei e continuo feliz por ter estado lá.

Quando a tiraram do fundo, é verdade que ela começou a chorar e a gritar por Hans Hubermann. Os homens da LSE tentaram segurá-la em seus braços poeirentos, mas a menina que roubava livros conseguiu safar-se. Os humanos desesperados sempre parecem capazes de fazê-lo.
Ela não sabia por onde estava correndo, porque a rua Himmel já não existia. Tudo era novo e apocalíptico. Por que o céu estava vermelho? Como podia estar nevando? E por que os flocos de neve lhe queimavam os braços?
Liesel reduziu o passo a um andar trôpego e se concentrou no que havia adiante. Onde estava a loja de *Frau* Diller?, pensou. Onde...
Perambulou um pouco mais, até que o homem que a havia encontrado segurou-a pelo braço e continuou a falar.
— Você está apenas em choque, minha menina. É só o choque, você ficará bem.
— Que aconteceu? — indagou Liesel. — Aqui ainda é a rua Himmel?
— Sim — fez o homem de olhar decepcionado. Que teriam visto aqueles olhos nos anos anteriores? — Aqui é a Himmel. Vocês foram bombardeados, minha menina. *Es tut mir leid, Schatzi.* Sinto muito, tesouro.
A boca da menina continuou vagando, embora seu corpo estivesse imóvel. Ela havia esquecido seus lamentos anteriores por Hans Hubermann. Aquilo fora anos antes — um bombardeio faz essas coisas. Liesel disse:
— Temos que buscar meu pai, minha mãe. Temos que tirar o Max do porão. Se ele não estiver lá, estará no corredor, olhando pela janela. Às vezes ele faz isso, quando há um bombardeio... ele não tem muita chance de olhar para o céu, sabe? Tenho que lhe dizer como está o tempo agora. Ele jamais acreditará em mim...
Nesse momento, o corpo dela vergou-se e o homem da LSE a segurou e a pôs sentada.
— Vamos levá-la num instante — disse a seu sargento.
A menina que roubava livros olhou para algo pesado que machucava sua mão.

O livro.
As palavras.
Seus dedos estavam sangrando, como haviam sangrado em sua chegada à cidade.

• • •

O homem da LSE levantou-a e começou a levá-la embora. Havia uma colher de pau pegando fogo. Passou um homem com uma caixa de acordeão quebrada, e Liesel viu o instrumento dentro dela. Viu seus dentes brancos e as notas pretas de permeio. Eles lhe sorriram e acionaram um alerta para sua realidade. Fomos bombardeados, pensou, e então se virou para o homem a seu lado e disse:

— Aquele é o acordeão de papai. — E de novo: — Aquele é o acordeão de papai.

— Não se preocupe, mocinha, você está em segurança; é só andar um pouquinho mais.

Porém Liesel não andou.

Olhou para onde o homem levava o acordeão e o seguiu. Com o céu vermelho ainda mandando sua bela chuva de cinzas, ela deteve o trabalhador alto da LSE e disse:

— Eu levo isso, se o senhor quiser; é do meu pai.

Devagarzinho, tirou-o das mãos do homem e começou a carregá-lo. Foi mais ou menos nessa hora que viu o primeiro corpo.

A caixa do acordeão soltou-se de seu punho. Um som de explosão.

Frau Holtzapfel estirava-se no chão como uma tesoura.

· OS DOZE SEGUNDOS SEGUINTES ·
DA VIDA DE LIESEL MEMINGER
Ela girou nos calcanhares e olhou o mais longe
que pôde, naquele canal destroçado que
um dia fora a rua Himmel.
Viu dois homens carregando um cadáver e os seguiu.

Ao ver o resto deles, Liesel tossiu. Ouviu momentaneamente um homem dizer aos outros que um dos corpos fora encontrado em pedaços, num dos áceres.

Havia pijamas assustados e rostos rasgados. Foi o cabelo do menino que ela viu primeiro.

Rudy?

Em seguida, fez mais do que apenas mover os lábios para enunciar a palavra.

— Rudy?

Ele estava deitado com seus cabelos amarelos e os olhos fechados, e a menina que roubava livros correu em sua direção e desabou. Deixou cair o livro preto.

— Rudy, acorde — soluçou. Agarrou-o pela camisa e lhe deu a mais leve sacudidela incrédula. — Acorde, Rudy. — E já então, enquanto o céu continuava a esquentar e

a despejar uma chuva de cinzas, Liesel agarrava o peito da camisa de Rudy Steiner.
— Rudy, por favor. — E as lágrimas se engalfinhavam com seu rosto. — Rudy, por favor, acorde, que diabo, acorde, eu amo você. Ande, Rudy, vamos, Jesse Owens, não sabe que eu amo você? Acorde, acorde, acorde...

Mas nada se importou.

Os destroços apenas subiram, mais altos. Montanhas de concreto com tampas de vermelho. E uma linda menina, pisoteada pelas lágrimas, sacudindo os mortos.

— Vamos, Jesse Owens...

Mas o menino não acordou.

Incrédula, Liesel afundou a cabeça no peito de Rudy. Segurou seu corpo amolecido, tentando impedir que pendesse para trás, até que precisou devolvê-lo ao chão massacrado. E o fez com delicadeza.

Devagar. Devagar.

— Meu Deus, Rudy...

Inclinou-se, olhou para seu rosto sem vida, e então beijou a boca de seu melhor amigo, Rudy Steiner, com suavidade e verdade. Ele tinha um gosto poeirento e adocicado. Um gosto de arrependimento à sombra do arvoredo e na penumbra da coleção de ternos do anarquista. Liesel beijou-o demoradamente, suavemente, e quando se afastou, tocou-lhe a boca com os dedos. Suas mãos estavam trêmulas, seus lábios eram carnudos, e ela se inclinou mais uma vez, agora perdendo o controle e fazendo um erro de cálculo. Os dentes dos dois se chocaram no mundo demolido da rua Himmel.

Liesel não disse adeus. Foi incapaz de fazê-lo, e após mais alguns minutos ao lado do amigo conseguiu levantar-se do chão. Fico impressionada com o que os seres humanos são capazes de fazer, mesmo quando há torrentes a lhes descer pelos rostos e eles avançam cambaleando, tossindo e procurando, e encontrando.

· A DESCOBERTA SEGUINTE ·
Os corpos de mamãe e papai, ambos emaranhados
no lençol de cascalho da rua Himmel.

Liesel não correu, não andou nem se mexeu. Seus olhos haviam esquadrinhado os humanos e parado, confusamente, ao notar o homem alto e a mulher baixa, em formato de guarda-roupa. Aquela é a mamãe. Aquele é o papai. As palavras foram grampeadas nela.

— Eles não estão se mexendo — disse baixinho. — Não estão se mexendo.

Talvez, se ela ficasse imóvel por tempo suficiente, *eles* é que se mexessem, só que eles permaneceram imóveis pelo mesmo tempo que Liesel. Naquele momento, percebi que ela não calçava sapatos. Que coisa estranha para se notar, justamente numa hora dessas. Talvez eu estivesse tentando evitar seu rosto, porque a menina que roubava livros era, de verdade, uma mixórdia irresgatável.

Avançou um passo e não sentiu vontade de dar nenhum outro, mas deu. Lentamente, andou até a mãe e o pai e se sentou entre eles. Segurou a mão da mãe e começou a falar com ela.

— Lembra-se de quando eu vim para cá, mamãe? Agarrei-me ao portão e chorei. Você se lembra do que disse a todo o mundo que passava na rua, naquele dia? — E sua voz vacilou. — Você disse: "O que é que estão olhando, seus babacas?"

Pegou a mão da mãe e a tocou no pulso.

— Mamãe, eu sei que você... Gostei de quando você foi à escola e me contou que o Max tinha acordado. Sabe que eu vi você com o acordeão do papai? — E apertou mais forte a mão que endurecia. — Eu cheguei e fiquei olhando, e você estava linda. Puxa vida, você estava tão linda, mamãe!

· MUITOS MOMENTOS DE EVITAÇÃO ·
*Papai. Ela não queria,
não podia olhar para o pai.
Ainda não. Agora não.*

O pai era um homem de olhos de prata, não olhos mortos.
Papai era um acordeão!
Mas todos os seus foles estavam vazios.
Não entrava nem saía nada.

Liesel começou a balançar o corpo para a frente e para trás. Uma nota estridente, calada, untuosa, ficou presa em algum ponto de sua boca, até que ela finalmente conseguiu se virar.

Para o pai.

Nesse ponto, não pude evitar. Andei em volta dela, para vê-la melhor, e desde o instante em que revi seu rosto eu soube que aquele era o que ela mais amava. Sua expressão afagou o rosto do homem. Seguiu uma das rugas que lhe desciam pela face. Ele se sentara com ela no banheiro e lhe ensinara a enrolar cigarros. Dera pão a um homem morto na rua Munique e dissera à menina para continuar lendo no abrigo antiaéreo. Talvez, se não o tivesse feito, ela não tivesse acabado escrevendo no porão.

Papai, o acordeonista — e a rua Himmel.

Um não podia existir sem o outro, porque, para Liesel, eles eram uma coisa só. Sim, isso é o que era Hans Hubermann para Liesel Meminger.

A menina virou-se e falou com os homens da LSE.

— Por favor, o acordeão do papai. Vocês podem pegá-lo para mim?

Após alguns minutos de confusão um membro mais velho trouxe a caixa corroída e Liesel a abriu. Tirou o instrumento machucado e o depositou junto ao cadáver do pai.

— Tome, papai.

E uma coisa eu posso lhe jurar, porque foi algo que vi muitos anos depois — uma visão da própria roubadora de livros: quando se ajoelhou ao lado de Hans

Hubermann, ela o viu levantar-se e tocar o acordeão. Ele se pôs de pé, prendeu o instrumento no corpo pelas alças, nos Alpes de casas destroçadas, e tocou o acordeão com seus olhos prateados de bondade, e até com um cigarro pendendo dos lábios. Chegou mesmo a cometer um erro, e riu, numa rememoração encantadora. Os foles respiraram e o homem alto tocou para Liesel Meminger pela última vez, enquanto o céu era lentamente tirado do fogão.

Continue tocando, papai.

Papai parou.

Deixou cair o acordeão, e seus olhos de prata continuaram a enferrujar. Agora restava apenas um corpo no chão, e Liesel o ergueu e o abraçou. Chorou no ombro de Hans Hubermann.

— Adeus, papai, você me salvou. Você me ensinou a ler. Ninguém sabe tocar como você. Nunca mais tomarei champanhe. Ninguém sabe tocar como você.

Seus braços o envolveram. Ela o beijou no ombro — não suportou mais olhar para seu rosto — e o repôs no chão.

A menina que roubava livros chorou, até ser gentilmente levada dali.

Mais tarde, eles se lembraram do acordeão, mas ninguém notou o livro.

Havia muito trabalho a fazer, e com uma coleção de outros materiais, *A Menina que Roubava Livros* foi pisoteada várias vezes, e acabou sendo apanhada, sem sequer um olhar de relance, e atirada num caminhão de lixo. Pouco antes de o caminhão partir, subi depressa e peguei o livro...

Foi sorte eu ter estado lá.

Mas, a quem é que estou enganando? Passo pela maioria dos lugares pelo menos uma vez, e em 1943, estive praticamente em toda parte.

EPÍLOGO

A derradeira cor

APRESENTANDO:

a morte e liesel
lágrimas de madeira
max
e o vigiador

A Morte e Liesel

Já faz muitos anos desde aquilo tudo, mas ainda há muito trabalho a fazer. Posso lhe jurar que o mundo é uma fábrica. O sol a movimenta, os humanos a dirigem. E eu permaneço. Levo-os embora.

Quanto ao que resta desta história, não evitarei nada dela, porque estou cansada, muito cansada, e vou contá-la da maneira mais direta que puder.

· UM ÚLTIMO FATO ·
Devo lhe dizer que
a menina que roubava livros
só morreu ontem.

Liesel Meminger viveu até uma idade muito avançada, longe de Molching e da extinção da rua Himmel.

Ela morreu num subúrbio de Sydney. O número da casa era quarenta e cinco — o mesmo do abrigo dos Fiedler — e o céu estava no seu melhor azul vespertino. Como acontecera com seu papai, sua alma logo se sentou.

Em suas visões derradeiras, ela viu seus três filhos, seus netos, seu marido e a longa lista de vidas que se fundiam com a sua. Entre elas, acesos como lanternas, estavam Hans e Rosa Hubermann, o irmão de Liesel e o menino cujo cabelo permaneceu da cor dos limões para sempre.

Porém houve também umas outras visões lá.

Venha comigo que eu lhe conto uma história.

Vou lhe mostrar uma coisa.

Madeira na tarde

Quando limparam a rua Himmel, Liesel Meminger não tinha para onde ir. Era a menina a quem eles se referiam como "a do acordeão", e foi levada para a polícia, que se viu às voltas com a decisão sobre o que fazer com ela.

Ficou sentada numa cadeira muito dura. O acordeão a olhava pelo buraco da caixa.

Foram necessárias três horas na delegacia policial para que o prefeito e uma mulher de cabelos felpudos mostrassem suas caras.

— Todos dizem que há uma menina que sobreviveu na rua Himmel — disse a senhora.

Um policial apontou.

Ilsa Hermann ofereceu-se para carregar a caixa, mas Liesel a segurou firme na mão enquanto eles desciam a escada da delegacia de polícia. A alguns quarteirões da rua Munique havia uma clara divisão separando os bombardeados dos afortunados.

O prefeito dirigiu.

Ilsa sentou-se com Liesel no banco traseiro.

A menina deixou que ela segurasse sua mão por cima da caixa do acordeão, que se sentou entre elas no banco.

Teria sido fácil não dizer nada, mas Liesel teve a reação inversa à sua devastação. Sentava-se no requintado quarto de hóspedes da casa do prefeito e falava e falava — consigo mesma — até altas horas da madrugada. Comia muito pouco. A única coisa que não fazia era tomar banho.

Durante quatro dias carregou os restos da rua Himmel pelos tapetes e tábuas corridas do número oito da Grande Strasse. Dormiu muito e não sonhou, e em quase todas as ocasiões lamentou acordar. Tudo desaparecia quando ela estava dormindo.

No dia do funeral, ela ainda não havia tomado banho, e Ilsa Hermann perguntou-lhe polidamente se gostaria de fazê-lo. Antes disso, apenas lhe mostrara o banheiro e lhe dera uma toalha.

As pessoas que compareceram ao enterro de Hans e Rosa Hubermann sempre falaram da menina que ficou lá parada, usando um lindo vestido e uma camada de sujeira da rua Himmel. Houve também um boato de que mais tarde, nesse dia, ela entrou no rio Amper, toda vestida, e disse uma coisa muito estranha.

Uma coisa sobre um beijo.
Uma coisa sobre uma *Saumensch*.
Quantas vezes ela teria que dizer adeus?

Depois disso, vieram semanas e meses, e muita guerra. Liesel se lembrava de seus livros nos momentos de maior tristeza, especialmente dos que tinham sido feitos para ela e do que lhe salvara a vida. Certa manhã, num novo estado de choque, chegou até a voltar à rua Himmel para procurá-los, mas não sobrara nada. Não havia recuperação para o que tinha acontecido. Isso levaria décadas, levaria uma longa vida.

Houve duas cerimônias para a família Steiner. A primeira, imediatamente depois do sepultamento. A segunda veio assim que Alex Steiner voltou para casa, ao lhe concederem uma licença depois do bombardeio.

Desde que a notícia o alcançara, Alex vinha definhando.

— Cristo crucificado — dizia —, se ao menos eu tivesse deixado Rudy ir para aquela escola.

A gente tem uma pessoa.
A gente a mata.
Como é que ele ia saber?

A única coisa que *realmente* sabia é que ele teria feito qualquer coisa para estar na rua Himmel naquela noite, para que Rudy tivesse sobrevivido, em vez dele.

Isso foi uma das coisas que disse a Liesel na escada do número oito da Grande Strasse, quando correu para lá, ao saber que ela havia sobrevivido.

Nesse dia, na escada, Alex Steiner estava serrado em dois.

Liesel lhe contou que havia beijado a boca de Rudy. Aquilo a embaraçava, mas pareceu-lhe que ele gostaria de saber. Houve lágrimas de madeira e um sorriso de carvalho. Na visão de Liesel, o céu que vi estava cinzento e brilhante. Uma tarde prateada.

Max

Depois que a guerra acabou e Hitler se entregou em meus braços, Alex Steiner retomou o trabalho em sua alfaiataria. Não ganhava dinheiro com ela, mas se mantinha ocupado por algumas horas, todos os dias, e Liesel frequentemente o acompanhava. Os dois passavam muitos dias juntos, amiúde andando até Dachau, depois que o campo foi liberado, apenas para serem repelidos pelos americanos.

Por fim, em outubro de 1945, um homem de olhos alagadiços, plumas de cabelo e rosto escanhoado entrou na loja. Aproximou-se do balcão.
— Há alguém aqui com o nome de Liesel Meminger?
— Sim, ela está lá nos fundos — disse Alex. Ficou esperançoso, mas queria ter certeza. — Posso perguntar quem a está procurando?

Liesel saiu.
Os dois se abraçaram e choraram e desabaram no chão.

O Vigiador

Sim, já vi inúmeras coisas neste mundo. Frequento as piores desgraças e trabalho para os piores vilões.

Mas, por outro lado, existem outros momentos.

Há uma multidão de histórias (um mero punhado, como sugeri antes) que permito que me distraiam enquanto trabalho, assim como as cores. Eu as apanho nos lugares mais azarados, mais improváveis, e me certifico de recordá-las enquanto executo meu trabalho. A *Menina que Roubava Livros* é uma dessas histórias.

Quando viajei até Sydney e levei Liesel, finalmente pude fazer uma coisa pela qual havia esperado durante muito tempo. Coloquei-a no chão e fomos andando pela avenida Anzac, perto do campo de futebol, e tirei do bolso um livro preto e empoeirado.

A velha senhora ficou perplexa. Segurou-o nas mãos e perguntou:

— É ele mesmo?

Fiz que sim com a cabeça.

Com grande alvoroço, ela abriu A *Menina que Roubava Livros* e folheou as páginas.

— Não consigo acreditar...

Muito embora o texto estivesse desbotado, ela conseguiu ler as palavras. Os dedos de sua alma tocaram na história escrita tanto tempo antes, em seu porão da rua Himmel.

Ela se sentou no meio-fio e eu a acompanhei.

— Você o leu? — perguntou, mas não olhou para mim. Tinha os olhos fixos nas palavras.

Fiz que sim.

— Muitas vezes.
— E conseguiu entender?
Nesse ponto, houve uma grande pausa.

Passaram alguns carros, para um lado e para outro. Seus motoristas eram Hitleres e Hubermanns, e Maxes, e assassinos, e Dillers e Steiners...

Tive vontade de dizer muitas coisas à roubadora de livros, sobre a beleza e a brutalidade. Mas que poderia dizer-lhe sobre essas coisas que ela já não soubesse? Tive vontade de lhe explicar que constantemente superestimo e subestimo a raça humana — que raras vezes simplesmente a *estimo*. Tive vontade de lhe perguntar como uma mesma coisa podia ser tão medonha e tão gloriosa, e ter palavras e histórias tão amaldiçoadas e tão brilhantes.

Nenhuma dessas coisas, porém, saiu de minha boca.

Tudo o que pude fazer foi virar-me para Liesel Meminger e lhe dizer a única verdade que realmente sei. Eu a disse à menina que roubava livros e a digo a você agora.

· UMA ÚLTIMA NOTA DE SUA NARRADORA ·
Os seres humanos me assombram.

Agradecimentos

Eu gostaria de começar agradecendo a Anna McFarlane (que é tão calorosa quanto versada) e a Erin Clarke (sua visão, bondade, e o fato de ter sempre o conselho certo, na hora certa). Um agradecimento especial deve ir também para Bri Tunnicliffe, por me aguentar e por tentar acreditar em minhas datas de entrega das revisões.

Sou grato a Trudy White por sua gentileza e seu talento. É uma honra contar com seu trabalho artístico nestas páginas.

Um grande obrigado a Melissa Nelson, por ter feito um trabalho difícil parecer fácil. Isso não passou despercebido.

Este livro também não teria sido possível sem as seguintes pessoas: Cate Paterson, Nikki Christer, Jo Jarrah, Anyez Lindop, Jane Novak, Fiona Inglis e Catherine Drayton. Obrigado a vocês por investirem seu tempo precioso nesta história e em mim. Estou mais agradecido do que sou capaz de dizer.

Obrigado ainda ao Museu Judaico de Sydney; ao Memorial de Guerra da Austrália; a Doris Seider e ao Museu Judaico de Munique; a Andreus Heusler, do Arquivo Municipal de Munique, e a Rebecca Biehler (pelas informações sobre os hábitos sazonais das macieiras).

Sou grato a Dominika Zusak, Kinga Kovacs e Andrew Janson, por todos os ditos encorajadores e pela perseverança.

Por último, um agradecimento especial a Lisa e a Helmut Zusak — pelas histórias que achamos difíceis de acreditar, pelas risadas, e por me mostrarem um outro lado.

O Autor

MARKUS ZUSAK nasceu em 1975 e é autor de seis livros, incluindo *A garota que eu quero*, *Eu sou o mensageiro* e *O construtor de pontes*, acolhidos com críticas radiosas nas revistas *Publishers Weekly*, *School Library Journal* e *Booklist*. Recebeu o Prêmio Livro do Ano para Leitores Mais Velhos, concedido pelo Conselho Australiano de Livros Infantis, e o Margaret A. Edwards Award, pela American Library Association.

Ao falar de suas razões para escrever *A menina que roubava livros* — que foi traduzido para mais de quarenta idiomas —, ele explica: "Eu queria escrever algo muito diferente do que tinha escrito antes. A ideia de um ladrão de livros estava em minha cabeça quando escrevi *Eu sou o mensageiro*, mas não estava pronta para ser escrita. A ideia original ambientava-se no presente, em Sydney, e isso não parecia muito certo. Depois, pensei em escrever sobre as coisas que meus pais tinham visto, ao crescerem na Alemanha nazista e na Áustria, e quando juntei as duas ideias, pareceu funcionar, especialmente quando pensei na importância das palavras naquela época, e naquilo que elas conseguiram levar as pessoas a acreditar, assim como levá-las a fazer."

Markus Zusak mora em Sydney, na Austrália, com a esposa e os dois filhos.

#Ameninaqueroubavalivros
www.intrinseca.com.br